MacBook 完全マニュアル

MacBook Perfect Manual

standards

Cont

01

Section 01
MacBook スタートガイド

02

Section 02
標準アプリ 完全ガイド

e n t s

M a c B o o k P e r

はじめてのパソコンがMacBookの人も
Windowsからの乗り替えユーザーも
もっと使いこなしたい人も
まとめてしっかりフォローします

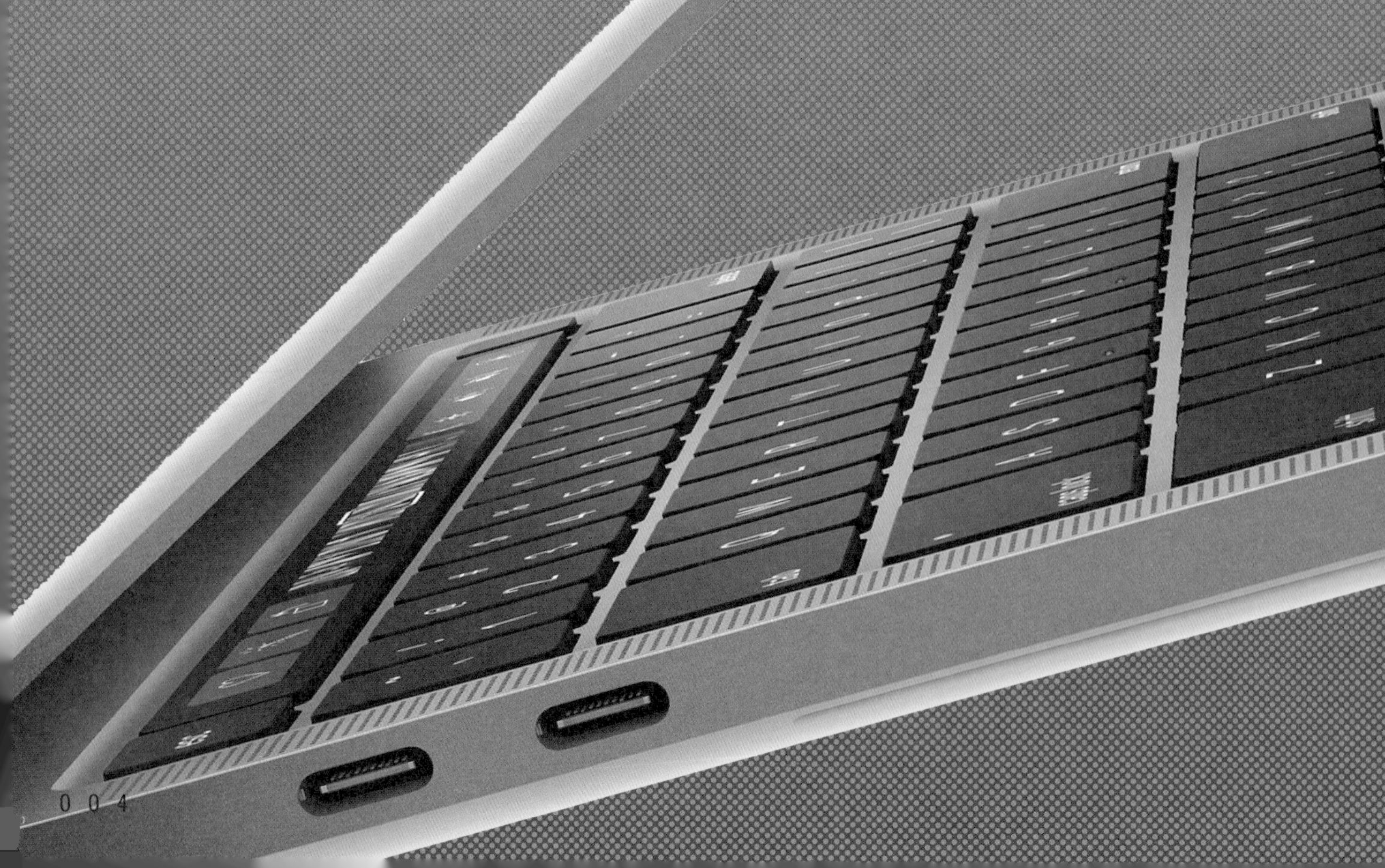

f e c t　M a n u a l

いつも持ち歩いてサッとディスプレイを開き、仕事やクリエイティブな作業に活躍するMacBook。本体もmacOSも、つまずくことなく直感的に扱えるよう設計されているとはいえ、やはりパソコンなので機能や設定、操作法は多岐にわたる。本書は、はじめてのパソコンとしてMacBookを購入した初心者でも、最短でやりたいことができるよう要点をきっちり解説。macOSや標準アプリの操作をスピーディにマスターできる。また、MacBookをさらに便利に快適に使うための設定ポイントや操作法、活用テクニックもボリュームをとって紹介。この1冊でMacBookを「使いこなす」ところまで到達できるはずだ。

はじめにお読みください　本書は2020年7月の情報を元に作成しています。macOS、iOS、iPadOSやアプリのアップデートおよび使用環境などによって、機能の有無や名称、表示内容、操作法が本書記載の内容と異なる場合があります。あらかじめご了承ください。また、本書掲載の操作によって生じたいかなるトラブル、損失について、著者およびスタンダーズ株式会社は一切の責任を負いません。自己責任でご利用ください。

Hardware Preview

MacBook本体の特徴や機能をまとめてプレビュー

MacBookに備わっている高品質のディスプレイや通信機能、先進的なインターフェイスなど、ハードウェアの特徴や機能をまとめてチェック。

※ここで紹介する機能の有無やスペックの内容は機種によって異なるものがあります

リモート会議にもばっちり対応

FaceTime HDカメラ

ディスプレイの上にはカメラを搭載。FaceTimeやLINEでのビデオ通話はもちろん、リモート会議やライブ配信にも対応できる。

3つの配列でより正確に

マイク

3つのマイクが並べて配置されており、Siriや音声入力、ビデオ通話でより正確に音声を捉えることが可能。

環境光に合わせて最適に調整

Retinaディスプレイ

iPhoneにも搭載されているTrue Toneテクノロジーで、周囲の光に合わせて画面が自然な見え方になるよう自動調整される。

ワイドかつ厚みのあるサウンド

スピーカー

低音の存在感が増してバランスのよくなった内蔵スピーカー。特に最新の13インチ MacBook Proにはハイダイナミックレンジスピーカーが搭載されており、音質が格段に良くなっている。

改良シザー式で絶妙なキータッチ

Magic Keyboard

最新のMacBook ProおよびMacBook Airでは、改良されたシザー式のMagic Keyboardを採用。キーの運びが1mmに設定されており、抜群の入力しやすさを実現している。

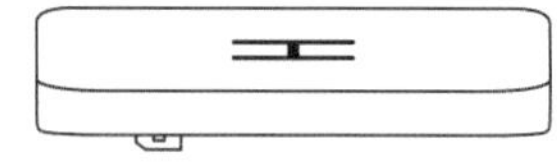

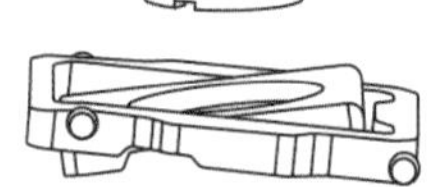

最強の親和性で機能を拡張

iPhone&iPadとの連携

iOSやiPadOSとの連携機能はアップデートのたびに強化されている。iCloudでの同期はもちろん、MacBookの力を拡張する機能も強力だ。

パスワード共有も便利すぎる
Wi-Fi

もちろんWi-Fiでのネット利用が可能。iPhoneやiPadで使っているアクセスポイントへは、パスワード不要であっという間に接続できる。

マウスもヘッドフォンもワイヤレスで
Bluetooth

マウスやヘッドフォンなど多彩な周辺機器をワイヤレスで接続できるBluetooth。AppleのAirPodsシリーズも利用できる。

多彩なジェスチャでスマートに操る
感圧タッチトラックパッド

どこを押してもクリックできるトラックパッド。広さも十分で複数の指を使ったさまざまなジェスチャで便利な機能を呼び出せる。

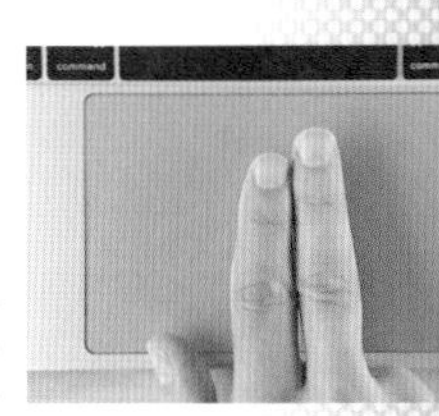

軽く触れて指紋認証できる
Touch ID

キーボードに備わったTouch IDセンサー。MacBookのロック解除はもちろん、各種ストアの認証も指紋を当てるだけでスムーズに行える。

状況に応じて最適な機能が出現
Touch Bar

MacBook Proのキーボードに備わったTouch Bar。使用中のアプリや状況に応じて最適なボタンに変化し、タッチして素早く機能を実行できる。

充電もデータ転送も高速に
Thunderbolt 3 (USB-C)ポート

Thunderbolt 3対応のUSB-Cポートを複数搭載。最大100ワットの電力供給、最大40Gb/sのデータ転送速度や最大2台の6Kディスプレイに対応。さまざまな周辺機器を接続できる。

MacBookの自動ログインに対応
Apple Watchとの連携

MacBookは、Apple Watchとの連携機能も搭載。Apple Watchを身につけていれば、近づくだけでMacBookのロックを解除できる。

MacBookを初めて使う前に

MacBookの初期設定を始めよう

設定アシスタントで簡単に処理できる

新しいMacBookを使い始める前に、まず必要となるのが初期設定だ。設定アシスタントの案内に従って、キーボードの設定やWi-Fiへの接続、Apple IDの設定、コンピュータアカウントの作成、iCloud関連の設定など、重要な設定をまとめて済ませよう。MacBookの購入直後だけでなく、起動ディスクを初期化してmacOSを再インストールした場合(P143で解説)にも、この初期設定が表示される。また「このMacに情報を転送」画面で、他のMacやTime Machineバックアップ、起動ディスクからデータを復元したり、Windows PCのファイルや各種データをMacBookに移行させることもできる。

初期設定を始める前にまずはチェック

CHECK! Wi-Fiの接続環境を準備しておく

初期設定中は、Apple IDの設定などにインターネットを利用するため、基本的にWi-Fi接続が必須。あらかじめ無線LANルーターのネットワーク名やパスワードを確認しておこう。通常は、ルーター本体の横面や底面のシールに、ネットワーク名とパスワードが記載されている。なお、有線接続も可能だが、MacBookにはThunderbolt 3(USB-C)ポートしかないため、EthernetとUSB-Cの変換アダプタが必要だ。

CHECK! 電源に接続しながら設定をすすめよう

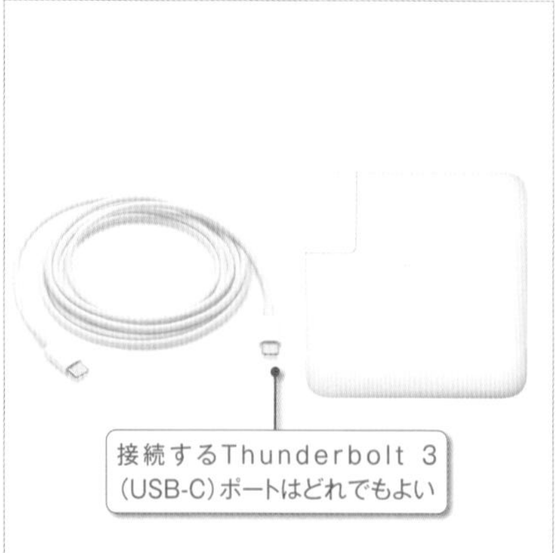

初期設定には時間がかかり、その間バッテリーも多く消費するので、電源アダプタに接続しながら設定を行うのがおすすめだ。初期設定中に電源が切れてしまうと、また最初から設定をやり直すことになってしまう。なお、初期設定の画面ではバッテリー残量アイコンが表示されず、どれくらい電池が残っているか分かりにくいが、60%くらいまで減ってくると、「電源に接続されていません」と警告が表示されて充電を促される。

CHECK! トラックパッドの操作方法を覚えよう

初期設定中にマウスをBluetooth接続するといった項目は表示されないので、操作はMacBookのキーボードとトラックパッドで行うことになる。MacBookのトラックパッドを使い慣れていない人は、まず基本的な操作だけ覚えておこう。トラックパッドを指でなぞると、画面上のマウスポインタがそれに合わせて動き、トラックパッド上を押すとクリック操作になる。2本指で押すと右クリックになるが初期設定中は使わない。

設定アシスタント START

1 国や地域を選択する

まだ初期設定が済んでいないと「ようこそ」画面が表示されるので、まずはMacBookを利用する国や地域を選択する。「日本」を選択して「続ける」をクリックしよう。

2 キーボードの配列を選択する

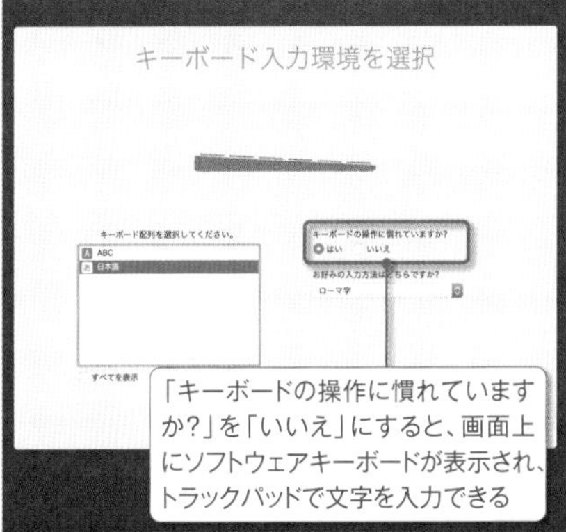

キー配列は、通常は「日本語」を選択しておけばよい。入力方法は「ローマ字」または「カナ」から、自分で入力しやすい方を選んで「次へ」をクリック。

3 Wi-Fiに接続する

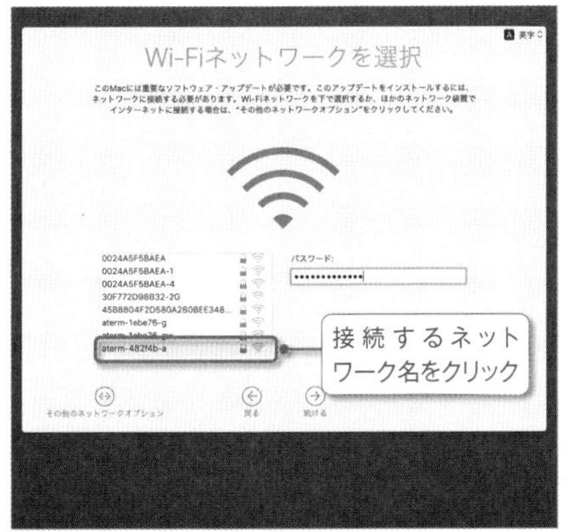

接続するネットワークを選んでパスワードを入力し、「続ける」をクリックしよう。iPhoneなどのテザリング機能で接続することも可能だが、通信量には注意が必要だ。

POINT

有線LANの接続に切り替える

「その他のネットワークオプション」をクリックし、「ローカルネットワーク」を選択すると、ネットへの接続方法を有線LANに変更できる。ただし、別途「Belkin USB-C to Gigabit Ethernet Adapter」などの変換アダプタが必要だ。

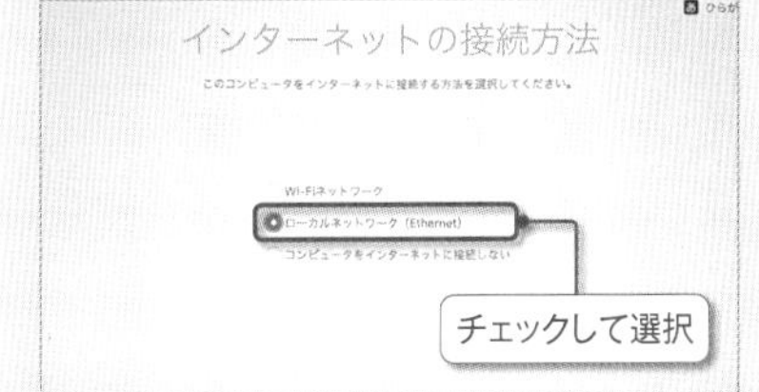

4 個人情報の取り扱いの詳細を確認

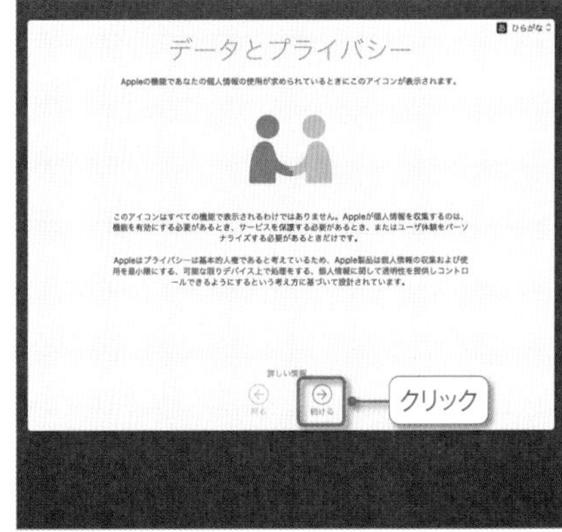

Appleの個人情報の取り扱いについての説明が表示される。確認したら「続ける」をクリックしよう。

5 データの引き継ぎを選択する

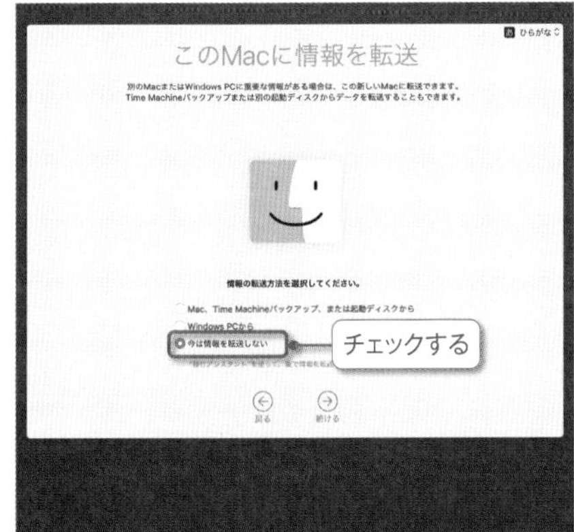

別のMacやTime Machineバックアップ、Windows PCからデータを引き継げる。引き継ぐ必要がないなら「今は情報を転送しない」を選択して「続ける」。

POINT 他のPCやバックアップからデータを移行する

別のMacやTime Machineで復元する

「Mac、Time Machineバックアップ、または起動ディスクから」を選択すると、これまで使っていたMacからデータを転送したり、Time Machineバックアップから復元できる。

Windows PCのデータを移行する

「Windows PCから」を選択し、Windows側では「Windows 移行アシスタント」をインストールすることで、Windows PCからファイルやメール、連絡先、カレンダーなどのデータを移行できる。

6 Apple IDの作成を開始する

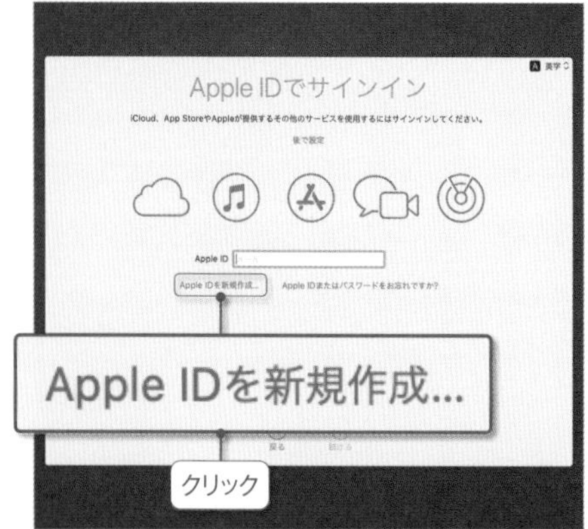

Apple IDでサインインを求められる。まだApple IDを取得していないなら、「Apple IDを新規作成」をクリックしよう。

POINT 既存のApple IDでサインインする

すでに持っているApple IDでサインイン

以前のMacBookやiPhoneなどですでにApple IDを取得済みなら、Apple IDとパスワードを入力して「次へ」をクリック。

確認コードで認証する

2ファクタ認証を設定していると、iPhoneなど信頼したデバイスに確認コードが届くので、これを入力して「続ける」をクリックし手順11に進もう。

7 生年月日を入力する

まず自分の誕生日を登録する。アカウントの本人確認時にも使われることがあるので、正確に入力しておこう。

8 Apple IDを新規作成する

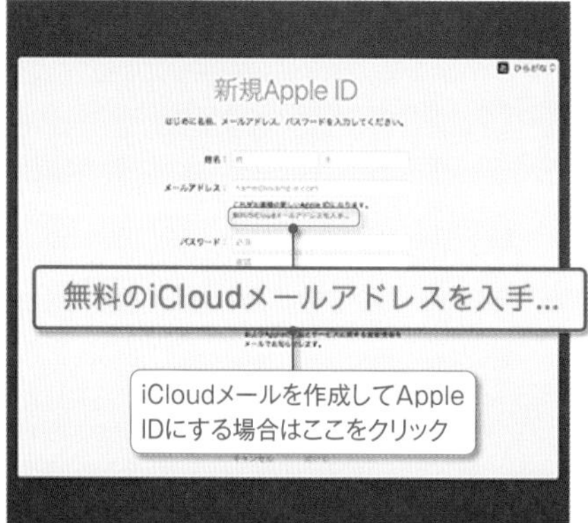

続けて、姓名、メールアドレス、パスワードを入力。このメールアドレスが新しいApple IDになる。iCloudメールを新規作成してApple IDにすることも可能だ。

9 本人確認用の電話番号を入力

Apple IDを認証するための電話番号を入力し、「SMS」にチェックして「続ける」をクリック。SMSを受信できない番号なら「音声通話」でもよい。

10 電話番号に届いた確認コードを入力

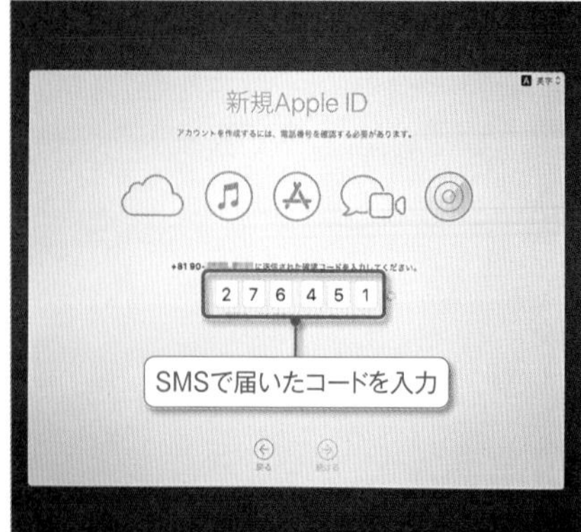

先ほど入力した電話番号宛てに、SMSで確認コードが届くので、6桁の数字を入力しよう。自動的に次の画面に移る。

11 利用規約に同意する

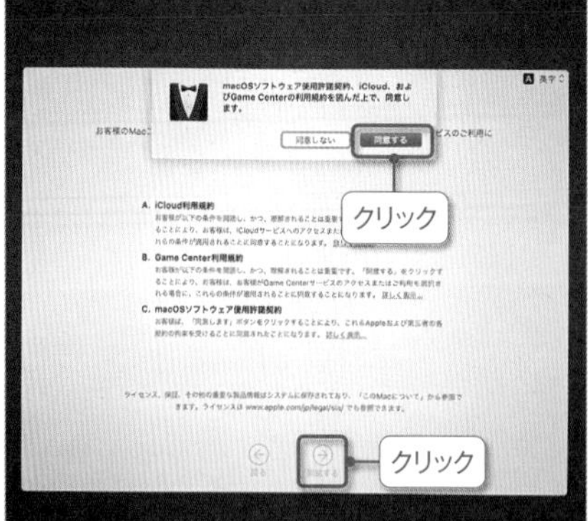

利用規約が表示されるので、右下の「同意する」をクリック。さらに確認画面が表示されるので、「同意する」をクリックしよう。

12 コンピュータアカウントを作成

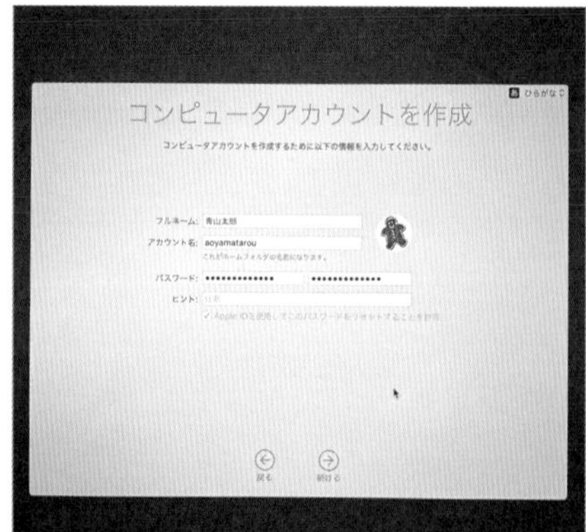

MacBookのログインに使うフルネームとパスワード、ホームフォルダに使用するアカウント名を設定する。あとからでも変更できるが、アカウント名は変更が面倒なのでしっかり考えて登録しておきたい。

POINT

「フルネーム」と「アカウント名」の違い

コンピュータアカウントの作成で入力する「フルネーム」は、ログイン画面に表示される名前なので何でもよい。パスワードもMacBookのログインに使用するもの。これらは、「システム環境設定」→「ユーザとグループ」画面で、あとからでも簡単に変更できる。ただし「アカウント名」はホームフォルダの名前として使用されるので、あとから変更するには別の管理者アカウントを作成する必要があり、大変面倒だ。「アカウント名」だけは、後で変更したくならないように慎重に決めておこう。

13 iCloudキーチェーンを有効にする

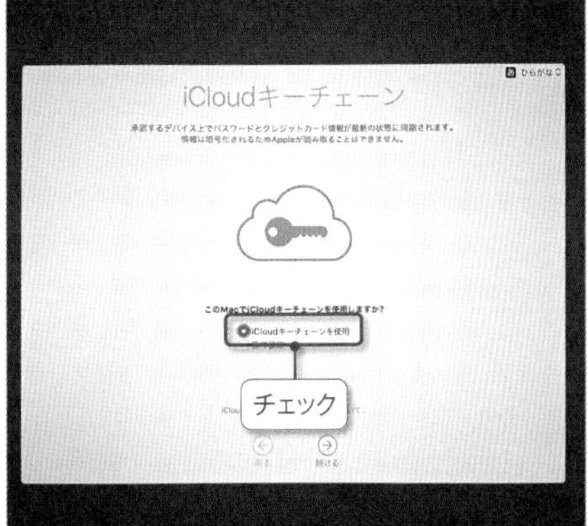

「iCloudキーチェーン」は、Webサイトやアプリのパスワード、クレジットカード情報などを暗号化して保存し、同期できる機能だ。便利なので有効にしておこう。

14 エクスプレス設定を行う

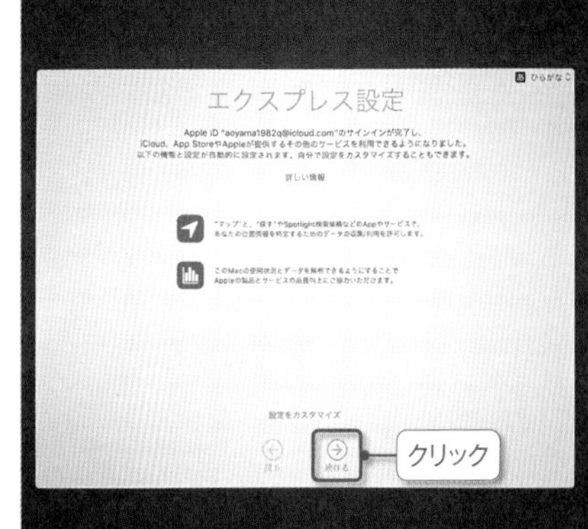

「エクスプレス設定」で「続ける」をクリックすると、位置情報やデータ解析などいくつかの設定を自動で行う。「設定をカスタマイズ」で個別の設定も可能。

15 スクリーンタイムを設定する

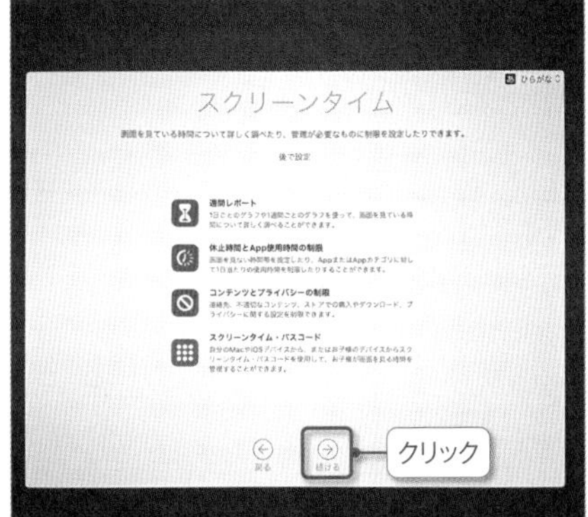

「スクリーンタイム」は、画面を見ている時間についての詳しいレポートを表示してくれる機能。「続ける」をタップして有効にしておこう。

16 iCloud解析の許可

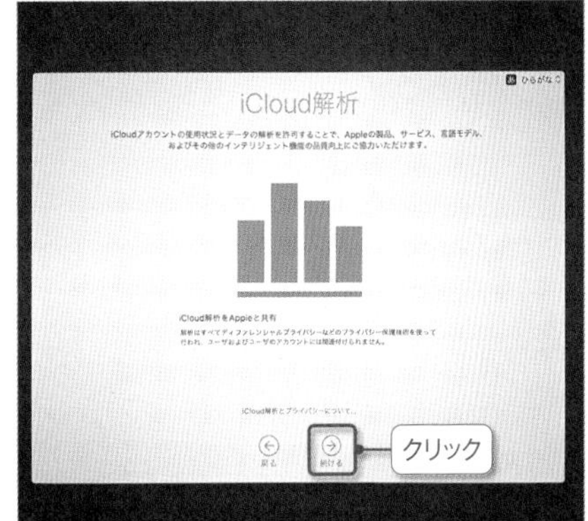

iCloudの使用状況とデータの解析をAppleに許可するかを選択できる。必要に応じてチェックして「続ける」をクリック。基本的にはチェックして問題ない。

17 Siriを有効にする

音声アシスタント機能「Siri」を使うなら、「"Siriに頼む"を有効にする」にチェックして「続ける」をクリック、機能を有効にしよう。

18 ファイルと写真をiCloudに保存する

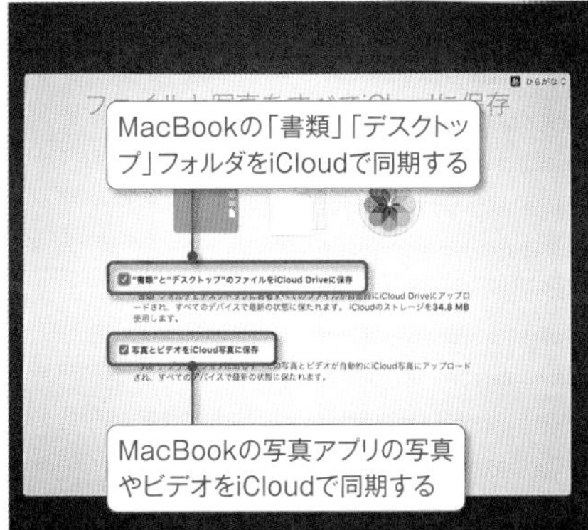

「書類」と「デスクトップ」のファイルをiCloud Driveに保存するか、写真とビデオを「iCloudh写真」にアップロードするかを選択して「続ける」をクリック。

19 FileVaultディスク暗号化の設定

ドライブを丸ごと暗号化するセキュリティ機能、「FileVaultディスク暗号化」を利用するかを設定。どちらもチェックして「続ける」をクリックすればよい。

20 Touch IDの設定を開始する

続けて、指紋認証機能「Touch ID」の設定を開始する。「続ける」をクリックして指紋の登録画面に進もう。

21 Touch IDボタンに指を当てて指紋登録

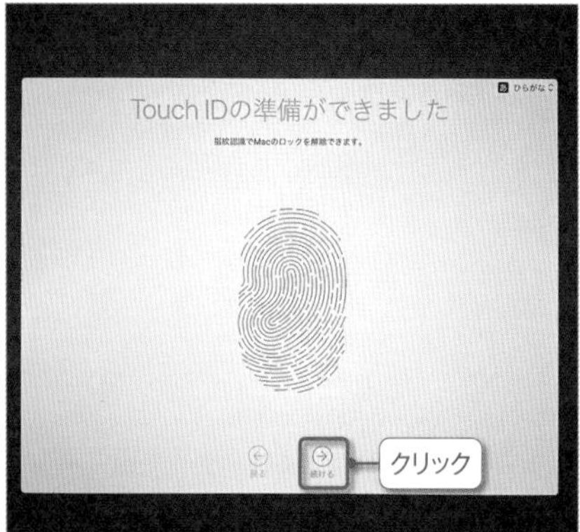

Touch IDボタン(電源ボタン)に指を当てて離す作業を何度か繰り返し、指紋を登録していく。登録が完了したら「続ける」をクリック。

22 Apple Payの登録を行う

「Apple Pay」にクレジットカードを登録できる。あとからでも設定できるので、「後で設定」をクリックしてスキップしてよい。

23 外観モードを選択する

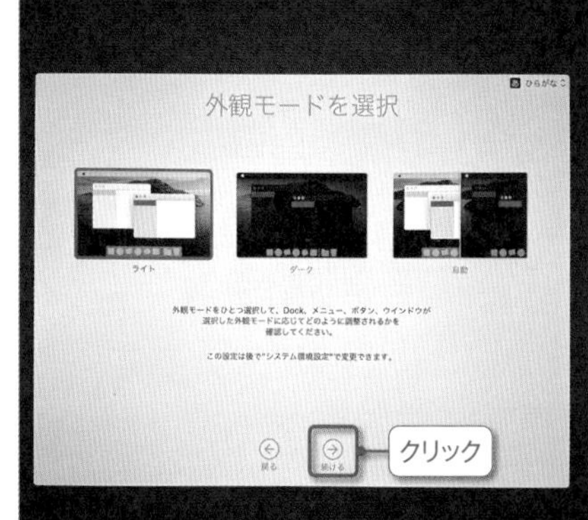

外観モードを「ライト」「ダーク」「自動」から選択して「続ける」をクリック。あとから「システム環境設定」→「一般」で変更できる。

24 MacBookの初期設定が完了した

「Macを設定中」と表示されたら、MacBookの初期設定は完了。あとはデスクトップが表示されるまでしばらく待とう。

POINT

「Macを設定中」画面で止まった場合

「Macを設定中」画面は通常10分以内に終了するが、いつまで経っても設定が終わらないことがある。そんな時は電源ボタンを10秒ほど押して、MacBookを強制終了させよう。もう一度電源を入れると、MacBookが正常に起動するはずだ。

macOSをアップデートして最新の状態に保とう

macOSは常に細かな修正が行われており、不具合が解消したり新機能が追加されると、アップデートとして最新版が配信される。アップデートが使用可能になると通知が表示されるので、なるべく早くインストールを済ませて、macOSを常に最新の状態に保つようにしよう。通知が消えた場合は、「システム環境設定」→「ソフトウェア・アップデート」からアップデートを開始できる。

macOSのアップデートが届いたら、アップデート通知の「インストール」をクリックするか、「システム環境設定」→「ソフトウェア・アップデート」をクリック。

「今すぐアップデート」をクリックして、アプデートを済ませよう。最新版に更新することで、macOSの不具合が解消したり新機能が追加される。

Apple製品を使う上で必須のアカウント

Apple IDの基礎知識

MacBookだけでなく、iPhoneやiPadといった他のApple製品を使う上でも必須となる、最も重要なアカウントが「Apple ID」だ。Apple IDを使って利用できる主なサービスや機能は下にまとめている通り。Apple IDを持っていない場合は、初期設定中に作成できるほか、Appleメニューの「システム環境設定」→「サインイン」をクリックすると新しく作成できる。Apple IDとして設定するメールアドレスがない場合は、無料のiCloudメールを作成してApple IDにすることも可能だ。

App Storeの利用に必要

Mac用のアプリが大量に公開されている「App Store」を利用するには、Apple IDのサインインが必要となる。SNSや写真編集、ビジネスツールにゲームまで、さまざまなアプリをインストールして楽しむことが可能だ。また、アプリの購入履歴はApple IDに紐付けられるため、一度購入した有料アプリは、同じApple IDでサインインした他のMacでも利用できるし、新しい機種に買い替えた際も購入済みのアプリを再インストールできる。

iCloudの利用に必須

Apple IDを作成すると、Appleのクラウドサービス「iCloud」を、無料で5GBまで使うことができる。このiCloud上には、メールや連絡先、カレンダーといった標準アプリのデータが保存され、同じApple IDを使ったiPhoneやiPadからも同じデータにアクセスできるようになる。またMacBookの「デスクトップ」と「書類」フォルダにあるファイルも、iCloud上に保存して他のデバイスと同期できるようになる。

iMessageやFaceTimeを使える

MacやiPhone、iPad相手にメッセージをやり取りする「iMessage」を使ったり、同じくMacやiPhone、iPad相手にビデオ通話や音声通話を楽しめる「FaceTime」を利用する際も、Apple IDが必要だ。Apple IDのメールアドレスが、メッセージやFaceTimeの送受信アドレスになる。残念ながらAndroidスマートフォン相手には使えないが、周りにAppleユーザーが多ければ、これらの高品質なサービスを活用してみよう。

Appleのさまざまなサービスを使える

他にも、約6,000万曲が聴き放題になるAppleの音楽配信サービス「Apple Music」や、Appleのオリジナルドラマや映画を視聴できる「Apple TV」、電子書籍やオーディオブックを購入して読める「ブック」など、Appleが提供するサービスは数多い。これらを利用するにも、Apple IDが必要だ。また同じApple IDでサインインしていれば、iPhoneやiPadでも同じサービスを同期して楽しむことができる。

iPhoneやiPadとも連携できる

iPhoneやiPadと同じApple IDでMacBookにサインインすることで、便利な連携機能を利用できる。Safariのブックマークや連絡先など、まったく同じデータに各端末からアクセスできる同期機能の他、MacBook上のPDFにリアルタイムに注釈を書き込める連携マークアップ、端末をまたいでコピペできるユニバーサルクリップボードなど、多彩な連携機能が用意されている。

システム環境設定から管理画面を開く

Apple IDの設定画面は、Appleメニューの「システム環境設定」→「Apple ID」で開くことができる。「パスワードとセキュリティ」の「パスワードを変更」でいつでもパスワードを変更できる他、セキュリティを強化する「2ファクタ認証」の設定や、App Storeなどで利用する支払い情報の登録などを行える。どの端末からApple IDにサインインしているかも確認可能だ。

SECTION

01

MacBook スタートガイド

初期設定が完了したら、早速MacBookを使い始めよう。電源やスリープの操作とトラックパッドの基本操作からスタートし、デスクトップの仕組みやファイルの扱い方、キーボードの機能や日本語入力の方法、アプリのインストールまで、この章で解説している内容をマスターすれば、あっという間に初心者を卒業できるはずだ。

まずはここから!

MacBookの電源オン/オフとスリープの操作を覚えよう

使うときは開いて使わない時は閉じるだけ

MacBookは、ディスプレイを開くことで電源オンやスリープ解除を行う。そして、表示されたロック画面で指紋認証やパスワードを入力してロックを解除すればデスクトップが現れ、すぐに利用を開始できる。使わない時は、ディスプレイを閉じてスリープ状態にしておけばOKだ。以上の基本操作に加え、電源をオフにする手順や電源ボタンの役割も合わせて覚えておこう。

電源オフではなくスリープで問題なし!

MacBookを使い終わった際は、いちいち電源をオフにせずスリープにしておこう。スリープ解除の所要時間は、電源オフから起動するよりも圧倒的にスピーディで、なおかつバッテリーもほとんど消費しない。また、スリープ中はメールの受信やiCloudの同期が実行される点もメリットだ。なお、アプリを開いたままスリープしても問題ないが、バッテリー切れに備えて作成中の書類はしっかり保存しておこう。

他人に使われないようロックがかかっている

ロック画面が表示されたら、設定したパスワードを入力するか、キーボード右上角のTouch IDセンサーに指を当てて指紋認証を行い、ロックを解除する。なお、電源をオンにした際は、パスワード入力が必須となる。

MacBookの電源をオフにする手順

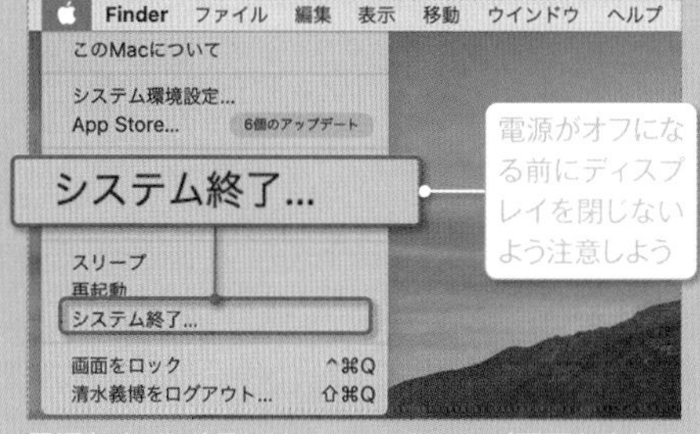

電源をオフにするには、Appleメニュー(画面左上角にあるAppleマーク)で「システム終了」を選択。次に表示されるダイアログで「システム終了」をクリックすればよい。

ディスプレイを開いたままスリープさせる

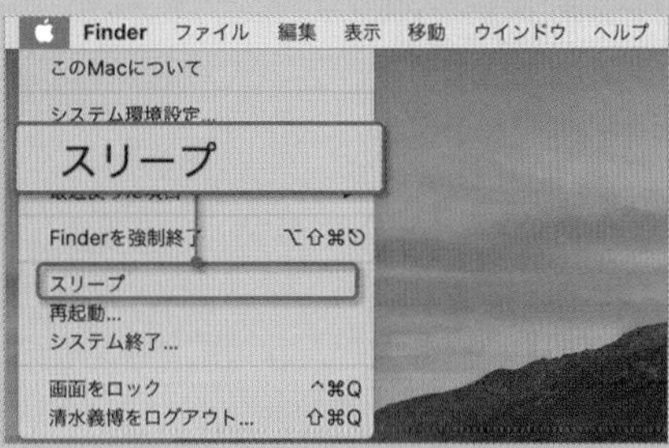

ディスプレイを開いたままスリープさせたい場合は、Appleメニュー(画面左上角にあるAppleマーク)で「スリープ」を選択しよう。スリープ解除は、いずれかのキーかトラックパッドをクリックすればよい。

電源ボタンを使うシーンは?

キーボード右上角にある電源ボタン。ディスプレイが開いていて、なおかつ電源がオフの際は、このボタンを押して電源をオンにできる。また、Appleメニューから電源を切ることができない時に、このボタンを押して強制終了することも可能。

MacBookを操るための指の動きをマスター

トラックパッドの操作方法をしっかり覚えよう

MacBookの操作の第一歩としてトラックパッドの使い方を覚えよう。
MacBookのトラックパッドの反応は、iPhoneやiPadで行うタッチ操作のように驚くほどスムーズ。苦手だからマウスを……という人も、まずは試してみてほしい。

スマートで完璧なインターフェイス

MacBookは、キーボードの手前にあるトラックパッドを指でなぞったり押したりして操作する。MacBookのトラックパッドは、精度が高く繊細な操作も可能。また、滑らかな使い心地も抜群で、ポインタの操作にもたついてイライラするようなこともない。極めて完成度の高いインターフェイスなのだ。指を滑らせてマウスポインタを動かしたり、押してクリックしたりする他、2本指で画面をスクロールしたり、iPhoneやiPadのようにピンチイン、ピンチアウトも利用できる。Windowsノートのタッチパッドと基本的な操作法は共通しているので、乗り替えユーザーも迷うことはないはずだ。ただし、Macならではの特徴的なジェスチャも採用されているので、最初に覚えておきたい。なお、さまざまなジェスチャが設定されているがゆえに誤操作が発生することもあるので、不要なジェスチャはあらかじめ無効にしておこう。

トラックパッドの基本ジェスチャ

ジェスチャ 1 置いた指をすべらせる ポインタの移動

1本指をトラックパッド上ですべらせるように動かすと、それに合わせて画面上のマウスポインタ（矢印）やカーソルを移動させることができる。

ポインタやカーソルを動かす

photo01.jpeg

ファイルやメニューの場所にポインタを動かす。トラックパッドを押さないよう気をつけよう。文字入力画面ではカーソルを動かせる

ジェスチャ 2 トラックパッドを押す クリック

トラックパッドを1本指で押すとクリックになる。トラックパッドのどの場所を押してもよい。押すとカチッという音と共に、クリックした感触を得られる。

ファイルやメニューを選択

ジェスチャ 3
2回連続で押す
ダブルクリック

トラックパッドを1本指で素早く2回連続で押すとダブルクリックとなる。カチカチッという音と共に、クリックした感触を得られる

ジェスチャ 4
2本指をすべらせる
スクロール

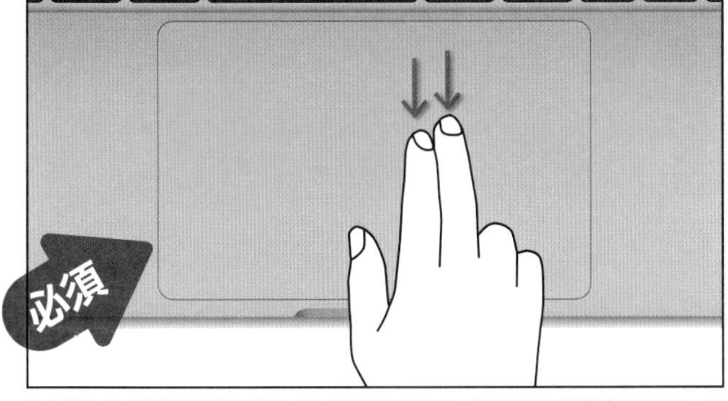

2本指をすべらせるように動かすと、画面をスクロールできる。縦横（画面によっては斜めでも）どちらの方向にも利用できる。

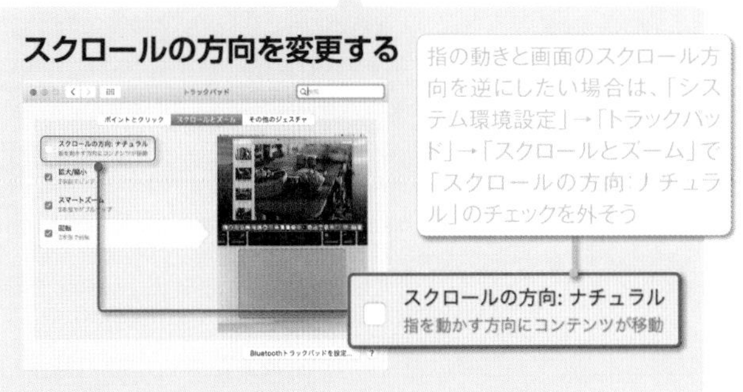

ジェスチャ 5
2本指で押す
右クリック（副ボタンクリック）

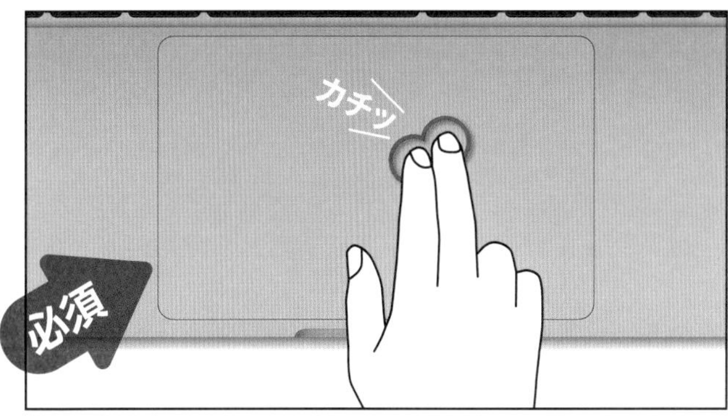

トラックパッドを2本指で押すと、いわゆるマウス操作の右クリックになる。「副ボタンクリック」と呼ばれることもある。

or controlキーと組み合わせる方法も

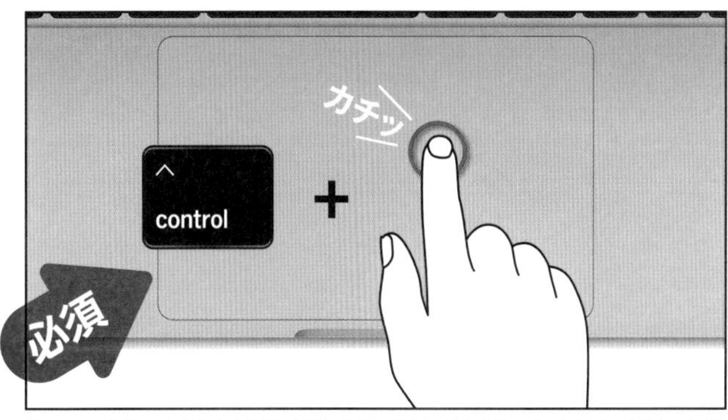

「control」キーを押しながら1本指でトラックパッドを押しても右クリックとなる。使いやすいジェスチャを利用しよう。

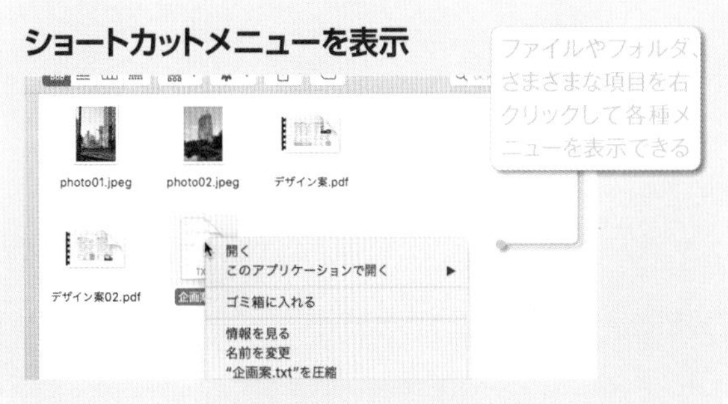

POINT タップでクリックは必要?

> タップでクリック
> 1本指でタップ

トラックパッドをタップ（押すのではなく軽くタッチする）してクリックすることも可能だが、気をつけないと誤操作が起きやすい。このジェスチャを利用しないなら、「システム環境設定」→「トラックパッド」→「ポイントとクリック」で「タップでクリック」のチェックを外しておこう。

ジェスチャ 6 押したまま指をすべらせる ドラッグ

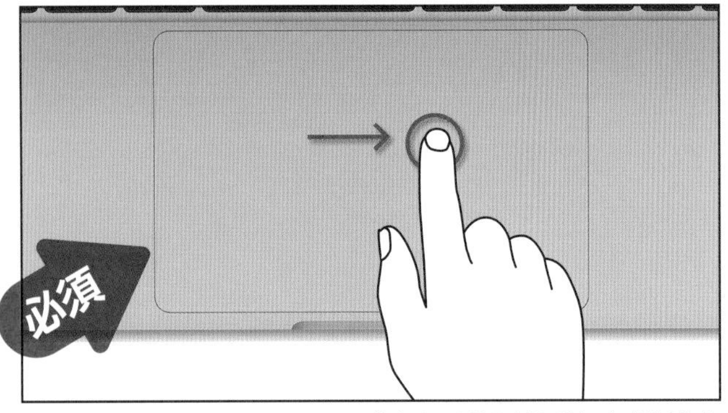

トラックパッドを1本指で押したまま、その指をすべらせるように動かす。指を離したり押し込みすぎたりしないよう気をつけよう

or 2本指を使った方法も

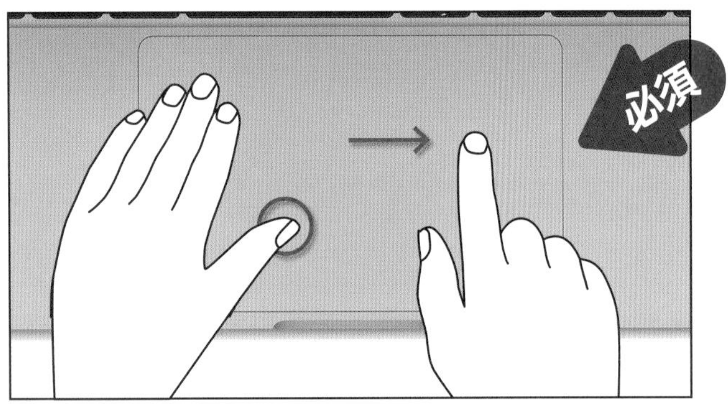

親指でトラックパッドを押し、もう片方の手の人差し指をすべらせる方法も操作しやすい。片手の人差し指で押して中指をすべらせてもよい。

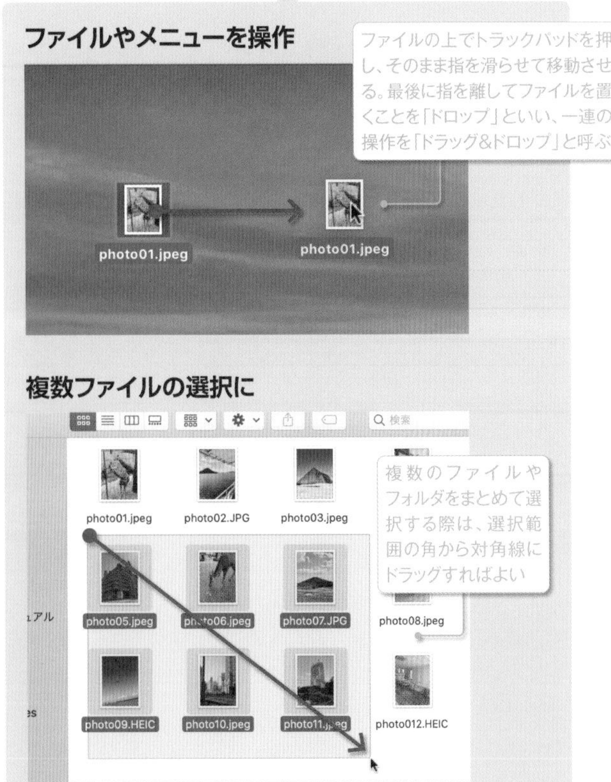

ジェスチャ 7 2本指を広げる／狭める ピンチアウト／ピンチイン

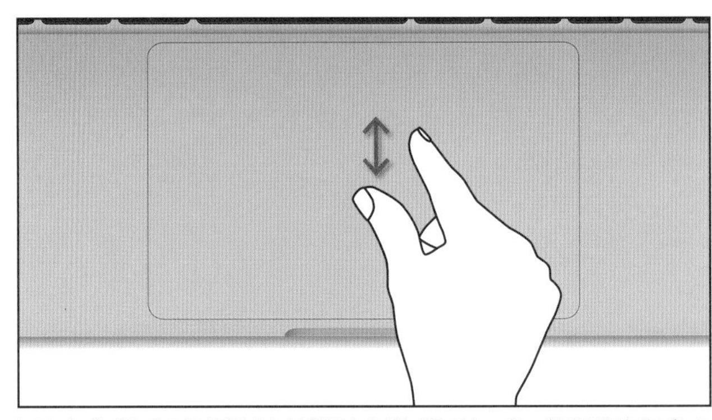

トラックパッドを2本指(基本的には親指と人差し指)でタッチし、指の間隔を広げたり(ピンチアウト)狭めたり(ピンチイン)して、画面を拡大縮小する操作。

ジェスチャ 8 2本指でダブルタップ スマートズーム

トラックパッドを2本指で2回連続タップ(押すのではなく軽くタッチ)すると、Webサイトや写真、PDFなどを拡大できる。再度ダブルタップで縮小できる。

ジェスチャ 9 2本指でひねる 画面の回転

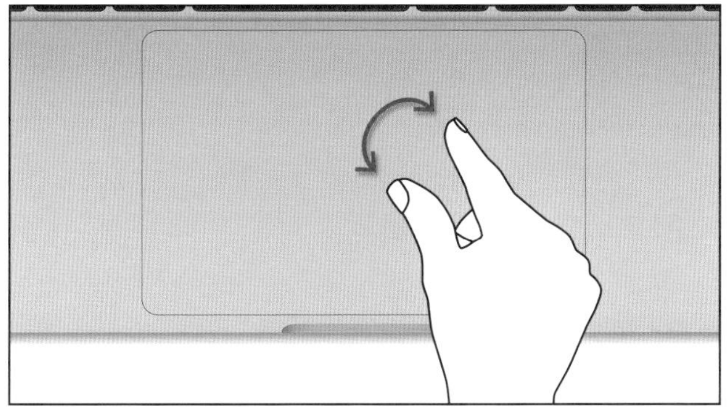

トラックパッドを2本指でタッチし、ひねって回転させると、マップの表示方向や写真などのアイテムを回転させることができる。

ジェスチャ 10 トラックパッドを押し込む 強めのクリック

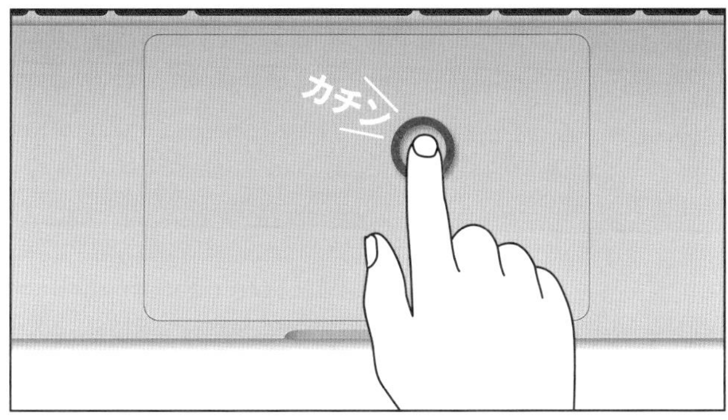

Webサイトやメールの文章中にわからない言葉があったら、カーソルを合わせて1本指で強めにクリックしてみよう。辞書で単語の意味が表示される。

ジェスチャ 11 親指と3本指を狭める Launchpadを表示

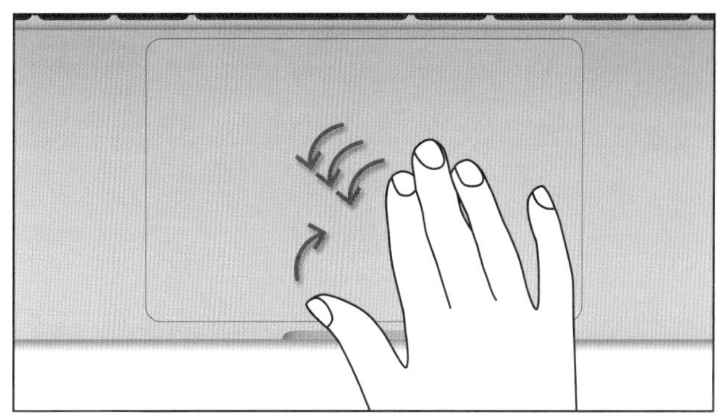

親指と3本指を狭める(ピンチイン)すると、「Launchpad」(アプリの一覧)が表示され素早くアプリを起動できる。

ジェスチャ 12 親指と3本指を広げる デスクトップを表示

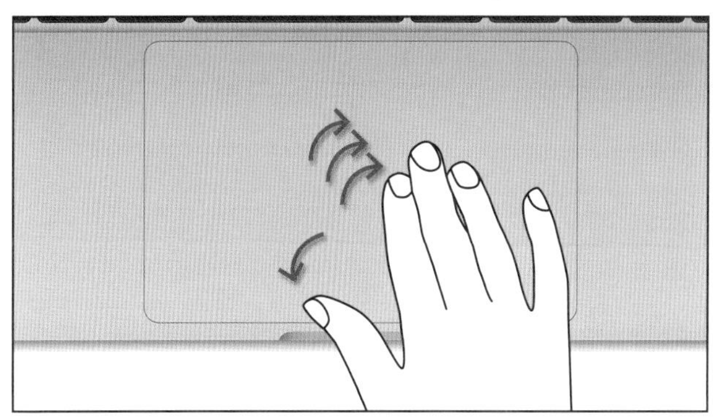

親指と3本指を広げる(ピンチアウト)すると、開いているウインドウがすべて画面外へ押しやられてデスクトップを表示できる。

トラックパッドの設定をチェックする

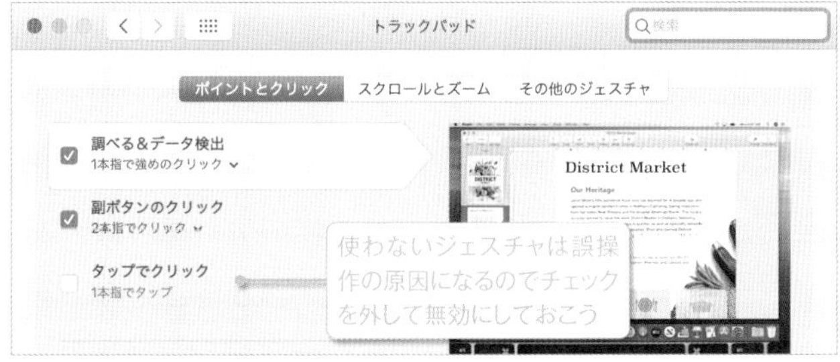

トラックパッドの各種設定は、デスクトップ左上角のAppleメニュー(Appleマーク)から「システム環境設定」を開き、続けて「トラックパッド」をクリックして表示する。ここに全ての設定が用意されている。各操作を実行するためのジェスチャを変更したり、不要なジェスチャを無効にすることができる。本記事で紹介しきれなかった操作法もあるので、この設定画面で確認しておこう。

クリックの強さや軌跡の速さを変更

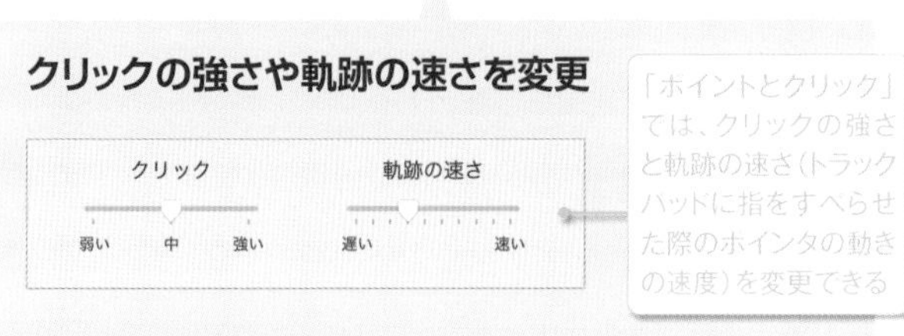

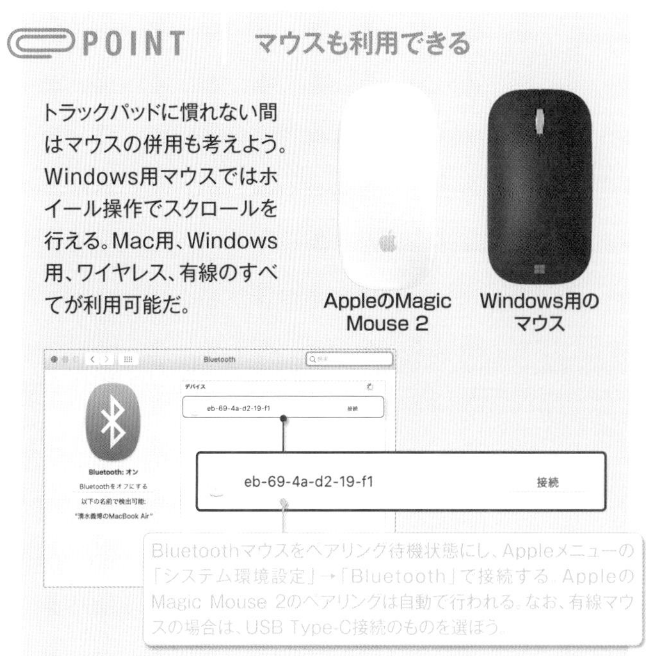

POINT マウスも利用できる

トラックパッドに慣れない間はマウスの併用も考えよう。Windows用マウスではホイール操作でスクロールを行える。Mac用、Windows用、ワイヤレス、有線のすべてが利用可能だ。

すべての操作はここからはじまる

デスクトップの基本を理解しよう

MacBookを使いこなすには、まずデスクトップやメニューバー、Dockといった macOSの基本画面について理解しておく必要がある。
また、デスクトップの壁紙や外観などを変更する方法もここで覚えておこう。

デスクトップまわりの機能を使いこなそう

MacBookを起動してログインを済ませると、画面中央に「デスクトップ」、上部に「メニューバー」、下部に「Dock」と呼ばれる領域が表示される。これがmacOSの基本画面だ。この中でも特に重要なのがデスクトップ。実際の机の上で書類や道具を扱うように、ファイルやフォルダ、ドライブなどのアイコンを表示したり、各種ウインドウを表示したりが可能となっている。また、デスクトップはファイルやフォルダを並べてすぐにアクセスできるので、一時的なファイル置き場のように使うことも多い。画面上部のメニューバーには、Appleメニューやアプリケーションメニュー、ステータスメニューなどが表示され、各種設定やアプリケーション（App）ごとの機能を呼び出すことが可能。また画面下部のDockには、よく使うアプリや最近使ったアプリ、ダウンロードフォルダなどが並べられている。MacBookのほとんどの操作は、このデスクトップやメニューバー、Dockから行うので、まずは各項目の機能をしっかり覚えておこう。

基本画面の各種機能について

Appleメニュー

画面左上のAppleマークをクリックすると、Appleメニューが表示される。ここから「システム環境設定」や「再起動」、「システム終了」など、macOSの基本操作が可能。「システム環境設定」には、画面やサウンドなどのあらゆる設定項目がまとまっており、設定の変更を行える。

アプリケーションメニュー

Finder　ファイル　編集　表示　移動　ウインドウ　ヘルプ

画面左上には現在使用している（アクティブになっている）アプリケーションのメニューが表示される。デスクトップやFinderウインドウの操作時はFinderのメニューとなる。

FinderとLaunchpad

Finder

Launchpad

Finderをクリックすると、いつでもFinderの操作に戻れる。Launchpadをクリックすると、アプリアイコンが並ぶランチャー画面が起動する。

ステータスメニュー

macOSの機能や各種アプリのステータスアイコンと現在時刻が表示される。各アイコンをクリックすれば、各機能の設定が可能。Wi-Fi接続のオン／オフなどもここから行える。

バッテリー残量を数値で表示

バッテリーアイコンをクリックして、「割合（%）を表示」をオンにすると、バッテリーの残量がパーセンテージ表示されるのでわかりやすい。

日本語入力

日本語入力プログラムの設定が行える。入力モード（英字／ひらがな／カタカナ）の切り替えやユーザ辞書の編集などが可能だ。

Spotlight

macOSの検索機能である「Spotlight」を起動する。mac上のアプリや書類、その他ファイルだけでなく、WebサイトやWeb動画などを横断検索できる。

Siri

Siriを起動して音声入力による各種操作や情報検索が可能。「画面をもっと明るくして」「大阪にはどうやって行くの?」などと尋ねてみよう。

通知センター

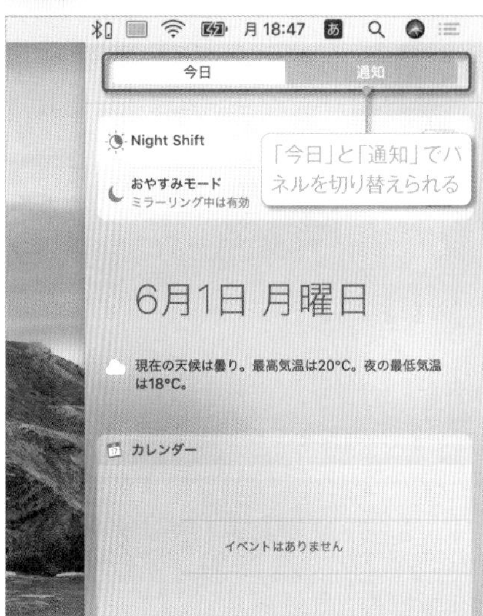

クリックすると画面右端に通知センターが表示される。「今日」と「通知」にパネルが分かれており、「今日」ではカレンダーや天気など各種アプリの最新情報、「通知」ではFaceTimeやメッセージなどの未確認通知を表示可能だ。

画面上部には「メニューバー」が表示される

フォルダやファイル

デスクトップ上には、フォルダやファイル、外部ディスクなどがアイコンとして表示される。

Finderウインドウ

フォルダやディスクを開くと、Finderウインドウで内容が表示される。ウインドウの左端からは、よく使う項目などにアクセス可能だ。

Dock

画面下にはDockがあり、よく使うアプリを並べてすぐ呼び出すことが可能だ。最近使ったアプリなども表示される。

ゴミ箱

不要なフォルダやファイルなどは、Dockにあるゴミ箱にドラッグ&ドロップしよう。ゴミ箱を「control」+クリック→「ゴミ箱を空にする」で完全に削除が可能だ。

デスクトップピクチャ(壁紙)を変更する

デスクトップの雰囲気を壁紙で変えてみよう

デスクトップの背景には、デスクトップピクチャ(壁紙)が表示されている。これは「システム環境設定」にある「デスクトップとスクリーンセーバー」で好きな画像に設定することが可能だ。任意の画像だけでなく、単色(カラー)を選ぶこともできる。

1 「デスクトップとスクリーンセーバー」を起動する

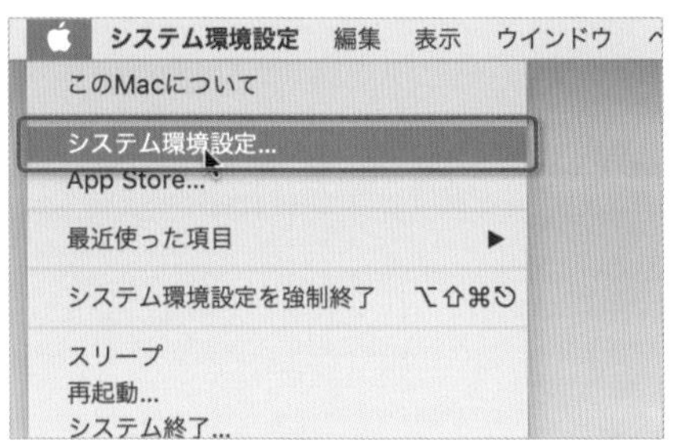

デスクトップピクチャを変更したいときは、まずAppleメニューまたはDockにある「システム環境設定」を起動しよう。

2 「デスクトップとスクリーンセーバー」を起動する

システム環境設定を開いたら「デスクトップとスクリーンセーバー」をクリックする。

3 デスクトップピクチャを設定する

「デスクトップ」パネルの左側で画像のフォルダを選択。右側で画像をクリックして、デスクトップピクチャを変更しよう。単色の壁紙に設定したい場合は、左側の「Apple」→「カラー」から色を選ぶといい。

時間帯で壁紙の色を変化させることができる

標準で用意されているデスクトップピクチャの中には、「ダイナミックデスクトップ」に対応したものがある。これを選択すると、時間帯に応じてデスクトップピクチャの色合いが変化するので試してみよう。

デスクトップピクチャの設定画面で、左側の「Apple」→「デスクトップピクチャ」を選択。右側の「ダイナミックデスクトップ」に分類されているものから選ぼう。

POINT

ダイナミックデスクトップの表示を静止させる方法

ダイナミックデスクトップを選択した場合、画面上部の設定項目で「ダイナミック」「ライト(静止)」「ダーク(静止)」の3種類が選べる。デスクトップピクチャをライトまたはダークの状態で静止させたい場合はここから設定しよう。

ダイナミックデスクトップの変化

ダイナミックデスクトップに対応したデスクトップピクチャを選択した場合、時間帯によって色合いが細かく変化する。朝から昼間にかけては明るく、夜になると暗く落ち着いた色になる

デスクトップピクチャを好みの画像にする

デスクトップピクチャに好きな画像を設定したいときは、画面左下にある「+」ボタンで画像のあるフォルダを追加しておこう。なお、インターネット上でデスクトップピクチャを入手したいときは、「desktop wallpaper free」などと検索するといい。自分のMacBookの画面解像度や画面比率にあった画像を探してみよう。

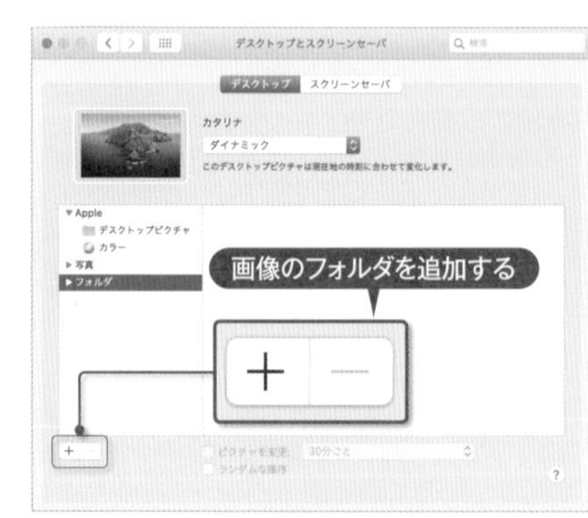

画面の解像度を変更し文字サイズや画面の広さを調整する

ディスプレイ設定を使いやすいように変更しよう

画面に表示される文字が小さくて見にくい、または画面をもっと広く使いたいといった場合は、画面の解像度を変更してみよう。「システム環境設定」の「ディスプレイ」で、解像度(文字のサイズや画面の広さ)を好みの状態に変更することが可能だ。たとえば、MacBookのディスプレイの解像度をフルに使うのであれば、「スペースを拡大」に設定すればいい。ただし、文字などは小さくなってしまう。

1 「システム環境設定」→「ディスプレイ」で設定する

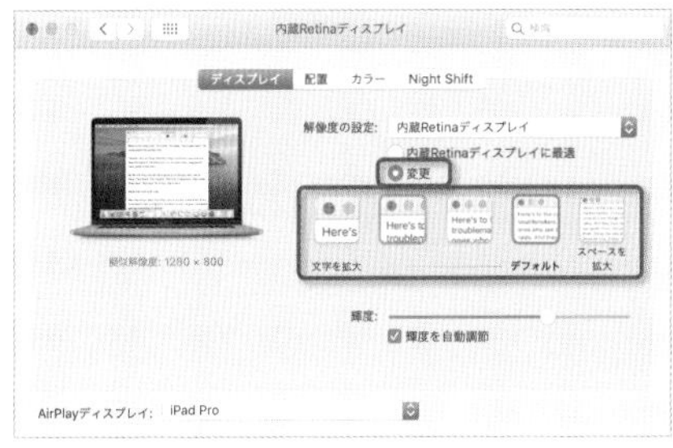

まずは「システム環境設定」を起動して「ディスプレイ」をクリック。上の画面で解像度の設定を「変更」にすると、5段階で文字や画面の広さを調節できる。自分の見やすい状態にしておこう。

2 文字サイズや画面の広さが調整できる

解像度を最小(5段階の左端)にすれば、文字やアイコン、ウインドウなどが大きくなる。解像度を最大(5段階の右端)にすれば、文字などは小さくなるが、その分たくさんの情報を1画面で表示できるようになる。

外観モードとアクセントカラーの設定

1 「システム環境設定」→「一般」で設定する

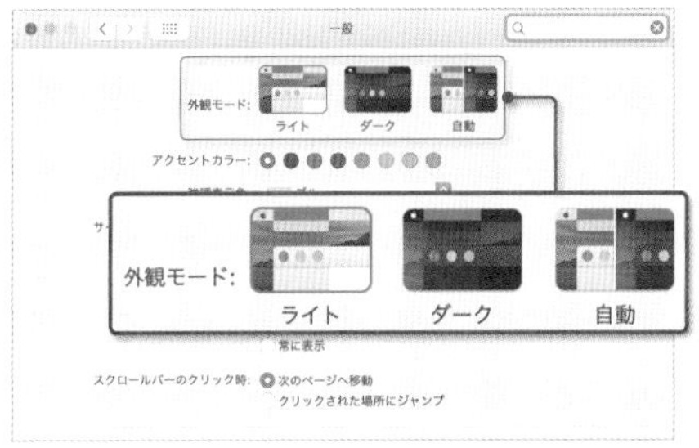

「システム環境設定」→「一般」にある「外観モード」では、macOSのインターフェイス(ウインドウやメニューバーなど)の色合いを変更可能だ。色合いは白ベースの「ライト」と黒ベースの「ダーク」の2種類がある。

2 外観モードを自動にすると時間帯で外観モードが切り替わる

外観モードを「自動」に設定した場合、時間帯によって「ライト」と「ダーク」の外観モードが自動で切り替わる。ダイナミックデスクトップをオンにしていれば、デスクトップピクチャも連動して色合いが変化する。

3 アクセントカラーを設定する

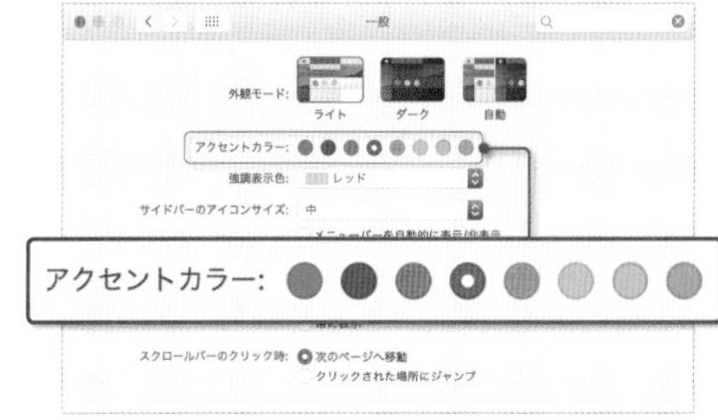

「アクセントカラー」の設定では、macOSのインターフェイスに使われるアクセントカラーが変更できる。標準設定では青が選ばれているが、赤やオレンジ、緑など好きな色に設定しておこう。

Dockのスタイルを変更する

システム環境設定でDockをカスタマイズする

「システム環境設定」→「Dock」では、Dockの表示設定などを変更できる。Dockのサイズや拡大(マウスポインタをDockのアイコンに合わせたときに拡大するかどうか)、画面上の位置など、各種設定を使いやすい状態にしておくといい。

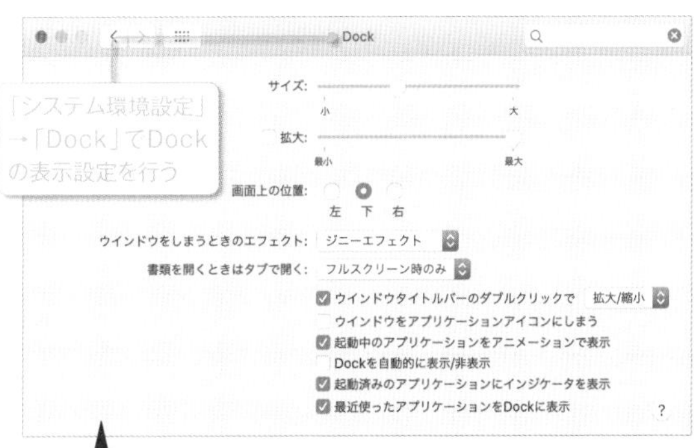

システム環境設定にあるDockの設定画面。基本的には標準状態のままで問題ないが、好みに応じてカスタマイズしよう。「画面上の位置」を変更すれば、Dockを画面の左や右にも表示することが可能だ。なお、画面を広く使いたい場合は、「Dockを自動的に表示/非表示」をオンにしておくといい。普段はDockが非表示になるが、マウスポインタルを画面最下部に動かせば自動的に表示されるようになる。

インジケータとアニメーションについて

「起動中のアプリケーションをアニメーションで表示」をオンにしておくと、Dockからアプリを起動中にアイコンが上下に動くようになる。また、「起動済みのアプリケーションにインジケータを表示」をオンにしておくと、起動中のアプリアイコンの下に小さな●マークが表示されるようになる。

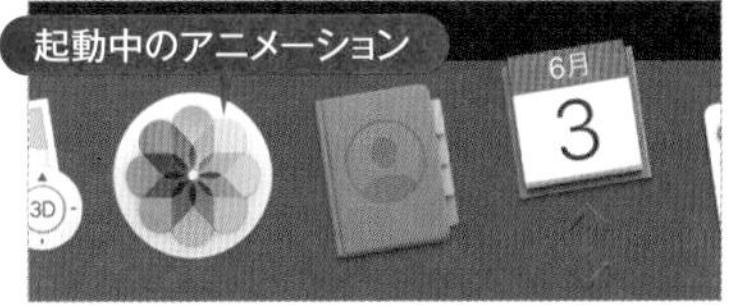

ファイルやフォルダを快適に操作しよう

Finderの仕組みとウインドウの基本操作

macOSには「Finder」と呼ばれるファイル管理システムが搭載されている。ファイルやフォルダを思い通りに操作するには、このFinderの仕組みを理解しておく必要がある。また、Finderウインドウの基本操作にも慣れておこう。

ファイル管理システム「Finder」の基本

「Finder」とは、macOSに標準搭載されているファイル管理システムだ。Finderは、MacBookの電源を入れると自動的に起動し、ほかのアプリの実行中でも常に起動したままとなる（ちなみに、Windowsの場合は「エクスプローラー」という似たようなファイル管理システムが搭載されている）。たとえば、デスクトップに表示されるファイルやフォルダのアイコン、フォルダを開いたときに表示されるFinderウインドウなどは、すべてFinderが提供している機能だ。このFinderを使いこなせれば、素早く目的のファイルを探したり、効率的に書類やデータを整理したりすることが可能だ。ここでは、Finderウインドウの開き方や基本的な使い方、各種設定、カスタマイズ方法などを紹介していく。また、macOSの基本的なディレクトリ構造についても解説しておくので、Mac初心者はチェックしておこう。これらを身に付けておけば、必要なファイルやフォルダがどこにあるのかがすぐに把握できるようになる。

Finderウインドウを開いてみよう

Finderウインドウの開き方

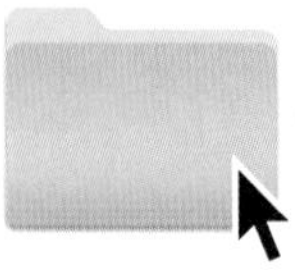

フォルダを開く

Finderを開く

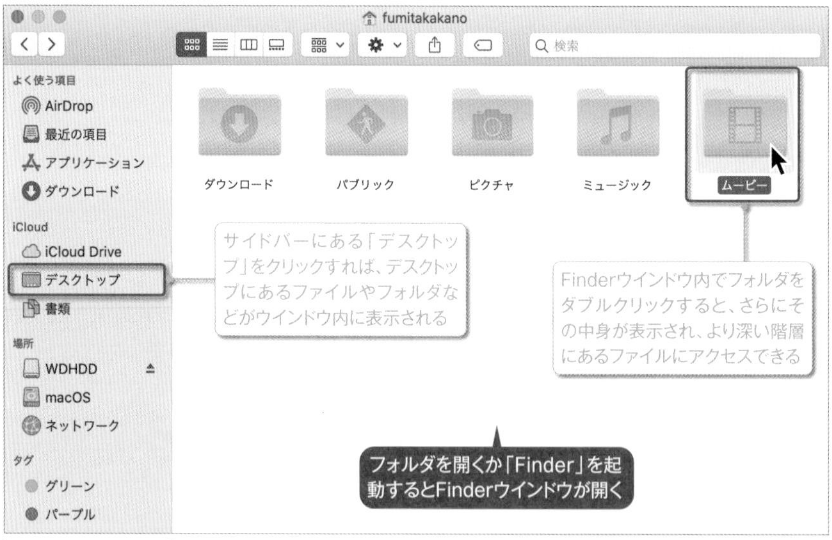

フォルダやドライブなどをダブルクリックするとFinderウインドウが開き、中身のファイルやフォルダが表示される。また、Dockにある「Finder」を起動するとFinderウインドウ（最近の項目）を開く、または既存のFinderウインドウを最前面に表示することが可能。アプリでデスクトップが見えないときに使うと便利だ。

サイドバーにある「デスクトップ」をクリックすれば、デスクトップにあるファイルやフォルダなどがウインドウ内に表示される

Finderウインドウ内でフォルダをダブルクリックすると、さらにその中身が表示され、より深い階層にあるファイルにアクセスできる

フォルダを開くか「Finder」を起動するとFinderウインドウが開く

サイドバー

「よく使う項目」、「iCloud」、「場所」の各項目をクリックすれば、その内容が表示される。「タグ」はファイルやフォルダにタグを付ける機能だ。

ツールバー

ウインドウ上部の各種ボタンや入力欄で、戻る／進むの操作や、表示形式や表示順序の切り替え、各種設定、検索などが行える。

ウインドウ左上のボタンについて

ウインドウ左上にある3つのボタンでは、閉じる／しまう／最大化の操作ができる。なお、マウスポインタを合わせると、それぞれのマークが表示される。

閉じるボタン
クリックするとそのウインドウを閉じることができる。

しまうボタン
ウインドウを一時的に非表示にして、Dockに格納する。

最大化ボタン
ウインドウをフルスクリーンで表示する。再び押せば元に戻る。

Finderウインドウの4つの表示形式

それぞれの表示形式を使いこなしてみよう

Finderウインドウでは、画面上部の4つのボタンでファイルやフォルダの表示形式を選ぶことが可能だ。表示形式には「アイコン」、「リスト」、「カラム」、「ギャラリー」がある。それぞれの特徴をここで把握しておき、用途に応じて使い分けていこう。

Finderウインドウの上部にある4つのボタン。クリックすると表示形式を切り替えることができる。

アイコン表示

アイコン表示では、ファイルのアイコンが大きく表示されるため、画像や動画、オフィスファイル、PDFなどの内容を判別しやすい。ドラッグ&ドロップでファイルやフォルダの位置を変更できるのも特徴だ。

グループ分けと表示順序の変更

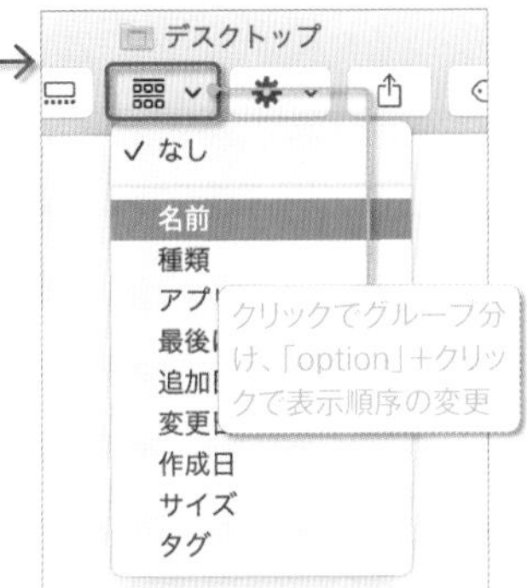

上記のボタンを押して、メニューから項目を選ぶと、グループ分けでの表示が可能だ。また、「option」を押しながらボタンを押した場合は、表示順序を設定することができる。

リスト表示

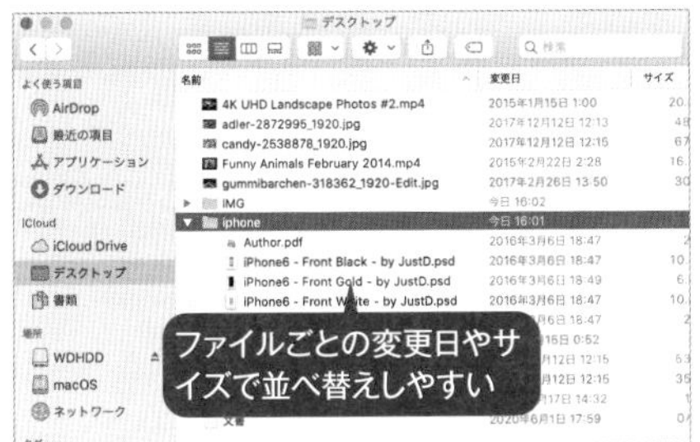

リスト表示では、ファイル名のほか、変更日やサイズといった項目が一覧表示される。それぞれの項目をクリックすることで並べ替えが可能だ。また、項目名ごとの境界部分をドラッグして表示領域を広げれば、長いファイル名も省略されずにすべて表示できる。

カラム表示

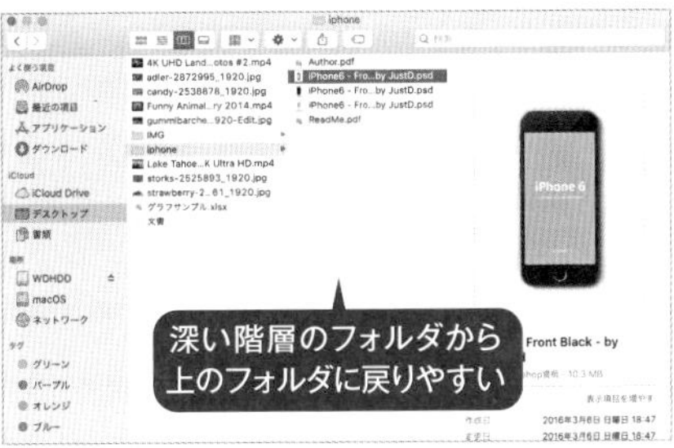

カラム表示では、フォルダをクリックすると右側のカラムにその内容が一覧表示される。この表示形式だと、深い階層のフォルダにもアクセスしやすく、階層移動もカラムを移動するだけなので楽だ。なお、ファイルをクリックすれば、左側にプレビューと詳細情報も表示される。

ギャラリー表示

ギャラリー表示では、ファイルやフォルダが画面下に並び、クリックすることで大きなプレビュー画像が表示される。プレビューしながら目的の写真を探したいときに使うと便利。画面の右側には現在プレビューしているファイルの名前や作成日、大きさなども表示される。

POINT Finderウインドウの必須設定&操作方法

Finderを快適に使う上で、覚えておいたほうがいい必須設定や操作方法を以下にまとめてみた。なお、いくつかの操作で必要となるFinderのメニューバーは、Finderウインドウまたはデスクトップをクリックしてアクティブにした状態で表示される。

もうひとつ別のFinderウインドウを表示

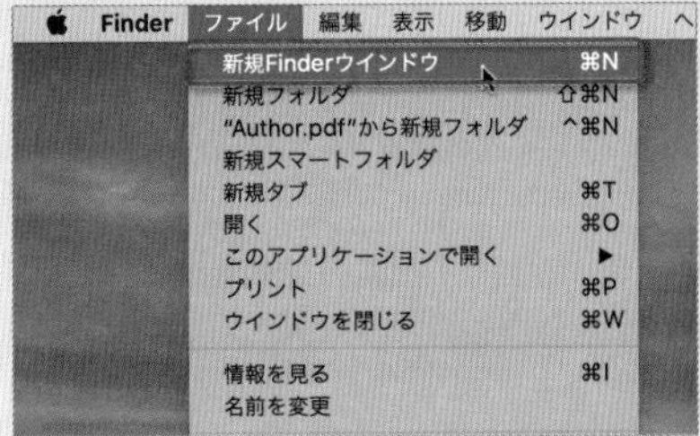

Finderウインドウを新たに開きたい場合は、Finderのメニューバーから「ファイル」→「新規Finderウインドウ」を実行しよう。現在開いているFinderウインドウとは別のウインドウが開き、「最近の項目」が表示された状態になる。

特定のフォルダを常に同じ表示形式で開く

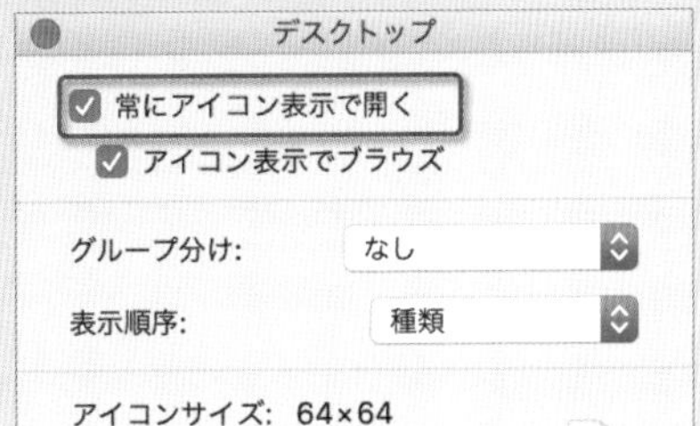

特定のフォルダの表示形式を固定する場合は、そのフォルダを開き、メニューバーの「表示」→「表示オプションを表示」で、「常に○○○表示で開く」にチェックを入れよう。なお、「デフォルトとして使用」をクリックすると、すべてのフォルダに適用される。

ウインドウサイズを最適な大きさにする

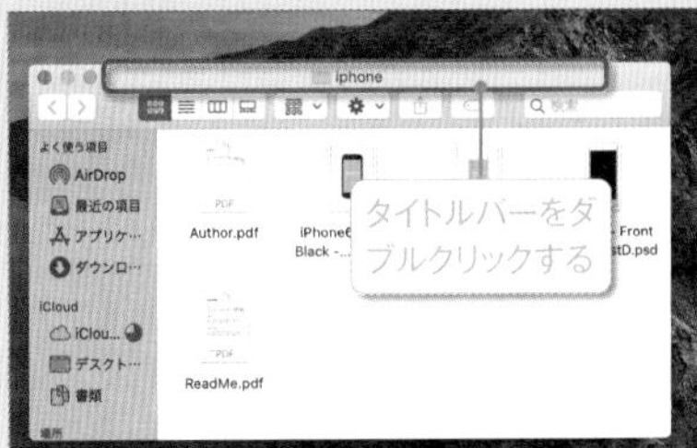

Finderウインドウのタイトルバーをダブルクリックすると、ウインドウの大きさが最適なサイズに自動調整される。すべてのファイルが見えるようにウインドウサイズが調整され、隠れていたアイコンが表示されるので試してみよう。

Finderウインドウを使いやすくカスタマイズする

ツールバーにあるボタンや検索欄などの項目をカスタマイズする

ツールバーに表示されているボタンや検索欄などの各項目は、自由に並べ替えたり、新しい項目を追加したりが可能だ。ツールバーを右クリック(または「control」+クリック)→「ツールバーをカスタマイズ」で表示される画面でカスタマイズしよう。

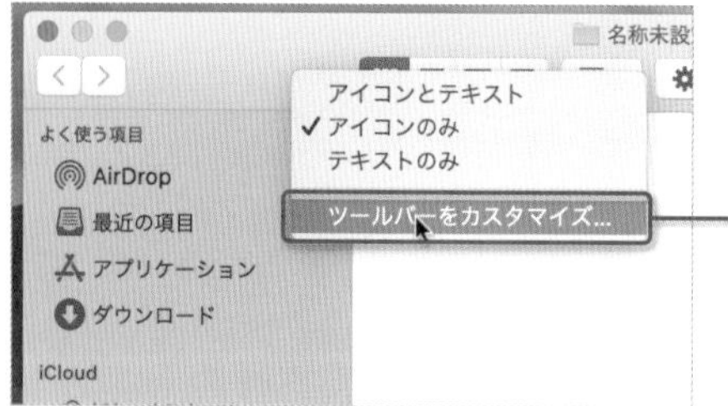

まずは、ツールバーを右クリック(または「control」+クリック)して、「ツールバーをカスタマイズ」を選択する。

項目をツールバーに追加する

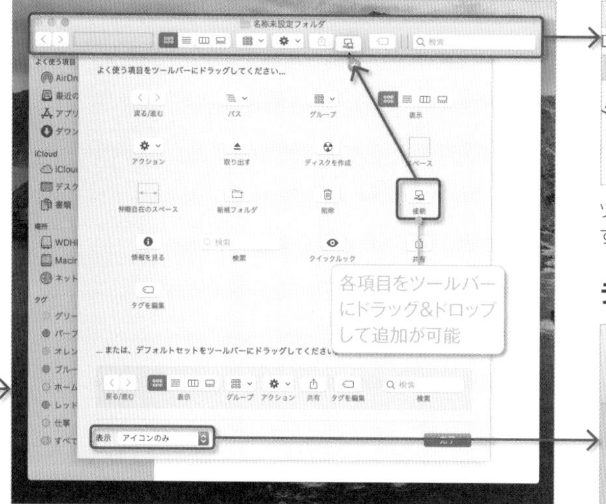

表示された項目から追加したいものをツールバー上にドラッグ&ドロップしよう。また、ツールバーの項目を削除したい場合は、その項目をツールバー外にドラッグドロップすればいい。「パス(上層のフォルダに簡単に戻れる)」や「削除」などを追加しておくと便利だ。

ツールバーの並べ替え

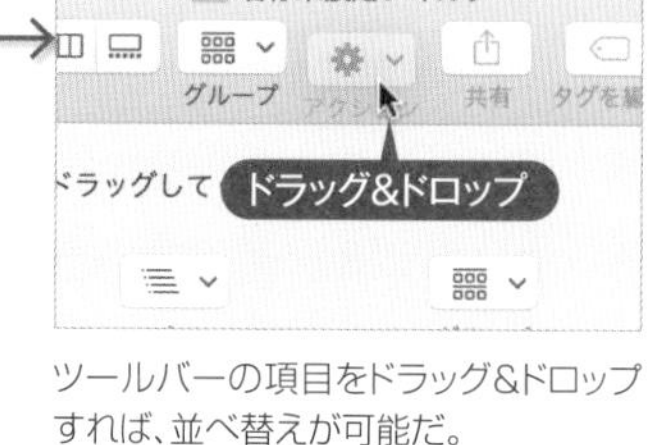

ツールバーの項目をドラッグ&ドロップすれば、並べ替えが可能だ。

テキスト表示も可能

「表示」を「アイコンとテキスト」に設定すると、各項目の下にボタン名などが表示されてわかりやすくなる。

サイドバーに表示される項目をカスタマイズする

Finderウインドウのサイドバーには、「よく使う項目」、「iCloud」、「場所」といった項目が表示されている。これらの項目も自由に並べ替えたり、新しい項目を追加したりが可能だ。カスタマイズする場合は、Finderのメニューバーから「Finder」→「環境設定」→「サイドバー」から行おう。

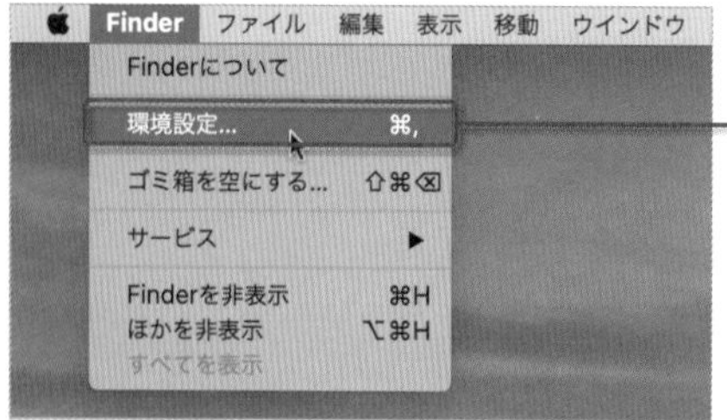

サイドバーをカスタマイズする場合は、Finderのメニューバーから「Finder」→「環境設定」を選択する。

項目を追加／削除する

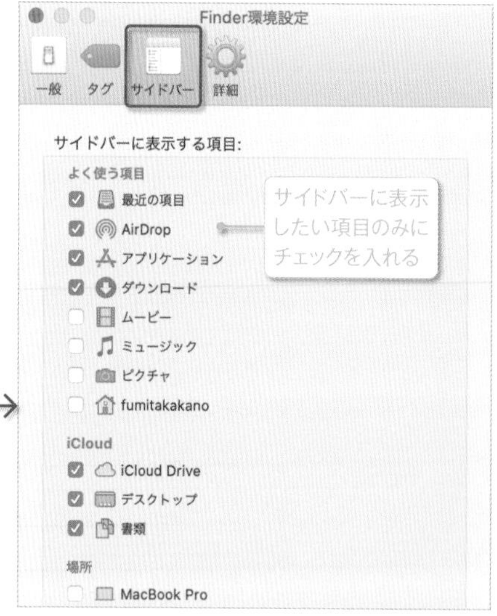

Finder環境設定の画面が表示されるので「サイドバー」をクリックする。項目一覧から、サイドバーに表示したい項目にだけチェックを入れておこう。

サイドバーから項目を削除する

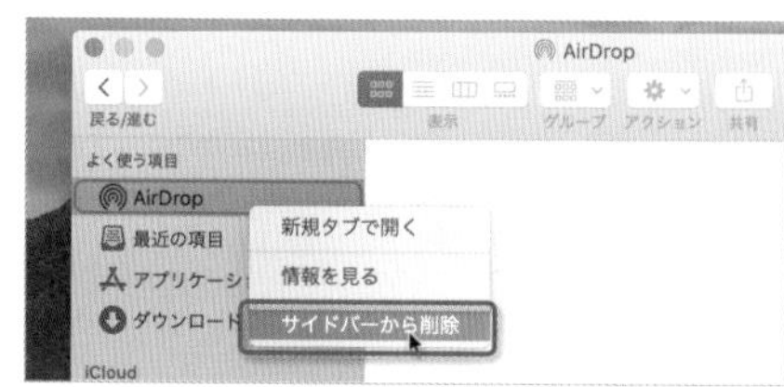

サイドバーの各項目を右クリックし、「サイドバーから削除」を選べば、その項目を削除できる。

サイドバー上で項目を並び替える

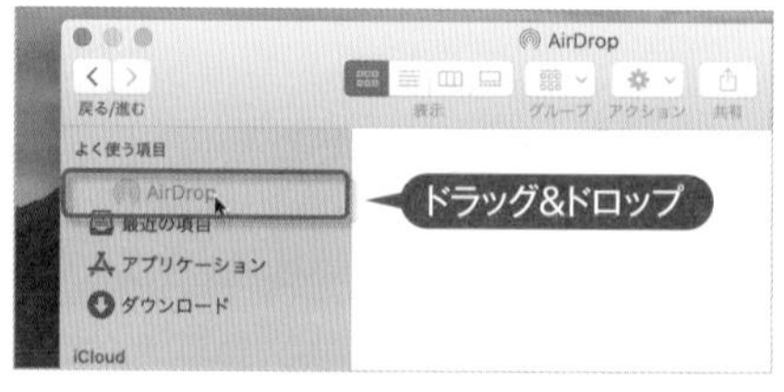

サイドバーの項目をドラッグ&ドロップすれば、項目の並べ替えが可能だ。使いやすい状態にしておこう。

よく使うフォルダをサイドバーに登録しておく

好きなフォルダをサイドバーにドラッグ&ドロップすると、そのフォルダを項目として追加することが可能だ。頻繁にアクセスするフォルダは登録しておこう。

POINT MacBook自体を「場所」に追加して最上位の階層を表示する

サイドバーの「場所」に、「○○のMacBook(コンピューター名)」という項目を追加しておくと、macOSの最上位の階層にアクセスしやすくなる。現在接続している全ストレージとネットワークが把握しやすくなるのでオススメ。

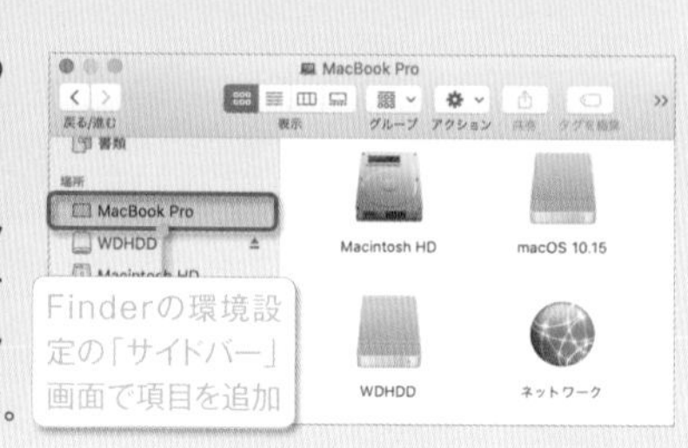

タブバー、パスバー、ステータスバーを表示する

表示メニューから各種バーの表示／非表示を切り替える

Finderウインドウを表示した状態で、Finderのメニューバーから「表示」メニューを表示してみよう。ここから「タブバー」や「パスバー」、「ステータスバー」の表示／非表示の切り替えが可能だ。特に、パスバーとステータスバーはフォルダ移動やファイル管理で役立つので常に表示しておくのがオススメ。

1 メニューバーから「表示」→「タブバーを表示」を選択

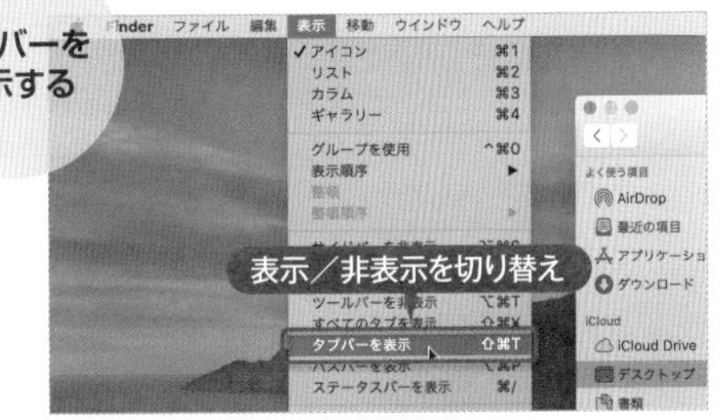

Finderウインドウを表示した状態で、Finderのメニューバーから「表示」→「タブバーを表示」を選択する。なお、この表示メニューから「パスバー」や「ステータスバー」も表示／非表示できる。

2 タブバーで複数のタブを切り替えながら内容を確認できる

Finderウインドウの上部にタブバーが表示される。タブバー右端の「+」ボタン、または「command」を押しながらフォルダやサイドバーの項目を開くと、別のタブで各フォルダの内容が表示されるようになる。

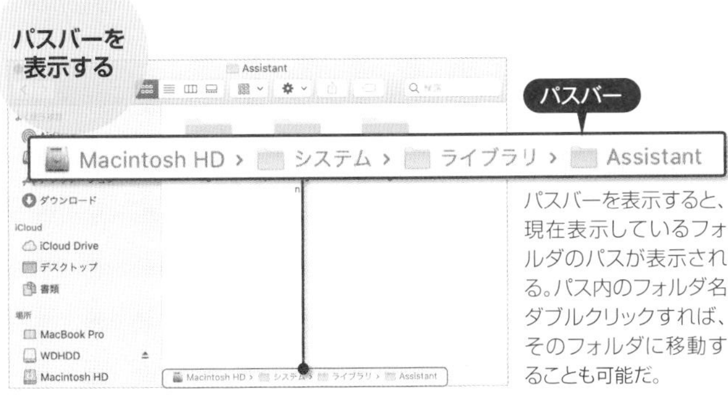

パスバーを表示すると、現在表示しているフォルダのパスが表示される。パス内のフォルダ名ダブルクリックすれば、そのフォルダに移動することも可能だ。

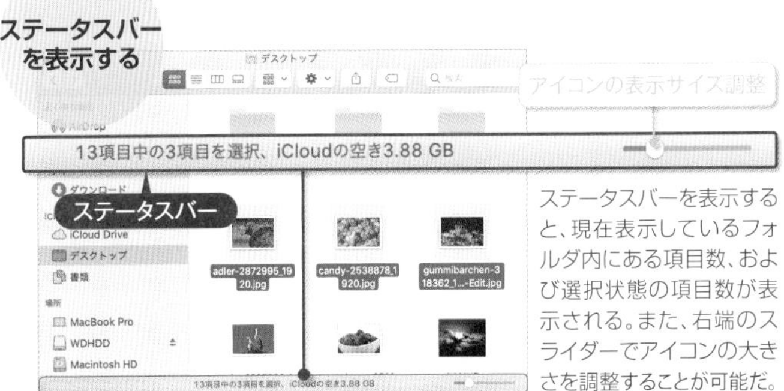

ステータスバーを表示すると、現在表示しているフォルダ内にある項目数、および選択状態の項目数が表示される。また、右端のスライダーでアイコンの大きさを調整することが可能だ。

本体内蔵のハードディスクを表示して全体の階層を把握する

「Machintosh HD」を表示してみよう

Finderの環境設定から、本体内蔵のハードディスク（標準では「Machintosh HD」）をデスクトップに表示することができる。macOSのディレクトリ構造（以下参照）を理解しておけば、内臓ハードディスク内の各ファイルにアクセスしやすくなるので覚えておこう。

1 「Finder環境設定」から「ハードディスク」を表示する

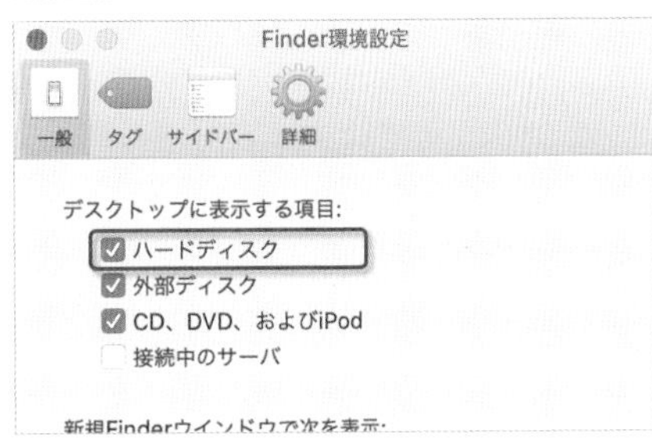

Finderのメニューバーから「Finder」→「環境設定」を選択。上の画面で「一般」を表示したら、「ハードディスク」にチェックを付けよう。

2 「Machintosh HD」が表示される

すると、内蔵ハードディスクのアイコンがデスクトップに表示される。内蔵ハードディスクのルートディレクトリからファイルを探したい人にはこの設定がオススメだ。

macOSの基本的なディレクトリ構造

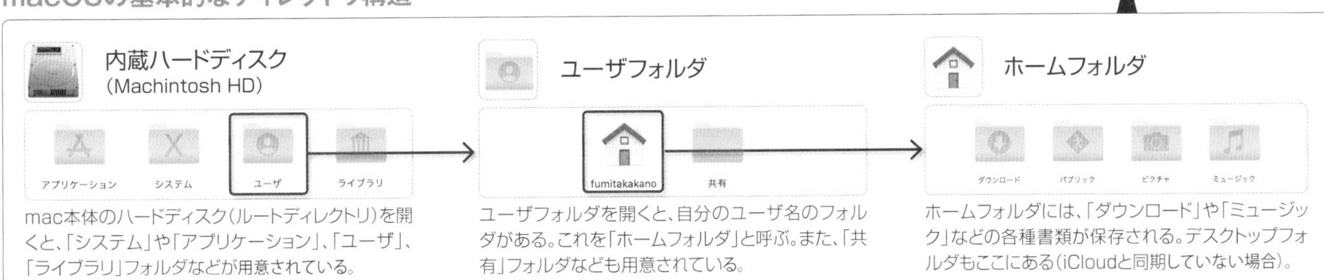

mac本体のハードディスク（ルートディレクトリ）を開くと、「システム」や「アプリケーション」、「ユーザ」、「ライブラリ」フォルダなどが用意されている。

ユーザフォルダを開くと、自分のユーザ名のフォルダがある。これを「ホームフォルダ」と呼ぶ。また、「共有」フォルダなども用意されている。

ホームフォルダには、「ダウンロード」や「ミュージック」などの各種書類が保存される。デスクトップフォルダもここにある（iCloudと同期していない場合）。

ファイルの保存や整理方法を身につけよう

ファイルやフォルダの操作と管理方法

Finderはファイルを管理するための便利な機能がたくさん用意されている。ここでは、新規フォルダの作成方法やファイルの削除方法といった基本も含め、ファイルを効率的に管理するための必須操作を解説していく。

Finderでファイル管理を行ってみよう

パソコン初心者は「以前保存したファイルがどこにあるかわからなくなる」という状態になりやすい。そうならないためにも、Finderのファイル管理方法を身につけて、ファイルを普段から整理しておくようにしよう。macOSでは、Windowsなどの一般的なパソコンと同じで、フォルダでファイルを整理する仕組みが取り入れられている。現実世界で書類を書類入れで整理するのと同じ考え方だ。まずは、新規フォルダをデスクトップなどに作り、適当なファイルをフォルダの上にドラッグ&ドロップしてみよう。これでそのファイルがフォルダ内に移動される。この方法で自分がわかりやすいようにファイルを整理していけばいいのだ。また、各種アプリで作成したファイルを保存する場合、どの場所に保存するのかを自分で選択しておくことも重要。そのほかにも、ファイルの削除方法、ファイルの探し方、検索方法、ファイルの整理方法など、MacBookを使う上で必ず覚えておきたいテクニックを紹介していくので目を通しておこう。

新規フォルダの作成とファイルの削除

新規フォルダを作成する場合は、作成したい場所を右クリックして「新規フォルダ」を選択しよう。また、Finderのメニューバーにある「ファイル」→「新規フォルダ」でも作ることができる

ファイルやフォルダを削除する場合は、ゴミ箱にドラッグ&ドロップすればいい。または、ファイルやフォルダを選択して「command」+「delete」でもゴミ箱に入れられる

新規フォルダの作成方法

新規フォルダを作成するには、デスクトップやFinderウインドウ内を右クリック→「新規フォルダ」を選択すればいい。最初は「名称未設定フォルダ」という名前なので、わかりやすい名前に変更しておこう。

既存のフォルダ名を変更する

すでにあるフォルダの名前を変更したい場合は、フォルダをクリックして選択してから「return」キーを押せばいい。または、フォルダを選択してから名前部分をクリックしても変更できる(ダブルクリックにならないように、クリックの間隔を1秒ぐらいあける)

ファイルやフォルダを削除する

不要なファイルやフォルダは、Dockのゴミ箱の上にドラッグ&ドロップしてから、ゴミ箱を右クリック→「ゴミ箱を空にする」で削除できる。

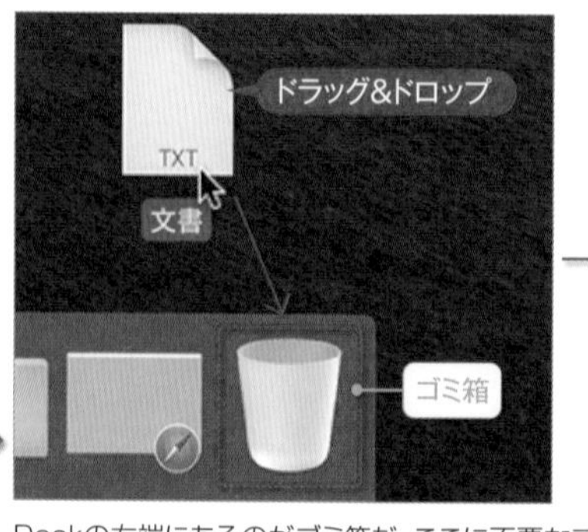

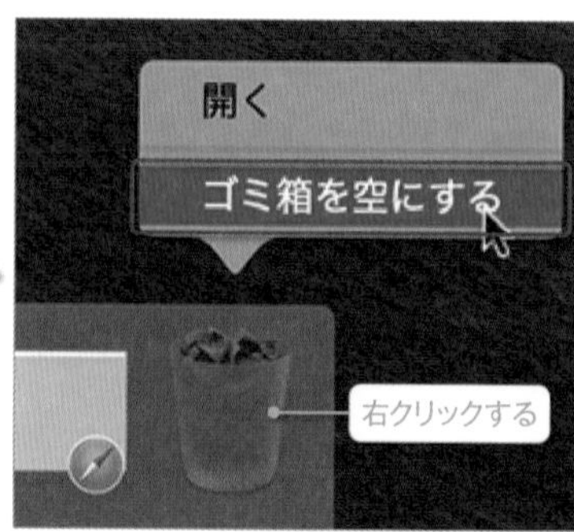

Dockの右端にあるのがゴミ箱だ。ここに不要なファイルやフォルダをドラッグ&ドロップすると、ゴミ箱のアイコンがゴミ入りの状態に変化する。ゴミ箱の中身を完全に削除したい場合は、ゴミ箱を右クリックして「ゴミ箱を空にする」を実行すればいい。ゴミ箱をクリックすれば中身を表示できる。完全に削除する前のファイルやフォルダは、取り出して再度利用可能だ。

ファイルを保存する際の操作方法

macOSにおけるファイル保存時の作法を覚えよう

各種アプリでファイルを保存する場合、何も考えずに保存してしまうと、あとでどこに保存したかがわからなくなってしまいがちだ。ファイル保存時は、保存する場所をしっかり意識して選択し、ファイル名にわかりやすい名前を付けるようにしておこう。保存の操作は、ほとんどのアプリで共通なので、以下で手順を覚えておくこと。なお、「メモ」や「リマインダー」などの一部標準アプリは、自動でiCloudにデータが保存されるため、保存の操作が不要だ。

1 各種アプリで保存ダイアログを表示する

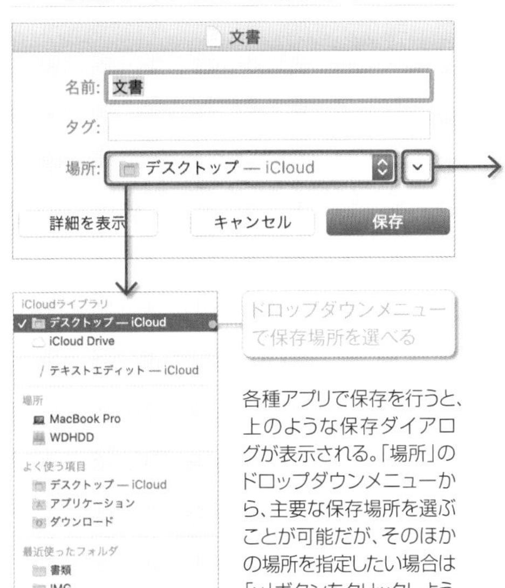

各種アプリで保存を行うと、上のような保存ダイアログが表示される。「場所」のドロップダウンメニューから、主要な保存場所を選ぶことが可能だが、そのほかの場所を指定したい場合は「v」ボタンをクリックしよう。

2 大きな保存ダイアログで保存したい場所を開いて「保存」をクリック

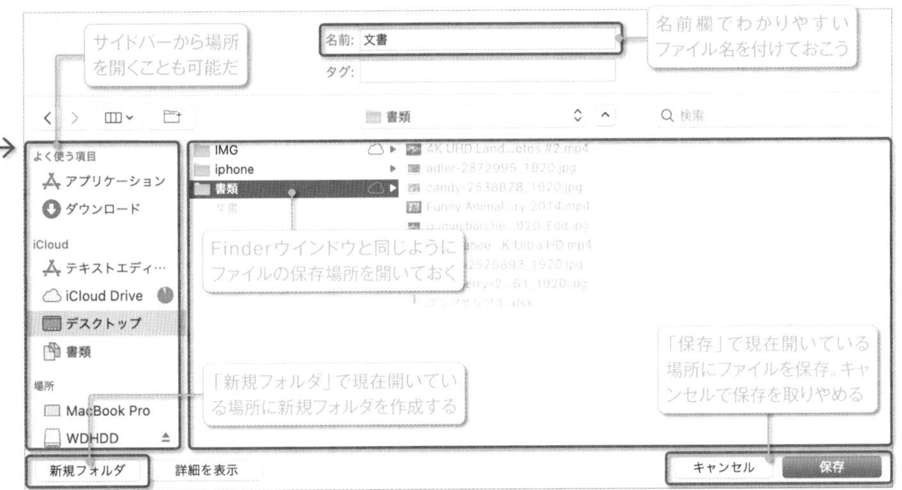

これで保存ダイアログが大きくなり、Finderウインドウと同じような操作でより詳細な場所を指定できるようになる。保存したい場所を開いたら、右下の「保存」をクリックしてファイルを保存しよう。

新規ファイルを保存せずに削除する

各種アプリで新規データを作成し、まだファイルとして一度も保存していない状態でアプリのウインドウを閉じようとすると、左のような保存ダイアログが表示される。このとき、左下の「削除」を選択すれば、そのまま保存せずにデータを削除することが可能だ。

フォルダをドラッグ&ドロップして場所を指定

保存ダイアログにフォルダをドラッグ&ドロップすると、その場所を指定することが可能だ。すでにデスクトップにあるフォルダを保存場所として指定したいときなどに使うと便利。

POINT

「iCloud Drive」をオンにしている場合の注意点

macOSでは、「デスクトップ」や「書類」フォルダの内容および、一部アプリのファイルを「iCloud Drive」で同期する機能が用意されている。iCloud Driveとは、Appleが提供しているiCloudのクラウドストレージ機能のこと。ほかの端末からもファイルにアクセスできるようになるので便利な機能なのだが、iCloudの容量を追加購入していないと最大5GBまでしか保存できないという大きなデメリットがある。iCloudの追加ストレージを購入しないのであれば、iCloud Driveはオフにしておこう。

システム環境設定から「iCloud Drive」をオフにする

iCloud Driveの機能をオフにする場合は、Appleメニューから「システム環境設定」を選び、「Apple ID」を表示。「iCloud」の画面を表示したら、「iCloud Drive」のチェックマークを外す。もしくは、「オプション」ボタンから同期が不要な項目をオフにしておこう。なお、iCloud Driveをオンからオフに切り替えた場合、いままで保存していたデスクトップや書類、各種アプリのファイルはMacBook本体から消えてしまうので注意。オリジナルのファイルはiCloud Drive(Finderウインドウのサイドバーからアクセス可能)上に残っているので、必要であればそこからコピーしよう。

保存したファイルが見当たらない時は?

ファイルが保存されやすい場所を探してみよう

ここでは、ファイルをどこに保存したのか忘れてしまった場合の対処法をいくつか紹介しておこう。macOSには「最近使った項目」や「最近の項目」というファイルの使用履歴を表示してくれる便利な機能があるので、まずはこれを利用するのが基本となる。これで見つからない場合は、Finderの検索機能などを活用して目的のファイルを探してみよう。

「最近使った項目」か「最近の項目」をチェックしてみる

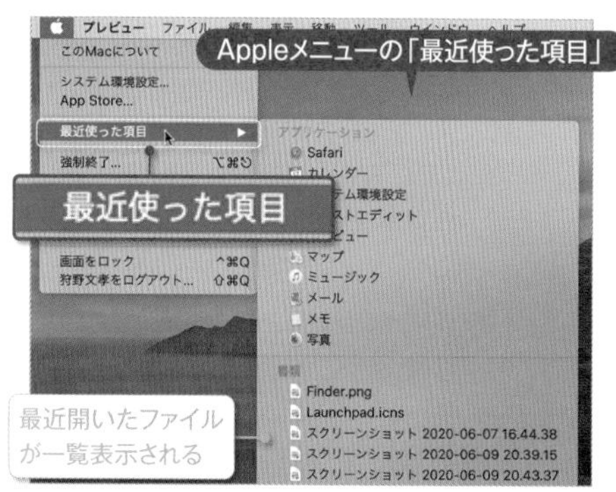

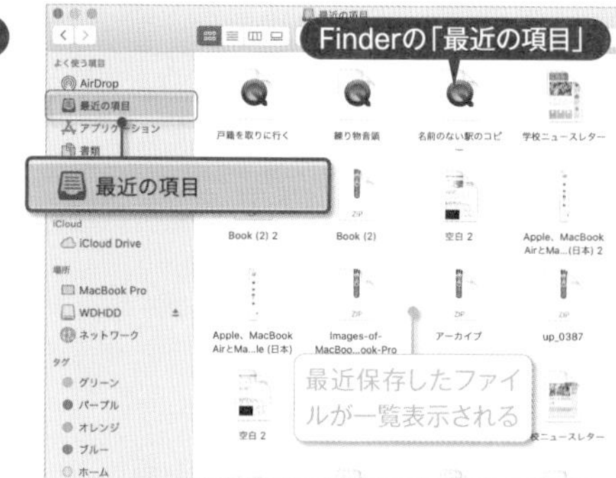

探したいファイルが最近保存、または最近使用したものであれば、Appleメニューの「最近使った項目」か、Finderウインドウのサイドバーから「最近の項目」を開いてみよう。「最近使った項目」では過去に開いたファイル、「最近の項目」では、過去に保存したファイル(macOSが起動しているストレージ内に保存したファイルのみ)の履歴が表示される。

各アプリの「最近使った項目を開く」から探す

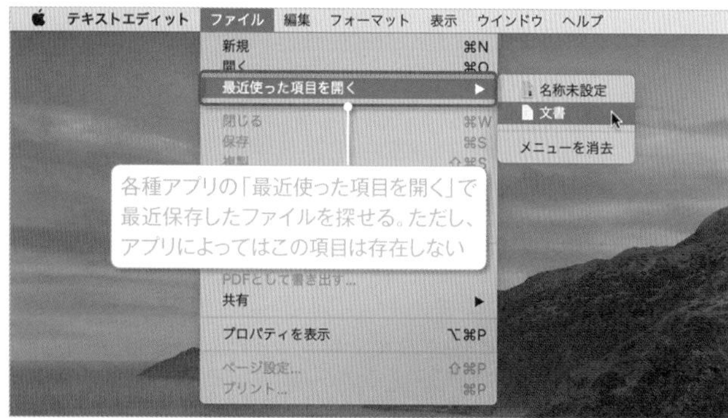

アプリによっては、「ファイル」→「最近使った項目を開く」で過去に保存したファイルを探せる。保存したアプリがわかっているのであれば、こちらのほうが見つけやすい。

「書類」フォルダなどのよく使われる保存場所を探す

「書類」フォルダは、各種アプリの初期保存先として指定されやすい場所なので、ここも探してみよう。「デスクトップ」や「iCloud Drive」も同じように探すといい。

Finderの検索機能を使って目的のファイルを探す

上記の手段でファイルが見つからず、探しているファイルの名前や内容などがわかっている場合は、Finderの検索機能を使って探してみよう。まずはFinderウインドウで目的のファイルがありそうな特定のドライブやフォルダなどを開いておく。次に右上の検索欄にファイル名を入力して「return」キーを押そう。必要であれば場所やファイルの種類などの検索条件を追加することも可能だ。なお、Finderの検索機能では、単純にファイル名だけでなく、文書ファイル内に書かれている内容や、Finderが検索キーワードから推測したファイルも結果に表示してくれる。

1 各種アプリで保存ダイアログを表示する

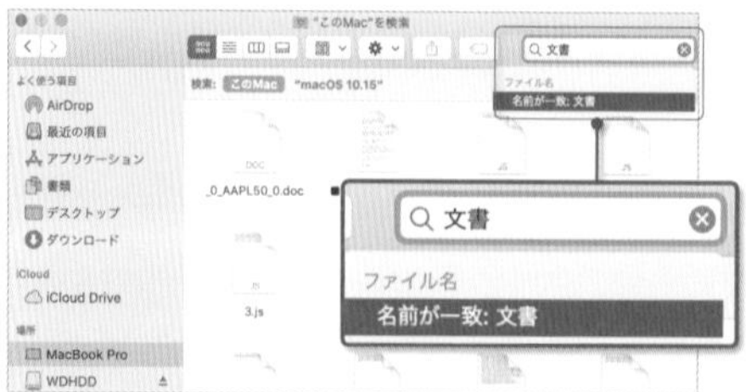

Finderウインドウで検索したい場所を開き、検索キーワードを入力して「return」キーを押す。検索をファイル名のみに限定したい場合は、「名前が一致:○○○(入力したキーワード)」を選択しておく。

2 検索の場所を指定する

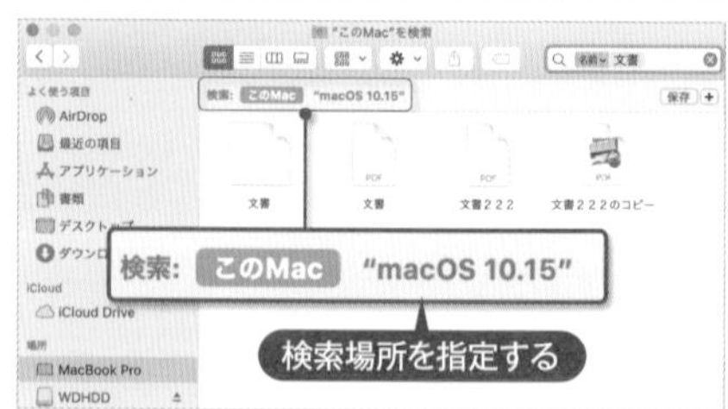

検索結果が表示されるので、ここから目的のファイルを探そう。これでも見つからない場合は、検索の場所を「このMac」にして、外部ストレージも含めたMac全体からファイルを検索してみるといい。

3 検索条件を絞り込む

検索キーワード入力欄の下にある「+」をクリックすると、検索条件を追加することができる。たとえば、ファイルの「種類」を「PDF」に限定する、といったことが可能だ。

覚えておきたいファイルやフォルダの操作法

ファイルやフォルダを複製してみよう

ファイルやフォルダをコピーして複製したい場合は、「option」を押しながら項目をドラッグし、コピーしたい場所でドロップしよう。すると、まったく同じファイルまたはフォルダが複製できる。複数の項目を選択してドラッグ&ドロップすれば、複数同時に複製することも可能。なお、この操作は「command」+「Z」で取り消すことができる。また、同じフォルダ上に同じファイルを複製した場合は、ファイル名の末尾に番号(「○○ 2」など)が付く。

「option」+ドラッグで複製が可能

複製された

RTF

プロジェクト

RTF

プロジェクト 2

⌥ option + ドラッグ

「command」+「Z」で取り消し

「option」を押しながらファイルをドラッグ&ドロップすると複製が可能だ。この操作はフォルダにも適用される。また、「command」+「Z」を押せば、直前の複製を取り消しすることが可能だ。

ファイルやフォルダのコピー&ペーストも可能

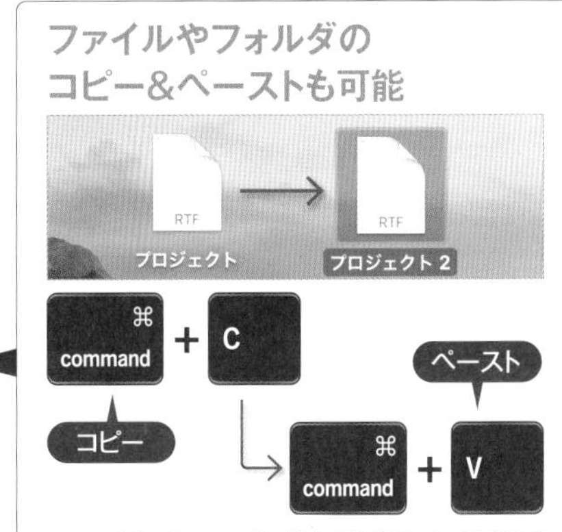

ファイルやフォルダを選択した状態で「command」+「C」を実行し、ペーストしたい場所で「command」+「V」を実行すると、項目のコピー&ペーストが可能だ。ファイルやフォルダを別のフォルダに複製したいときに使うと便利。

ファイルの拡張子を表示しておこう

拡張子とは、ファイルの種類を判別するためにファイル名の末尾に付けられる文字列(.pdfや.txtなど)のことだ。macOSの場合、標準状態だとファイル名に拡張子が表示されない設定になっている。しかし、仕事やプライベートでWindows環境とファイルをやり取りする人は、必ず拡張子を表示する設定に変更しておきたい。Windowsの場合、拡張子のないファイルだと開けないからだ。

拡張子の表示/非表示の違い

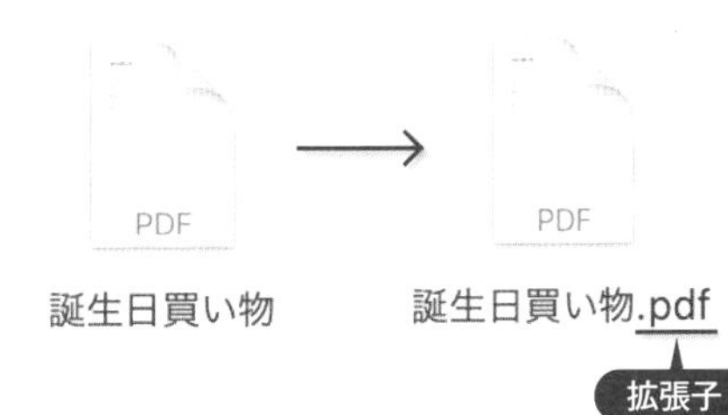

macOSの初期設定ではファイルの拡張子は表示されない。設定で拡張子を表示させると、右のファイル名のように「.(ピリオド)」のあとに文字列が表示される。

拡張子を表示するための設定

拡張子を表示するには、Finderのメニューバーから「環境設定」を開き、「詳細」画面にある「すべてのファイル名拡張子を表示」にチェックを入れておこう。

POINT

macOSは拡張子なしでもファイルを開ける

macOSでは、拡張子なしのファイルでも適切なアプリで開くことができる。これはファイル内にファイル形式の情報を埋め込むようにしているからだ。なお、Windowsで作ったファイルは、拡張子があれば開くことが可能だ。

クイックルックでファイルの内容をチェックする

ファイルを選択した状態で「スペース」キーを押すと、クイックルック機能が起動し、そのファイルの内容が表示される。本機能は画像や動画、オフィスファイル、PDFなど、さまざまなファイル形式に対応。サッと内容を確認したいときに使うと便利だ。

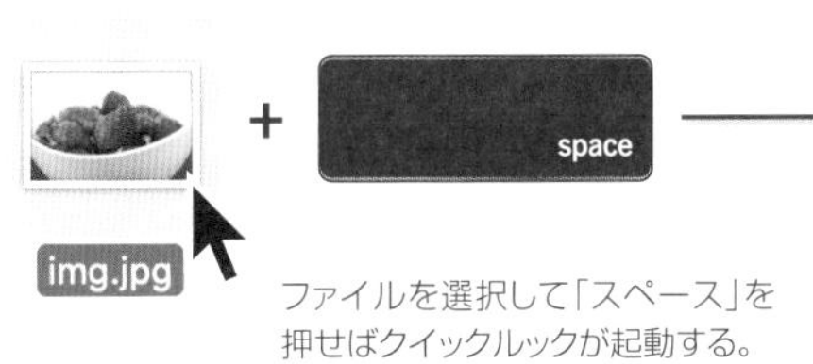

ファイルを選択して「スペース」を押せばクイックルックが起動する。

選択したファイルの内容がクイックルック機能で表示される

デスクトップのファイルを整理する

「表示オプションを表示」を開く。表示された画面で「並べ替え」と「表示順序」などを設定しておこう

デスクトップのアイコンを自動的に整理する

デスクトップ上のアイコンは、ドラッグ&ドロップで自由に移動することが可能だ。アイコンを「種類」や「作成日」などの条件で自動的に並べ替えたい場合は、デスクトップの表示オプションから、「並べ替え」と「表示順序」の設定を変えてみよう。

アイコンの並びを自動でグリッドに沿わせる

デスクトップのファイルやフォルダを手動で並べ変えつつ、アイコンの位置は自動でグリッドに沿わせたい場合は、表示オプションの「並べ替え」を「なし」に、「表示順序」を「グリッドに沿う」にしておくのがオススメだ。

アイコンの大きさとグリッド間隔を調整する

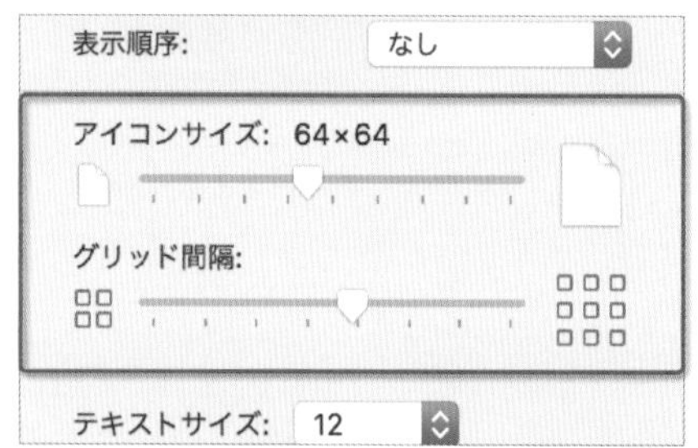

デスクトップの表示オプションにある「アイコンサイズ」と「グリッド間隔」を調整して、アイコンを見やすい状態に設定しておくといい。

「アイコンプレビューを表示」を有効にする

表示オプションの「アイコンプレビューを表示」を有効にすると、ファイルの内容がアイコンでプレビューされるようになる。わかりやすくなるのでオンにしておこう。

アイコンの配置を整頓する

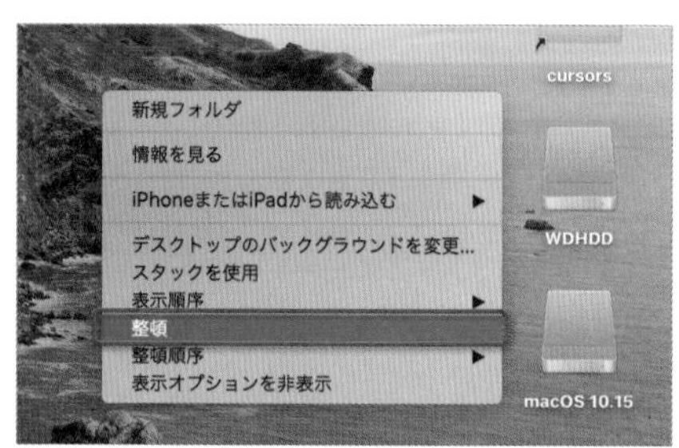

デスクトップを右クリックして「整頓」を選ぶと、表示オプションで設定したグリッド間隔でアイコンが整頓される。また、表示順序や整頓順序もここから変更可能だ。

スタック表示で複数の項目を種類ごとにまとめる

Finderメニューバーから「表示」→「スタックを使用」を有効にすると、デスクトップのアイコンがスタック表示に切り替わる。たとえば、「表示」→「スタックのグループ分け」で「種類」を選べば、ファイルの種類でグループ分けされ、すっきりまとめて表示してくれるのだ。デスクトップにファイルが散乱していて、整理するのが面倒な時に使うと便利だ。

POINT ファイルやフォルダの情報を見る

ファイルやフォルダのサイズや作成日などの情報を素早く確認したい場合は、項目を右クリック→「情報を見る」(または「commmand」+「I」)で情報ウインドウを表示しよう。ここで項目のサイズ、作成日、変更日などを確認することができる。

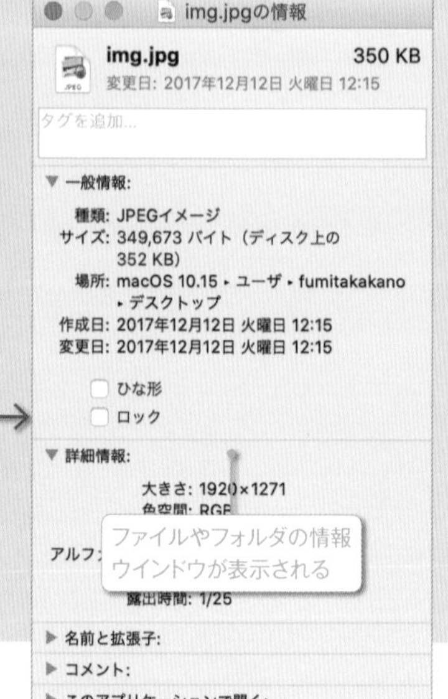

ファイルやフォルダの情報ウインドウが表示される

Finderウインドウのファイルを整理する

Finderウインドウの表示オプションを設定する

Finderウインドウもデスクトップと同じように表示オプションがあり、アイコンを自動的に並べ替えたり、アイコンの表示サイズを変更したりなどの設定が可能だ。なお、表示オプションの設定項目は、Finderウインドウの表示形式によって切り替わるようになっている点に注意しよう。

1 Finderウインドウを開いた状態で「表示プションを表示」する

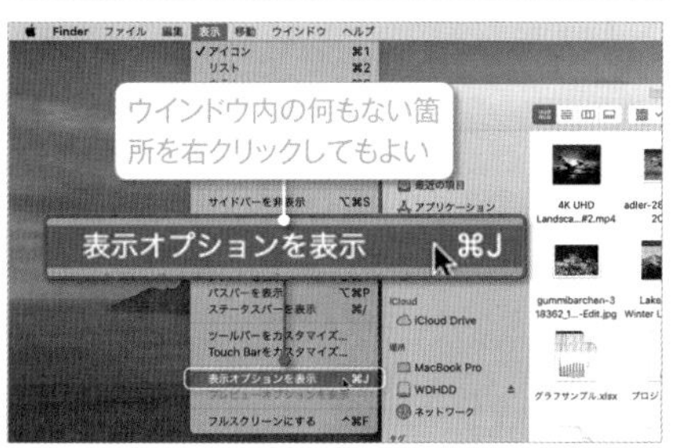

Finderウインドウを開いた状態で、Finderのメニューバーから「表示」→「表示オプションを表示」を選択。これで以下のような表示オプション画面が表示される。

2 Finderウインドウの表示形式を切り替えよう

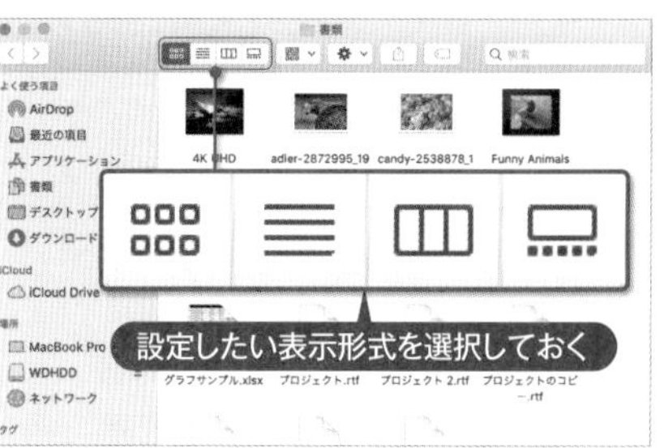

表示オプションの設定項目は、現在選択しているFinderウインドウの表示形式(アイコンやリストなど)によって変わる。設定したい表示形式に切り替えておこう。

グループ分けと表示順序について

「グループ分け」を設定すると、ファイルの種類や作成日といったグループごとにファイルの表示を行うことができる(以下参照)。「表示順序」は、ファイルをどの順番で並べるかの設定だ。アイコン表示の場合は、「グループ分け」を「なし」にして、「表示順序」を「グリッドに沿う」にしておくのがオススメ。

すべてのFinderウインドウで同じ設定を使う

設定を変更して「デフォルトとして使用」ボタンをクリックすると、その設定が現在選択している表示形式のデフォルト設定となる。すべてのFinderウインドウで同じ設定を使いたいときに利用しよう。また、「option」を押すとボタンが「デフォルトに戻す」に変化し、変更した設定をデフォルトの状態に戻すことが可能だ。なお、このデフォルト設定は「常に○○○表示で開く」の設定項目には影響しない。

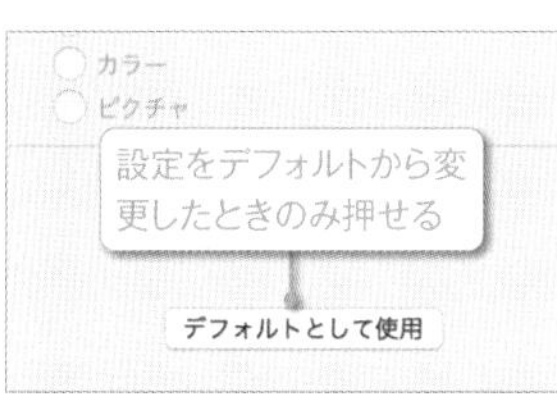

アイコン表示の表示オプション

リスト表示の表示オプション

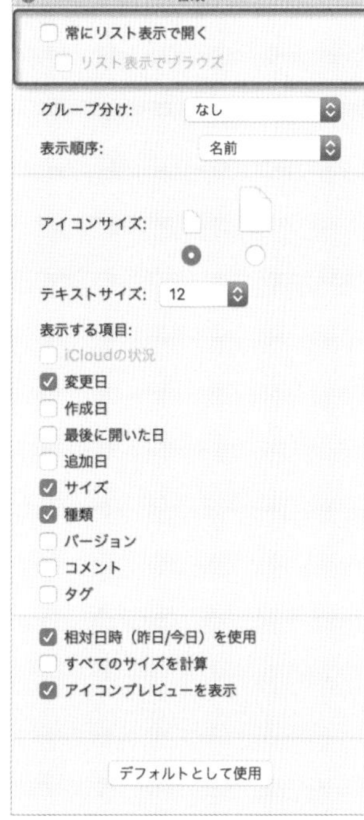

特定のフォルダの表示形式を固定する

Finderウインドウでは、最後に設定した表示形式が維持され、ほかのフォルダやドライブを開いたときにも同じ表示形式で表示されるのが基本だ。ただし、表示オプションの「常に○○○表示で開く」にチェックを入れると、そのフォルダやドライブは、常に現在選択している表示形式で表示されるようになる。

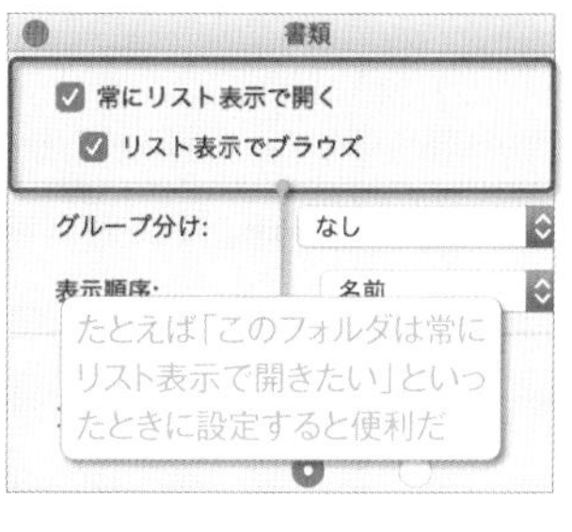

カラム表示の表示オプション

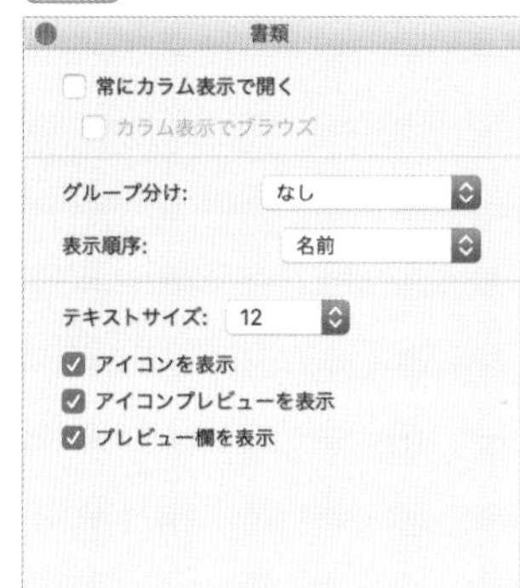

ギャラリー表示の表示オプション

4つの表示形式ごとの表示オプション画面を並べてみた。デスクトップの表示オプションと同じような項目も多いので、前ページを参考にしつつ設定してみよう。

POINT

右クリックから各種順序を設定する

Finderウインドウ内の何もないところを右クリックすれば「グループを使用」や「表示順序」、「整頓順序」などを素早く設定することが可能だ。うまく使いこなそう。

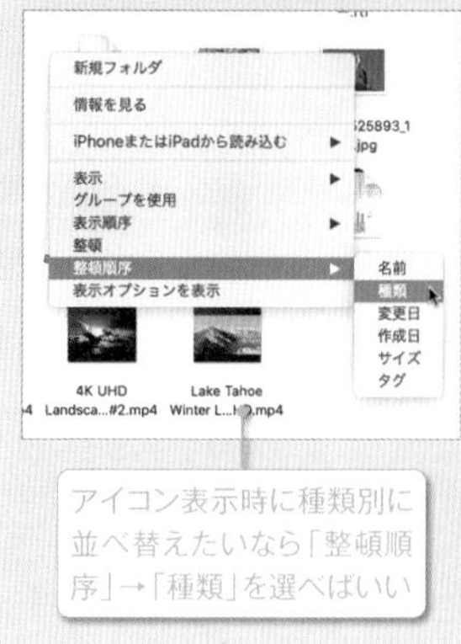

アイコン表示時に種類別に並べ替えたいなら「整頓順序」→「種類」を選べばいい

MacBookのキーボードを使いこなそう

キーボードのキーの名前と役割を覚える

キーボード上に並んでいるたくさんのキー。Macを使いこなすには、これらのキーの機能を大まかに理解しておく必要がある。Mac用のキーボードは独自のキーが多いので、Windowsから乗り換えたユーザーも要チェックだ。

各種キーの位置や機能を知っておこう

MacBookで採用されているキーボードには、大きくわけて2種類ある。ひとつは、MacBook Airや無印のMacBook（現在は販売されていない）で採用されている「物理ファンクションキー搭載キーボード」、もうひとつはMacBook Proで採用されている「Touch Bar搭載キーボード」だ。基本的には物理ファンクションキーとTouch Barのどちらが搭載されているかの違いだけで、あとのキー配列などはほぼ変わらない。Macを初めて使うという人は、ここで各キーボードに配置されている「shift」キーや「command」キーといった各種キーの名前と位置を大まかに覚えておこう。また、それぞれのキーの役割も把握しておくこと。

MacBook用キーボードにおける各種キーの名前と位置

ここでは、Touch Bar搭載キーボードと物理ファンクションキー搭載キーボードの2種類を掲載している。それぞれのおもなキーの名前や位置について理解しておこう。

物理ファンクションキー搭載キーボード

1 ファンクションキー

Touch Bar搭載キーボード

2 escキー
3 文字キー
日本語入力についてはP038で解説
4 tabキー
5 controlキー
6 shiftキー
7 caps lockキー
8 Touch Bar
9 optionキー
10 commandキー
11 英数キー
12 スペースキー
13 かなキー

キーボードの各種キーとおもな役割について

1 ファンクションキー
各キーに割り当てられた機能を呼び出す

2 escキー
キャンセルなどの操作を行う

3 文字キー
文字を入力する際に使うキー

4 tabキー
文字入力時にタブを入力する

5 controlキー
右クリックを利用するなど

6 shiftキー
文字入力時に大文字入力に切り替える

7 caps lockキー
文字入力時は大文字入力に固定する

8 Touch Bar
直接タッチして各種Appの操作などを行う

9 optionキー
ショートカットキーなどで使う

10 commandキー
ショートカットキーなどで使う

11 英数キー
文字入力時に英数入力に切り替える

12 スペースキー
文字入力時にスペースを挿入する

13 かなキー
文字入力時にかな入力に切り替える

14 fnキー
Touch Barにファンクションキーを表示する

15 カーソルキー
文字入力時のカーソル位置を移動する

16 Touch IDボタン
電源ボタンおよび指紋認証を行うボタン

17 deleteキー
文字入力時にカーソル前の文字を消す

18 returnキー
改行を入力したり、何か確定する場合に使う

MacBook Air
MacBook Airでは、従来の物理ファンクションキーを採用している。

MacBook Pro
MacBook Proでは、キーボード上部にTouch Barを搭載している。

ファンクションキーについて

物理ファンクションキー搭載キーボードの場合

ファンクションキーを押すと、キーごとに割り当てられた機能を実行できる。たとえば、スピーカーのマークが印字されたキーを押せば音量調整が可能だ。また、標準的なファンクションキーとして使う場合は、fnキーを押しながらファンクションキーを押せばいい。

Touch Bar搭載キーボードの場合

fnキーを押している間、Touch Barに標準的なファンクションキーが表示される。

Touch Barは新旧モデルによって仕様が変わっている

旧Touch Bar(escキーがなく、Touch IDボタンも分かれていない)

新Touch Bar(escキーとTouch IDボタンが独立)

Macbook Pro 2016発売モデルなどの旧機種では、escキーがTouch Bar内に表示される仕様で、Touch IDボタンはTouch Barとつながっている。最新モデルのTouch Barでは、escキーやTouch IDボタンがTouch Barから独立し、より使いやすくなっているのだ。

操作を劇的にスピードアップする必須ショートカット

MacBookの操作を効率的に行うには、キーボードショートカットを使うのがコツだ。ここでは基本的なショートカットを紹介するのですべて覚えておこう。

最初に覚えたい頻出ショートカット

Finder App

保存する

現在編集中の書類やデータを上書き保存する。はじめて保存する場合は、保存ダイアログが表示される。

Finder App

取り消す

直前の操作を取り消す。「shift」+「command」+「Z」キーで取り消した操作をやり直すことも可能だ。

Finder App

ウインドウを閉じる

最前面のウインドウを閉じる。Finderウインドウやアプリのウインドウもこのショートカットで閉じることが可能。

Finder App

コピー

⌘ command + C

選択している項目やデータをクリップボードにコピーする。Finder内のファイルに対しても使える。

Finder App

ペースト（貼り付け）

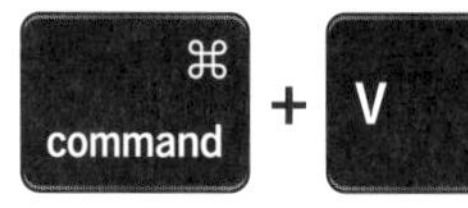

クリップボードの内容を現在操作しているアプリや書類に貼り付ける。Finder内のファイルに対しても使える。

Finder App

カット（切り取り）

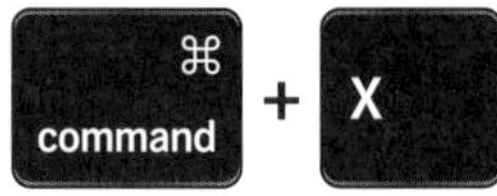

選択している項目やデータを切り取って、クリップボードにコピーする。Finder内のファイルに対しても使える。

Finder App

終了する

現在起動しているアプリを終了する。「shift」+「command」+「Q」キーでログアウトの操作もできる。

Finder App

すべてを選択

すべての項目を選択する。開いているウインドウ内の全項目や書類の全内容を選択したいときに使う。

Finder App

新規作成する

Finderだと新規Finderウインドウを開く。一般的なアプリだと、書類や項目を新規作成する操作となる。

トラックパッドと組み合わせるショートカット

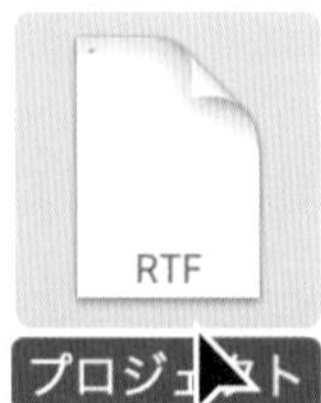

ここでは、クリックやドラッグ操作を組み合わせて使うショートカットを紹介。これもよく使うので覚えておこう。

Finder App

コンテキストメニュー

クリックした場所に応じたコンテキストメニューを表示する（右クリックと同じ）。

Finder

複数の項目を選択

+クリック

ファイルやフォルダを「command」+クリックすることで複数同時に選択できる。

Finder

複数の項目を連続選択

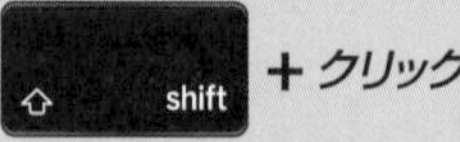

リストやカラム表示の際、最後に選択した項目から複数の項目を連続選択する。

Finder

フォルダを別のタブで開く

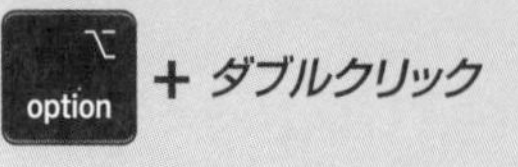

フォルダを「option」+ダブルクリックで開くと、別のタブやウインドウで開ける。

Finder

エイリアスを作成

+ドラッグ&ドロップ

ファイルやフォルダのエイリアス（ショートカット）を作成する。

Finder

項目を複製する

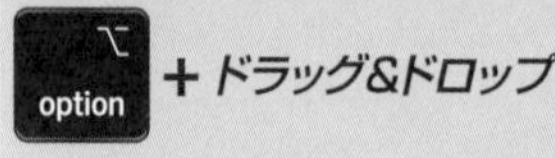

「option」を押しながらファイルやフォルダをドラッグ&ドロップすると複製できる。

知っていると役立つショートカット

Finder

新規フォルダを作成

現在操作している場所に新規フォルダを作成する。デスクトップやFinderウインドウを操作しているとき限定。

Finder

項目をゴミ箱に移動する

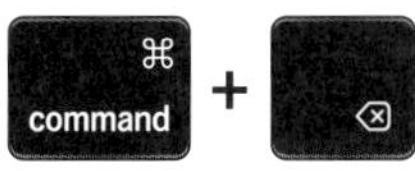

現在Finderで選択しているファイルやフォルダをゴミ箱に移動する。この操作は「command」+「Z」で取り消しが可能。

Finder

複製する

選択している項目を複製する。コピー&ペーストの操作をひとつのショートカットできるので覚えておこう。

Finder

コンピュータを表示

Finderウインドウで「コンピュータ」ウインドウを表示する。

Finder App

開く

Finderの場合、選択した項目を最適なアプリで開く。アプリの場合、開くダイアログを起動してファイルを開く。

App

次を検索する

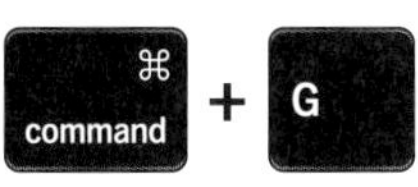

直前に検索した項目が次に出てくる場所を探す。「shift」+「command」+「G」キーで、前の場所に戻ることができる。

App

カーソル右側の文字を削除

文字入力中にカーソルの右側にある文字を削除する。アプリによっては「control」+「D」キーでも同じ操作が可能だ。

Finder

情報を見る

選択したファイルやフォルダの「情報を見る」画面を表示する。ファイルサイズなどの詳細情報を確認できる。

Finder

アプリを切り替える

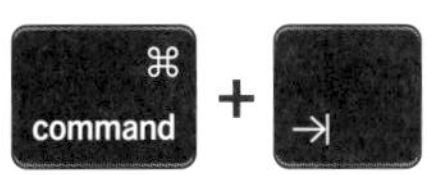

現在開いているアプリの一覧を表示して、上記ショートカットキーを押すごとにアプリを切り替えることができる。

Finder

ウインドウを最小化する

最前面のウインドウを最小化してDockにしまう。ウインドウを再表示するには、Dock内のウインドウをクリックする。

Finder

デスクトップを表示

Finderウインドウで「デスクトップ」を表示する。

Finder App

環境設定を開く

最前面にあるアプリの環境設定画面を開く。Finderを操作しているときは、「Finder環境設定」を開く。

Finder

クイックルック

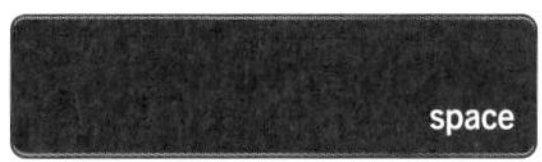

現在選択中の項目の内容をクイックルックでプレビューする。プレビュー中はカーソルキーの左右で項目を切り替え可能。

Finder

Spotlight

Spotlight検索を表示／非表示する。MacBook内の項目を検索して探したいときに使うと便利。

Finder

強制終了する

「アプリケーションの強制終了」画面を表示する。アプリの動作が固まって強制終了したいときに使う。

Finder App

検索する

Finderや各種アプリの検索機能を呼び出す。Safari操作時は表示しているページ内のテキスト検索が可能だ。

Finder App

フルスクリーンで表示

最前面にあるウインドウをフルスクリーンで表示する。アプリによってはフルスクリーン表示に対応していない場合も。

メニューに表示されるショートカットの記号

各種メニューの右端には、その項目を実行するショートカットが表示されている。一部キーは以下のような特殊な記号で表示されるので覚えておこう。

よく使われるキーの記号

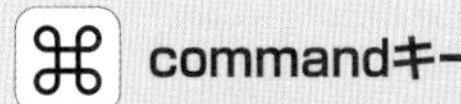

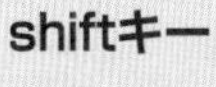
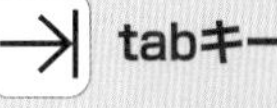

⌘ commandキー	⇧ shiftキー	⇥ tabキー
⌥ optionキー	^ controlキー	⌫ deleteキー

日本語入力や変換の基本操作を覚えよう

文字入力のキーボード操作をマスターしよう

ネットでの検索やメールの文章作成、ファイル名の入力など、文字を入力する機会はとても多い。ここでMacBookのキーボード操作や日本語入力システムの使い方などを学んで、スピーディに文字入力できるようにしておこう。

文字入力の基本操作を身に付けよう

MacBookで文字入力する際、英数字を入力したいときは「英数」キー、日本語を入力したいときは「かな」キーを押してからキーボード入力するのが基本だ。また、macOSの日本語入力システムは、「ライブ変換」という機能により、文字入力中にリアルタイムに変換および確定してくれるのが特徴。変換候補を選んで確定する、という従来の日本語入力時にあった作業がほとんど必要なくなるので、使いこなせばスピーディな文字入力が可能となる。ここでは、文字入力で覚えておきたい基本操作や設定方法を紹介していく。身につけて文字入力のスキルをアップさせよう。

MacBookにおける日本語入力の基本

リアルタイムに変換してくれる「ライブ変換」機能

「ライブ変換」では、日本語を入力していくと自動的に予測変換が実行されていく。いちいち変換する手間が必要なく、変換精度もかなり高いのでスピーディに文字入力ができる。

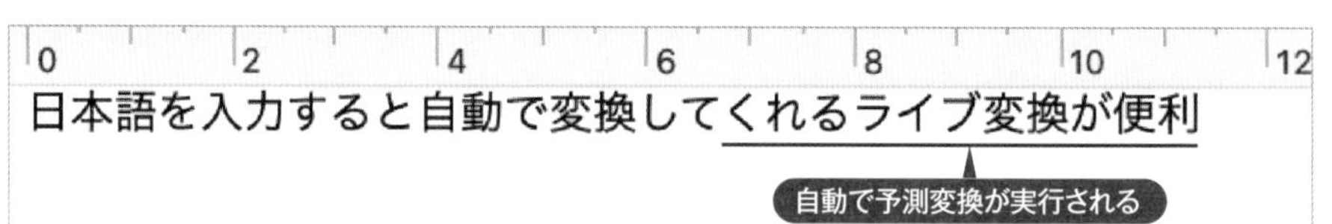

「英数」と「かな」キーで入力モードを切り替える

文字入力時には、入力したい文字の種類に応じて「英字」や「ひらがな」、「カタカナ」などの入力モードを選んでおく必要がある。入力モードはキーボードにある「英数」キーと「かな」キーで切り替えが可能だ。

キーボードで入力モードを切り替えられる

キーボードにある「英数」を押せば英字入力モードに、「かな」を押せばひらがな入力モードに、「Shift」+「かな」でカタカナ入力モードに切り替えが可能だ。

ステータスメニューからも切り替えが可能

ステータスメニューには現在の入力モードがアイコン表示される。メニューから直接入力モードを選ぶことも可能だ。

ローマ字入力／かな入力の入力方法を切り替える

macOSでは、日本語入力にローマ字入力を使うか、かな入力を使うかを選択することができる。標準設定ではローマ字入力だ。かな入力に変えたい場合は、システム環境設定の「キーボード」から「入力ソース」の「入力方法」を変更しておこう。

1 システム環境設定から「キーボード」を開く

Appleメニューから「システム環境設定」を開き、「キーボード」をクリック。「入力ソース」画面を開き、左側の「日本語」を選択。画面を下にスクロールして「入力方法」から「ローマ字入力」か「かな入力」を選んでおこう。

2 「入力ソース」→「日本語」で入力方法を切り替える

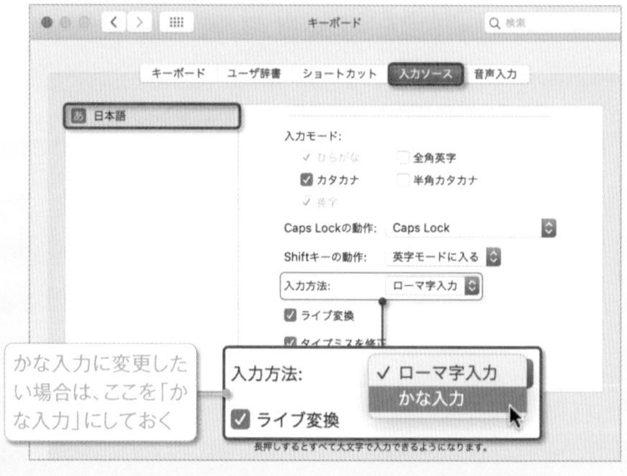

日本語を入力する基本操作

日本語を入力する場合は、まず「かな」キーを押してかな入力モードに切り替えよう。あとは、以下のような操作で文字を入力して変換していけばいい。

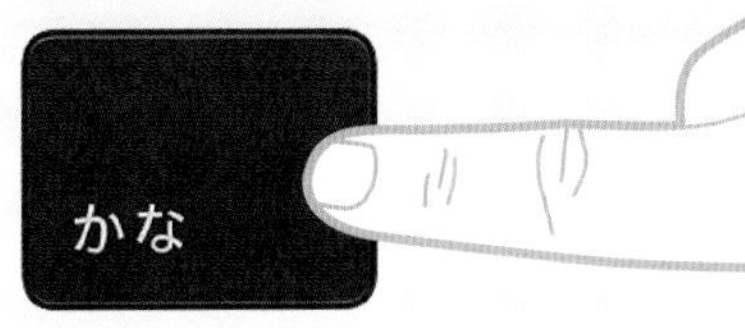

日本語入力時のキーボード操作

ローマ字入力の場合

ローマ字入力の基本

文字

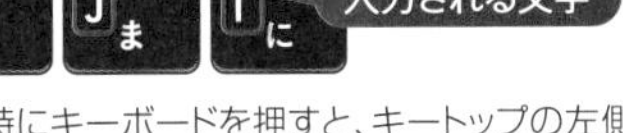

ローマ字入力時にキーボードを押すと、キートップの左側に印字された文字が入力される。「かな」キーを押して上のように入力すれば「文字」と変換可能だ。

句読点、中黒(・)、鉤括弧を入力する

、。・「」

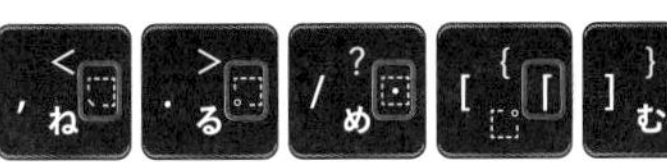

句読点、中黒(・)、鉤括弧を入力する場合は、上のキーを押そう。これらのキーは、日本語入力時のみ、キートップの右側に印字された文字が入力できる。

記号を入力する際はshiftキーを押す

ありがとう!

「shift」を押しながらキーを押すと、キートップの上側に印字された文字が入力できる。「!」や「?」、「&」などの記号を入力する場合に使える。

濁音や促音、拗音などを入力する

一発退場っ

濁音や半濁音、促音、拗音などはローマ字のルールに則って入力する。なお、小さい「っ」や「ぁ」などを単体で入力したい場合は、「LTU」や「LA」のように「L」のあとに文字を入力するといい。

かな入力の場合

かな入力の基本

文字

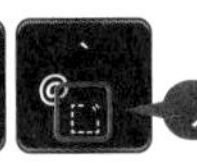

かな入力時にキーボードを押すと、キートップの下側に印字された文字が入力される。「かな」キーを押して上のように入力すれば「文字」と変換可能だ。

濁音、半濁音などを入力する

ガパオ

かな入力時に濁音、半濁音を入力するには、上のように通常の文字のあとに濁音／半濁音キーを押す。

shiftキーで句読点、促音などを入力

、。・「」ぁぅぇぉゃゅょっ

かな入力時に「shift」を押しながらキーを押すと、キートップの右側に印字された文字が入力できる。句読点、中黒(・)、鉤括弧、促音、拗音などが入力可能だ。

数字や記号を入力する

123!”#

「option」や「shift」と組み合わせると数字や記号を入力することが可能だ。

変換を確定するにはreturnキーを押す

ライブ変換が有効であれば、日本語を入力していくと順次変換および確定が行われていく。途中で変換を確定する場合は「return」を押そう。

スペースキーでほかの変換候補を表示

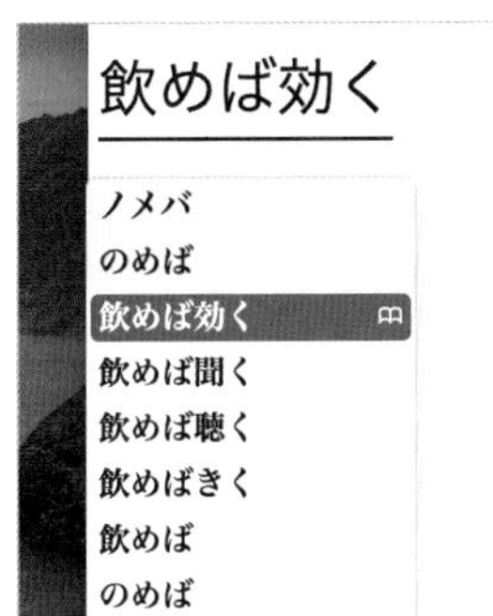

ほかの変換候補を表示したい場合はスペースキーを押そう。スペースキーやカーソルキーで候補を選んで「return」で変換を確定できる。

deleteキーで文字を削除する

カーソル前の1文字を削除する

カーソル後の1文字を削除する

間違えて入力した文字を消したいときは、「delete」を押せばいい。カーソル前の1文字を消すことができる。なお、「fn」+「delete」でカーソル後の1文字を削除可能だ。

英字を入力する基本操作

英数字を入力する場合は、「英字」キーを押して英字入力モードに切り替えておこう。あとは、以下のような操作で文字を入力していけばいい。

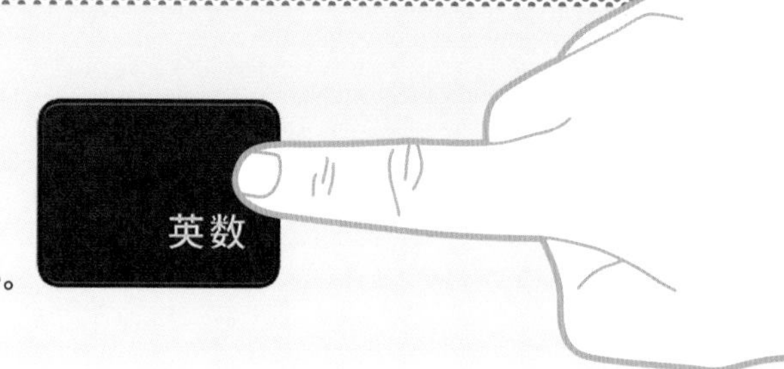

英字入力時のキーボード操作

英字入力の基本

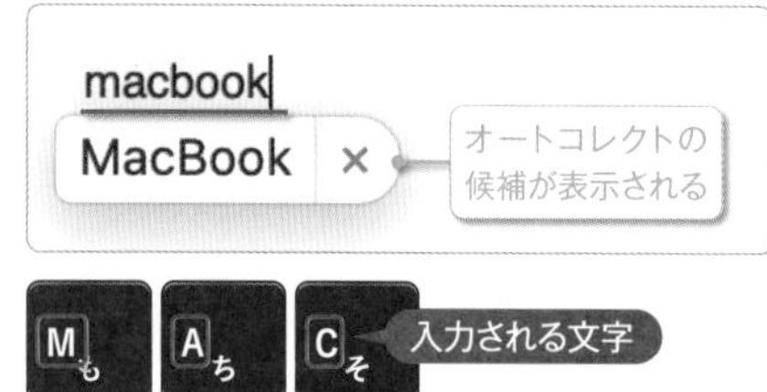

「英数」キーを押して英字入力モードした場合、キートップの左側に印字された文字が入力される。なお、英字入力では、リアルタイムにスペルチェックおよび予測変換などが実行され(これを「オートコレクト」機能と呼ぶ)、入力中に変換候補が表示されるのが特徴だ。

オートコレクト機能をオフにする場合

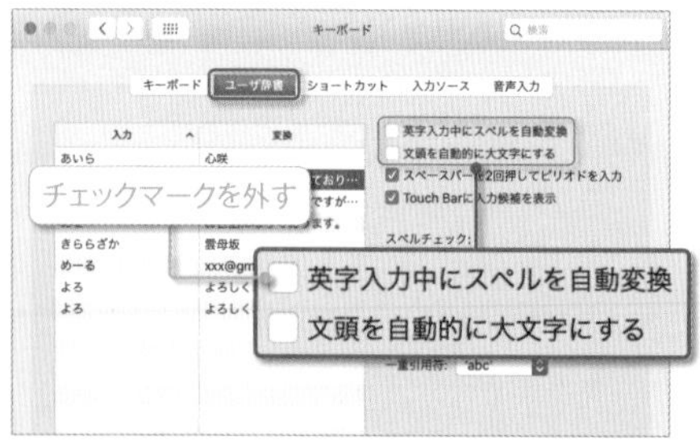

オートコレクト機能は、英語メインで使う人なら便利なのだが、日本語中心で使う人やプログラムのコードを書く人には、逆に邪魔になることが多い。機能をオフにしておきたい場合は、Appleメニュー→「システム環境設定」→「キーボード」で、「ユーザ辞書」を表示し、上の2つのチェックを外しておこう。

オートコレクト機能の使い方

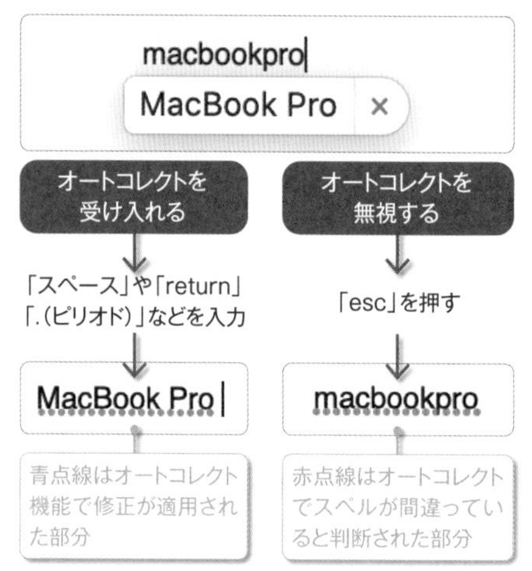

英字入力中にオートコレクト機能が働いた場合、そのまま「スペース」や「return」、「.(ピリオド)」などの区切りを入力すれば、入力したものが自動修正される(候補が複数ある場合は、最初のものが選ばれる)。オートコレクトを適用しない場合は、候補が表示された状態で「esc」キーを押そう。

オートコレクトを取り消す

オートコレクトで修正された青点線部分にカーソルを挿入すると、修正前の文字列が表示され、元の状態に戻すことができる。また、赤点線部分も同様に、カーソルを挿入してオートコレクトを適用することが可能だ。

数字を入力する

12345

数字を入力したい場合は、数字の描かれたキーをそのまま押せば入力される。

記号を入力する際はshiftキーを押す

!"#$%

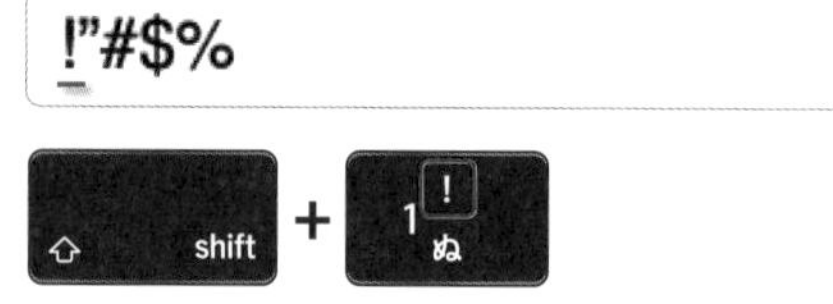

「shift」を押しながらキーを押すと、キートップの上側に印字された文字が入力できる。「!」や「?」、「&」などの記号を入力する場合に使える。

特殊な記号を入力する

「option」を押しながらキーを押すと、キートップには描かれていない特殊な記号を入力できる。基本的にはあまり使わないが、これも覚えておこう。

POINT

他社製の日本語入力システムをインストールして使う

macOSでは、標準の日本語入力システム以外にも、「Google日本語入力(無料)」や「ATOK(有料)」など他社製の日本語入力システムを別途インストールすることが可能だ。日本語入力システムは複数共存することができ、ステータスメニューから入力モードを選ぶことで切り替えができる。macOS標準の日本語入力システムに不満があれば、他社製のものも試してみよう。

他社製の日本語入力システムに切り替える

他社製の日本語入力システムを導入したら、上のようにステータスメニューを表示。使いたい日本語入力システムの入力モードに切り替えよう。

現在インストールしている日本語入力システムを確認する

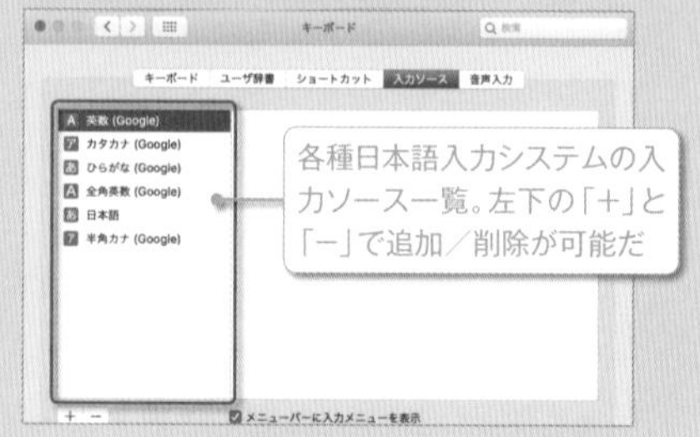

「システム環境設定」→「キーボード」→「入力ソース」を表示すると、現在導入されている日本語入力システム(入力ソース)が確認できる。

覚えておきたい文字入力の操作&設定

ここでは、半角カタカナの入力方法やユーザ辞書の設定方法などを紹介しておく。自分の思った通りに入力できるように、文字入力の設定を調整しておこう。

カタカナに変換する

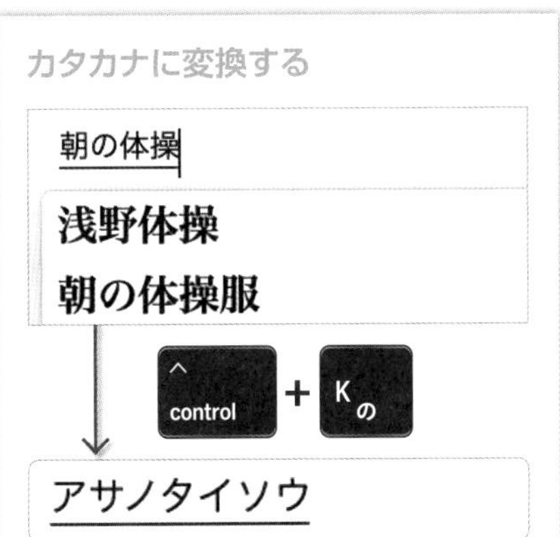

日本語入力中に自動変換が適用されている部分(アンダーラインが付いている場所)をすべてカタカナに変換したい場合は、「control」+「K」を押せばいい。

ライブ変換を無効にする

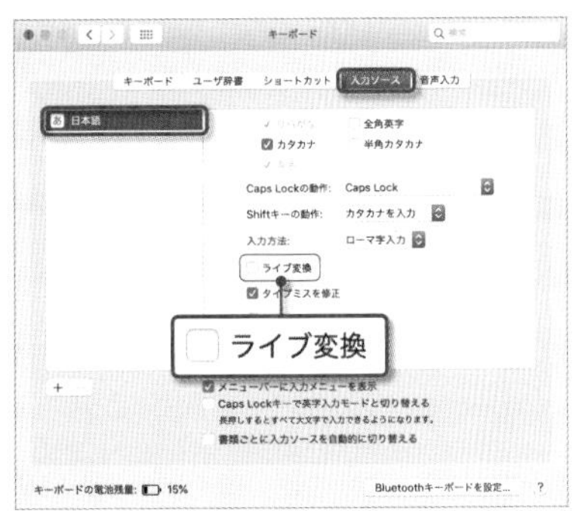

日本語入力時のライブ変換機能をオフにしたい場合は、「システム環境設定」→「キーボード」から「入力ソース」の「日本語」にある「ライブ変換」のチェックを外せばいい。

Windows風のキー操作にする

日本語入力のキー操作をWindows風にしたい場合は、「システム環境設定」→「キーボード」から「入力ソース」の「日本語」にある「Windows風のキー操作」をオンにしよう。

半角カタカナを入力する

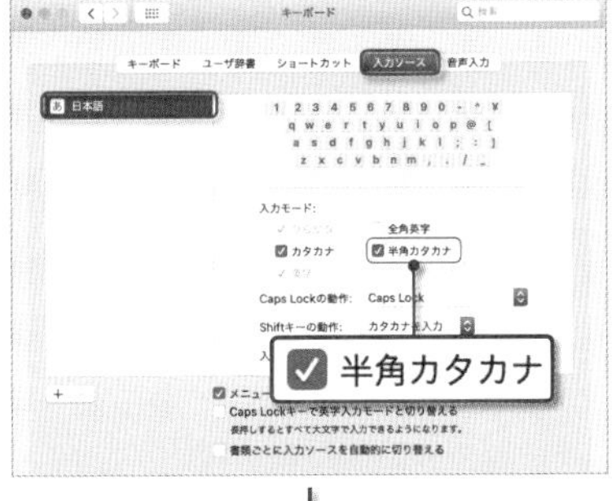

ﾊﾝｶｸ ﾃﾞ ﾆｭｳﾘｮｸ

半角カタカナを入力したい場合は、「システム環境設定」の「キーボード」を表示し、「入力ソース」→「日本語」をクリックし、「半角カタカナ」にチェックを入れよう。あとは、ステータスメニューから入力モードを「半角カタカナ」に切り替えて文字入力すればいい。

ユーザ辞書を登録する

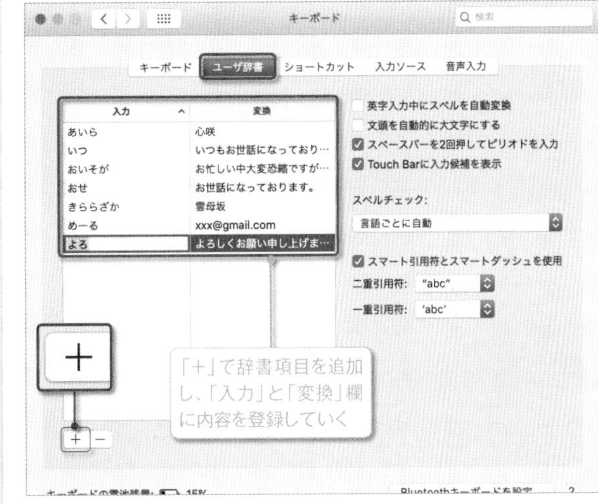

変換しにくい用語や名称などがあれば、ユーザ辞書に登録しておこう。ユーザ辞書の編集は、まず「システム環境設定」→「キーボード」から「ユーザ辞書」の画面を表示。画面左下の「+」ボタンを押して辞書の項目を追加すればいい。「入力」欄によみ、「変換」欄に変換したい文字列を登録しておこう。たとえば、入力欄に「めーる」、変換欄によく使うメールアドレスを登録すれば、「めーる」と入力するだけでそのメールアドレスに変換されるようになる。なお、iCloud Driveが有効であれば、ユーザ辞書の内容をiPhoneやiPadと同期することが可能だ。

文字を再変換する

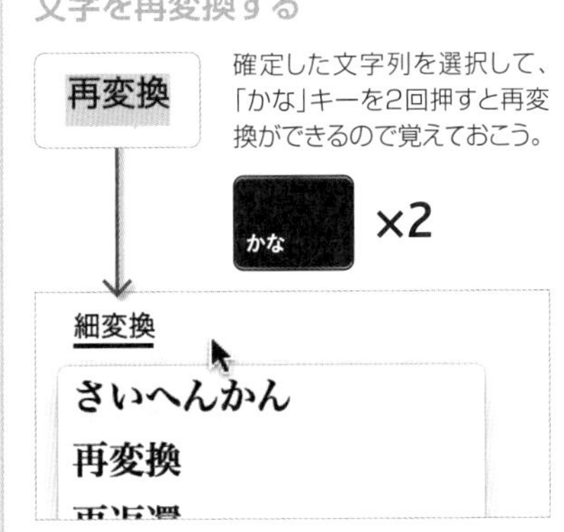

確定した文字列を選択して、「かな」キーを2回押すと再変換ができるので覚えておこう。

変換候補の書体を変更する

書体を変更

所帯を変更

諸隊を変更

フォントを変更できる

日本語入力時に表示される候補の書体は、標準設定だと「ヒラギノ明朝」が使われている。この書体を変更したい場合は、「システム環境設定」→「キーボード」→「入力ソース」の「日本語」にある「候補表示:」のフォント設定を変えればいい。好みに応じて見やすいものにしておこう。

各種アプリを使いこなすための基礎知識

アプリの起動から終了までの基本操作を覚える

ここでは、アプリを開く、アプリを終了する、ファイルを開くなど、各種アプリケーションを扱う上で必要となる重要な基本操作を解説。アプリのランチャーであるDockやLaunchpadの使い方もしっかり身につけておこう。

MacBookでアプリを使うために

MacBookで文章を作成したり、Webサイトを閲覧したりなど、さまざまな作業を実現するのが「アプリケーション(App)」だ。ここでは、アプリの起動や終了方法など、基本的な操作について紹介していく。まず覚えておきたいのはアプリを起動する方法だ。アプリを起動するには、「Dock」か「Launchpad」内にあるアプリのアイコンをクリックしよう。これでアプリが起動し、デスクトップにアプリウインドウが表示される。そのほかにも、アプリを開く方法はいろいろあるので、本記事で確認しておこう。Dockのカスタマイズ方法やファイルの開き方の解説も要チェックだ。

アプリの基本的な起動方法

Dockからアプリを起動する

Dockに並んでいるアプリアイコンをクリックすれば、そのアプリが起動する。Dockは、頻繁に使うアプリを登録しておく場所なので、自分でカスタマイズして使いやすくしておこう。

Launchpadからアプリを起動する

Dockにある「Launchpad」を起動すると、現在MacBookに導入されているすべてのアプリが表示される(初期状態の場合)。ここからもアプリが起動可能だ。

DockにLaunchpadがない場合は?

DockにLaunchpadが表示されていない場合は、アプリケーションフォルダ(下のPOINT参照)を開き、Launchpadの本体をDockに追加しておこう。Dockへのアプリ追加方法は、次ページで解説している。

POINT　アプリの本体はすべて「アプリケーションフォルダ」にある

Finderのメニューバーから「移動」→「アプリケーション」を選択すると、「アプリケーション」フォルダが開く。macOSでは、ほぼすべてのアプリがこのフォルダにインストールされる。DockやLaunchpadに表示されているアプリの本体はここにあるのだ。

Dockを使いやすくカスタマイズしよう

Dockの基本構造について

Dockの初期状態では、以下のような構成になっている。Finderや各種アプリは左側から順に表示され、右側には最近使ったアプリやDockにしまったウインドウ、ゴミ箱などが表示される。

よく使うアプリをDockに配置しよう

Dockにアプリを登録したい場合は、アプリケーションフォルダなどからアプリをドラッグ&ドロップすればいい。また、Dockからアプリを削除する場合は、アプリアイコンをDock外へドラッグ&ドロップすればOKだ。

アプリをDockに追加する

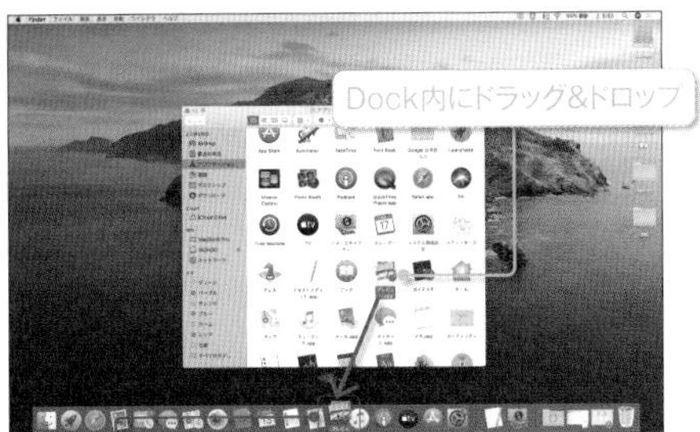

Dockにアプリを追加したい場合は、アプリをDock内にドラッグ&ドロップしよう。「アプリケーション」フォルダから、よく使うアプリを登録しておこう。

Dockのアプリを削除する

Dockから削除したいアプリがある場合は、アプリアイコンをDock外（デスクトップ中央辺り）にドラッグし、「削除」と表示されたらドロップすればいい。

Dockのアプリを並び変える

Dock内のアイコンはドラッグ&ドロップで並べ替えができる。使いやすい順番に並べ替えておこう。なお、Finderとゴミ箱のアイコンはDockの両脇に位置が固定されており、並べ替えや削除が行えない。

Dockの表示スタイルを設定

Appleメニュー→「システム環境設定」→「Dock」で、Dockの表示設定が可能だ。サイズや拡大表示などの各種設定を好みに応じて変えておこう（P023で詳しく紹介）。

Launchpadを使いやすくカスタマイズしよう

アプリの整理方法を知っておこう

Launchpadでは、新しいアプリをインストールすると、そのアイコンが逐一登録されていくようになっている。アプリの数が多くなってくると、どこにどのアプリがあるかがわかりにくくなるので、フォルダ分けやページ分けなどで整理していこう。

アプリをフォルダ分けする

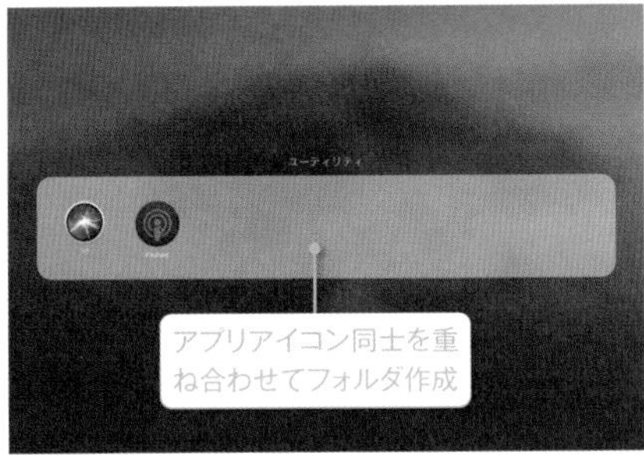

Launchpadのアプリをドラッグして別のアプリにドロップすると、フォルダが作成される。わかりやすいフォルダ名を付けて整理しておこう。

アプリを別のページに移動する

アプリアイコンを画面の右端にドラッグすると、別のページにスクロールして切り替わる。複数のページを作って、アプリを分類しておくと使いやすくなる。

アプリの追加と削除方法

Launchpadには、App Storeからダウンロードしたアプリ、またはインストーラーを使ってFinderの「アプリケーション」フォルダにインストールされたアプリが自動的に追加されるようになっている。Launchpadに追加されていないアプリがある場合は、アプリをアプリケーションフォルダ内にドラッグすればいい。また、Launchpadからアプリを削除する場合は、Launchpadのアプリアイコンを長押ししよう。アイコンが揺れ始めたら、削除したいアプリの「×」マークをクリック。これでアプリがLaunchpadだけでなく、macOSからも削除される。なお、「×」マークが表示されないアプリは削除できない。

起動したアプリの基本操作と終了方法

アプリの起動から終了までの流れ

それでは、実際にアプリを起動してみよう。アプリを起動すると、デスクトップ上にアプリウインドウが表示される。アプリの操作は、基本的にこのアプリウインドウとアプリケーションメニューで行う。アプリを終了する場合は、アプリケーションメニューから「○○○(アプリ名)を終了」を選んで終了させておこう。

1 アプリをDockなどから起動する

アプリの起動から終了までの流れを紹介しておこう。まず、Dockなどからアプリを起動する。ここではWebブラウザアプリの「Safari」を起動してみる。

2 アプリウインドウが表示される

アプリ(Safari)が起動し、デスクトップ上にアプリウインドウが表示された。上は、キーワード検索でAppleのページを検索して表示させた状態だ。

3 アプリケーションメニューから終了する

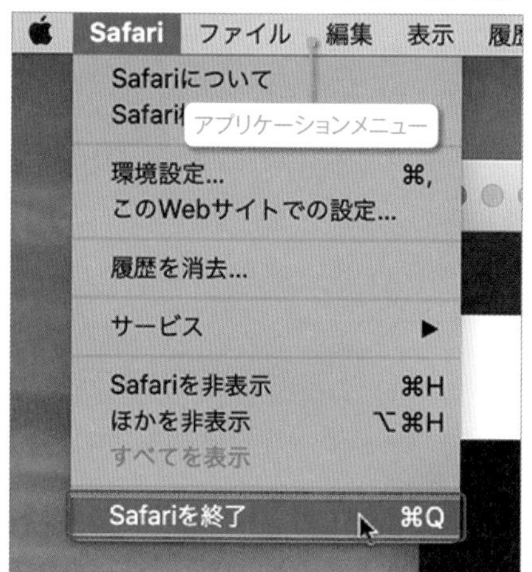

アプリを終了する場合は、アプリケーションメニューのアプリ名をクリックして、「○○○(アプリ名)を終了」を選択する。アプリウインドウを閉じただけはアプリが終了しないので注意しよう(下記事参照)。

アプリウインドウをDockにしまう

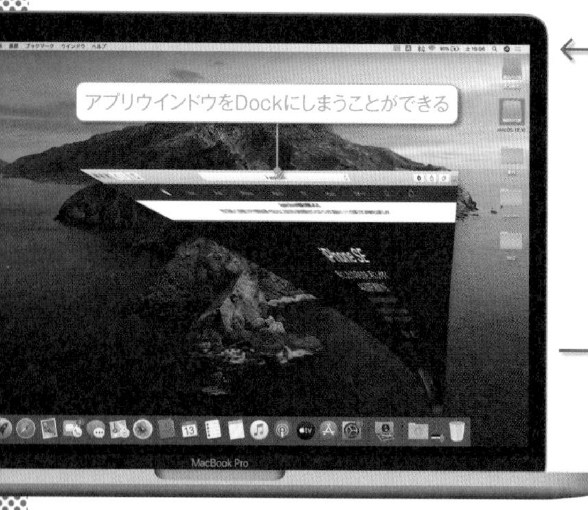

しまうボタンをクリック

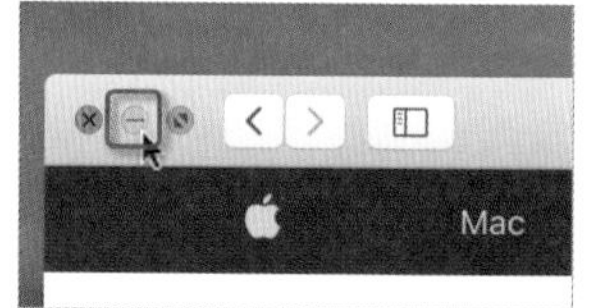

ウインドウを一時的に隠したいときは、ウインドウ左上にある黄色のボタンをクリックしよう。

ウインドウを元に戻す

ウインドウをDockから出す場合は、しまったウインドウをクリックすればいい。

ウインドウを閉じてもアプリは終了していない

Windowsの場合、アプリウインドウを閉じるとアプリ自体も終了するが、macOSの場合、アプリウインドウを閉じてもアプリ自体は終了しない。ちなみに、Dockのアイコン下にインジケーター(黒丸)が表示されているアプリは、まだ起動中だ。

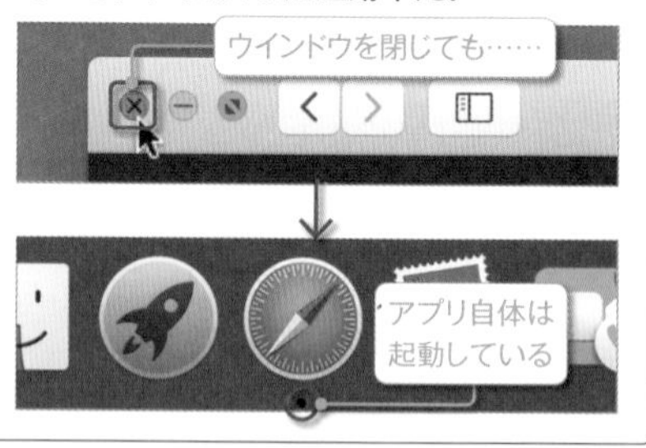

POINT

操作しているアプリによりアプリケーションメニューの内容が切り替わる

macOSでは、アプリウインドウを操作(最前面に表示)すると、画面最上部のアプリケーションメニューの内容が、そのアプリのものに切り替わる。Windowsとはちょっと仕様が違うので、Windowsからの乗り換えユーザーはこの仕様に慣れておこう。

macOSのアプリケーションメニュー

macOSでは、画面の最上部にアプリケーションメニューが表示される。現在操作しているアプリごとにアプリケーションメニューの内容が切り替わる仕組みだ。

Windowsのアプリケーションメニュー

Windowsでは、アプリの各ウインドウ上部にアプリケーションメニューが表示される。アプリの操作をすべてアプリウインドウ内で完結できるのが特徴だ。

ファイルからアプリを起動する方法

ファイルの開き方にはいろいろ方法がある

ファイルをアプリで開きたい場合は、基本的にそのファイルをダブルクリックすればいい。これでファイルに関連付けられたアプリが起動する。なお、ファイルを開くアプリは「情報を見る」ウインドウで変更することが可能なので覚えておこう。

ファイルを開くと関連付けられたアプリで起動する

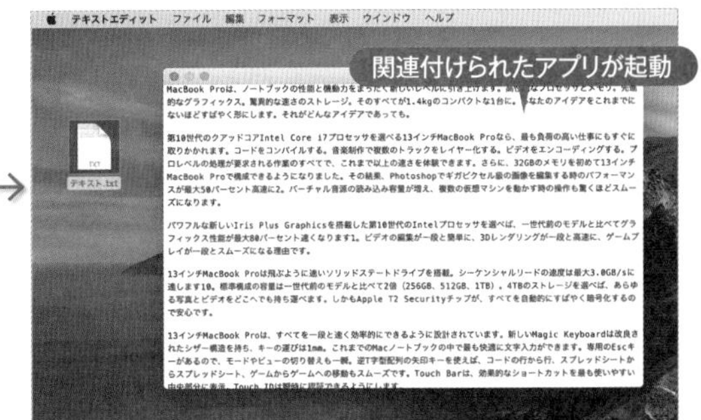

ファイルをダブルクリックすると、関連付けられたアプリが起動し、ファイルの内容が開く。

開くアプリを設定する

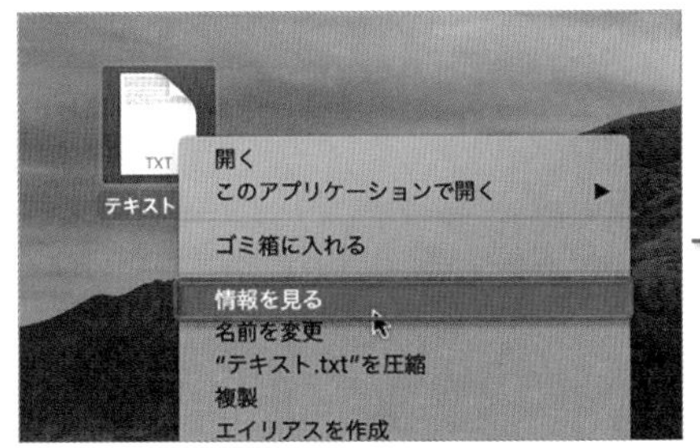

ファイルをダブルクリックで開く際に起動するアプリは変更することが可能だ。ファイルを右クリックして「情報を見る」から「このアプリケーションで開く」のアプリを変更しよう。そのファイル限定で開くアプリが変わる。また、「すべてを変更」をクリックすると、そのファイル形式全体がそのアプリに関連付けられる。

アプリアイコンにファイルをドラッグ&ドロップ

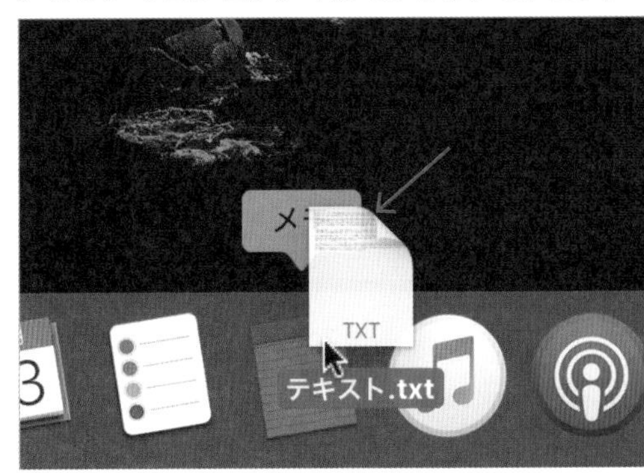

ファイルをアプリアイコンにドラッグ&ドロップすると、そのアプリでファイルを開ける。関連付けられていないアプリでファイルを開きたいときに使ってみよう。

そのほかのファイルを開き方

アプリからファイルを開く方法

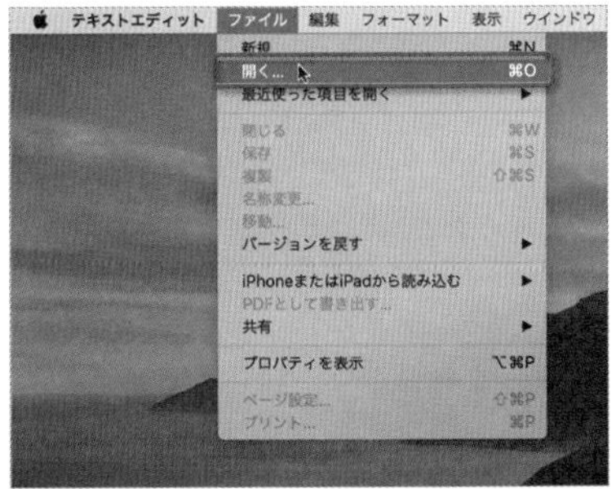

すでにアプリを起動している場合は、アプリのアプリケーションメニューにある「ファイル」→「開く」から、開くファイルを指定することが可能だ。

ファイルを選択して開く方法

また、ファイルを選択した状態で「command」+「O」のキーボードショートカットを押すと、そのファイルを開くことができるので覚えておこう。

POINT アプリをフルスクリーンで起動する

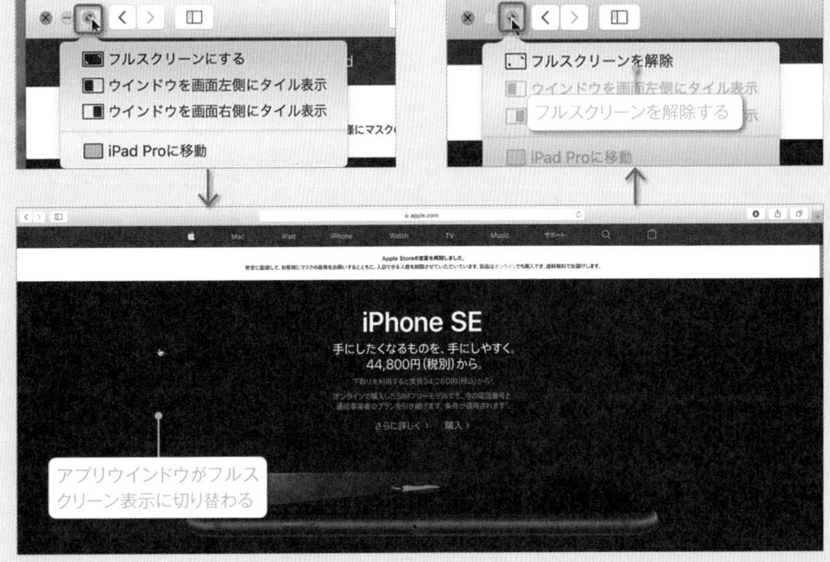

アプリウインドウ左上の緑色のボタンを押すと、アプリがフルスクリーン表示に切り替わる。フルスクリーン時は画面最上部のメニューバーも消えるが、カーソルを画面最上部に移動すると表示される。また、フルスクリーンを解除したい場合は、再び緑色のボタンを押せばいい。

アプリの導入と管理方法を理解しておこう

アプリのインストールとアンインストールの操作手順

macOS用アプリには、仕事に便利なツールや楽しいゲームなど多種多様なアプリが配信されている。ここでは、各種アプリのインストール方法やアンインストール方法、アップデート方法などを詳しく解説していく。

Mac用アプリには2つの種類がある

macOSには、「App Store」と呼ばれる公式のアプリストアが用意されている。スマホやタブレットのアプリストアと同じように、キーワード検索やカテゴリー覧などから目的のアプリを探し、気になったものをすぐにダウンロードしてインストールすることが可能だ。また、App Storeを介さないアプリも数多く存在しており、その場合はインストール方法がアプリによって異なる。なお、インストールしたアプリは基本的にLaunchpadにアイコンが自動で追加されるので、そこから起動しよう。本記事は、そのほかにもアップデートやアンインストール方法についても解説していく。

App Storeからアプリをインストールする

App Storeで無料のアプリを入手する

まずは、「App Store」でアプリをインストールする方法を紹介しておこう。App Storeは、Appleメニューから呼び出すことができる。初めてApp Storeを使う人は、無料のアプリをインストールして、使い方の流れを把握しておくといい。

1 Appleメニューから「App Store」を起動する

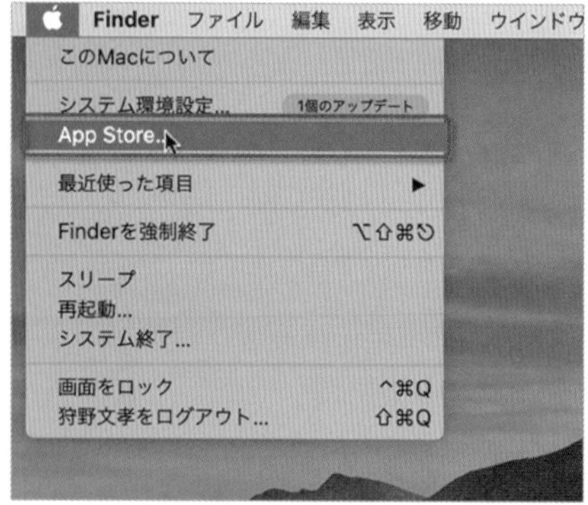

App Storeを起動するには、Appleメニューにある「App Store」を選択しよう。なお、DockやLaunchpadなどからApp Storeを起動してもOKだ。

2 App Storeの画面で目的のアプリを探してみよう

これでApp Storeが起動する。画面左側にあるキーワード検索欄やサイドバーから目的のアプリを探していこう。

3 インストールしたいアプリを探して「入手」をクリック

App Storeで目的のアプリを見つけたら、内容紹介や評価などをチェック。無料アプリの場合は、「入手」→「インストール」でダウンロードが始まる。

4 Apple IDにサインインする

場合によっては、アプリのダウンロード前にApple IDへのサインインが求められる。上の画面が表示されたらApple IDとパスワードを入力しておこう。

5 ダウンロードが完了するとLaunchpadに登録される

アプリのダウンロードとインストールが完了すると、Launchpadにアプリが登録される。起動したいときはここから起動しよう。

App Storeから有料アプリを購入してインストールする

App Storeで有料のアプリを入手する

App Storeで有料アプリを購入するには、アプリの価格ボタンを押して認証を済ませればいい。ダウンロードが完了したら、あとはLaunchpadから起動しよう。なお、あらかじめApple IDに支払い情報を登録しておく必要がある。

1 インストールしたいアプリを探して価格ボタンをクリック

App Storeでボタンに価格が書かれているアプリは有料アプリだ。購入する場合は、価格ボタンをクリック→「APPを購入」をクリックしよう。

2 認証を済ませてアプリを購入する

購入時はアカウントの認証が必要になる。Touch IDかパスワード入力で認証を済ませておこう。認証後、「購入する」をクリックすればダウンロードが始まる。

App内課金について

「入手」もしくは価格ボタンの近くに「App内課金」と記載されたアプリは、アプリ内で課金要素があることを示している。多くの場合、課金することで新しい機能やコンテンツを追加することが可能だ。購入にはApple IDの支払い情報が使われるため、手軽に購入することができる。

POINT 支払い方法を追加しておく

App Storeで有料アプリを購入するには、Apple IDへの支払い情報登録が必要。App Store画面左下のユーザー名部分をクリックし、続けて画面右上の「情報を表示」をクリック。アカウント情報画面で「お支払い情報を管理」を開き、クレジットカード情報などを登録しよう。

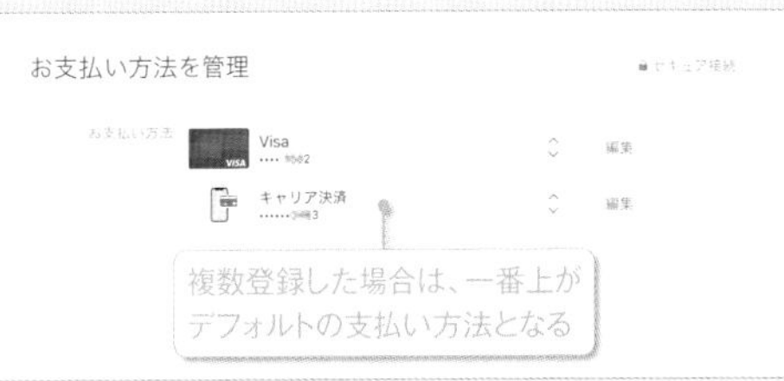

iPhoneやAndroidスマホの利用料と合算して支払える「キャリア決済」も利用可能だ。支払い方法追加画面で、スマホマークを選べばよい。

App Storeのアプリをアップデート／アンインストールする

アプリのメンテナンスを行っておこう

App Storeで公開されているアプリは、不具合の修正や新機能の追加などで新しいバージョンが配信されることがある。その際、アプリのアップデートは自動もしくは手動で行うことが可能だ。また、使わなくなったアプリをアンインストールしたい場合は、Launchpadから削除すればいい。なお、有料アプリをアンインストールしても、再ダウンロード時は無料で入手できるので安心してほしい。

アップデートがバッジで通知される

アップデートが配信されたアプリの数が、このようにApp Storeアイコンにバッジ表示される。

アプリのアップデート

1 自動アップデートを有効にしておこう

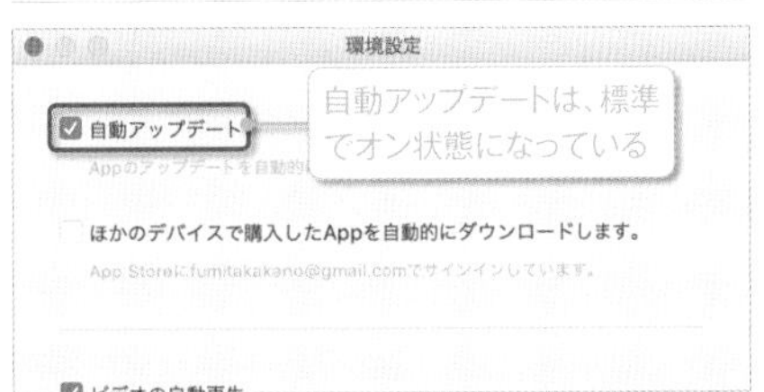

App Storeのメニューバーから「App Store」→「環境設定」を表示したら、「自動アップデート」を有効にしておく。これで自動的にアプリがアップデートされる。

2 手動でアップデートする場合

手動でアップデートを行いたい場合は、自動アップデートを無効にして、App Storeのサイドバーにある「アップデート」から行おう。

アプリのアンインストール

1 Launchpadで「×」をクリック

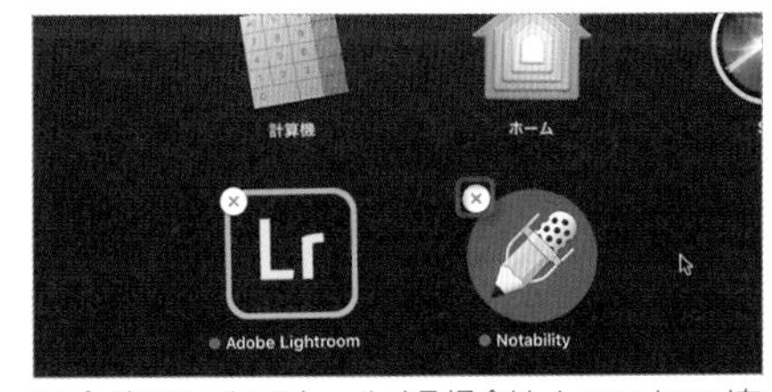

アプリをアンインストールする場合は、Launchpadを表示し、アプリアイコンを長押しする。アプリが揺れ出したら、アンインストールしたいアプリの「×」マークをクリックしよう。

2 「削除」をクリックしてアンインストール完了

上のような表示が出るので、アプリを削除して問題なければ「削除」をクリックしよう。これでアプリがMacからアンインストールされる。

App Store以外からアプリをインストールする

Safariでアプリを入手してダウンロードフォルダを開く

アプリは、App Store以外の場所(各種アプリメーカーのWebサイトなど)からでも入手できる。その場合、SafariなどのWebブラウザでダウンロードすることが多いので、操作方法を覚えておこう。また、アプリが配布される際のファイル形式も把握しておくこと。

1 アプリのファイルをSafariでダウンロードする

Safariで各種アプリメーカーの公式サイトにアクセスしたら、アプリのファイルを探してダウンロードしよう。ダウンロードしたファイルはダウンロードフォルダに保存される。ダウンロードフォルダはDockから開くことが可能だ。

2 アプリが配布される際のおもなファイル形式

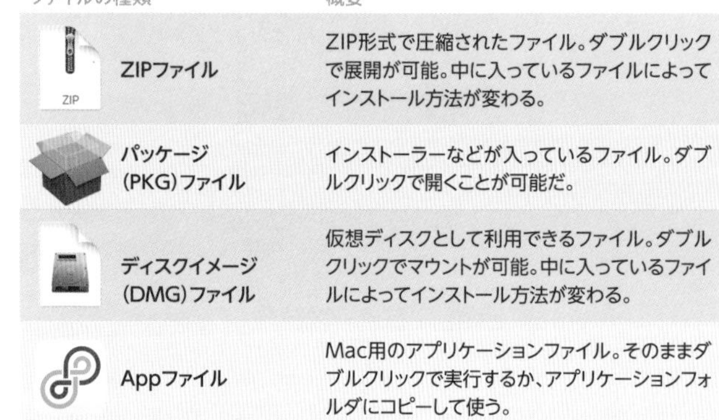

ファイルの種類	概要
ZIPファイル	ZIP形式で圧縮されたファイル。ダブルクリックで展開が可能。中に入っているファイルによってインストール方法が変わる。
パッケージ(PKG)ファイル	インストーラーなどが入っているファイル。ダブルクリックで開くことが可能だ。
ディスクイメージ(DMG)ファイル	仮想ディスクとして利用できるファイル。ダブルクリックでマウントが可能。中に入っているファイルによってインストール方法が変わる。
Appファイル	Mac用のアプリケーションファイル。そのままダブルクリックで実行するか、アプリケーションフォルダにコピーして使う。

アプリが配布される際のファイル形式は、おもに上のようなものが使われる。それぞれインストール方法が違うが、多くの場合はダブルクリックして開けばいい。なお、各形式のアイコンはアプリによって異なることがある。

ファイルの種類によってインストール方法が変わる

Macでは、Appファイル(WindowsにおけるEXE形式のようなもの)がアプリ本体のファイル形式となるが、Appファイルのまま配布しているところは少ない。多くの場合は、ZIPファイルやパッケージファイル、ディスクイメージファイルなどでまとめられた状態で配布されている。ここでそれぞれのインストール手順を覚えておこう。

ZIPファイルの場合

ダブルクリックして展開しよう

ZIPファイルは、ダブルクリックして展開すればいい。中身が入ったフォルダが開くので、ファイルの種類に応じて引き続きインストール作業を行おう。

パッケージファイルの場合

ダブルクリックでインストーラーを起動

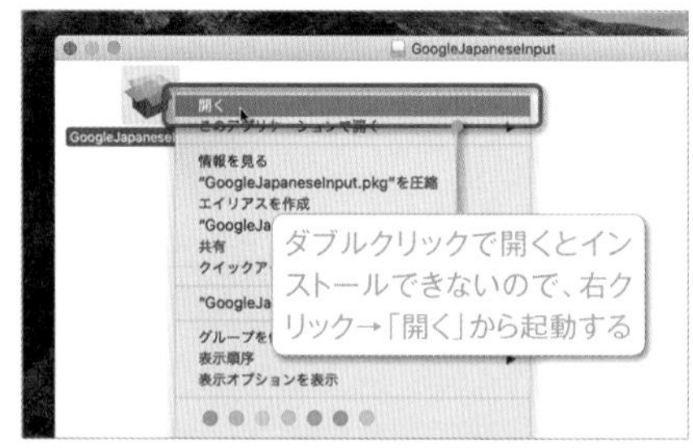

パッケージファイルは、ダブルクリックしてインストーラーを起動しよう。「キャンセル」ボタンしか表示されない場合は、右クリック→「開く」から起動すればいい。

ディスクイメージファイルの場合

ディスクイメージをマウントしてインストール作業を行う

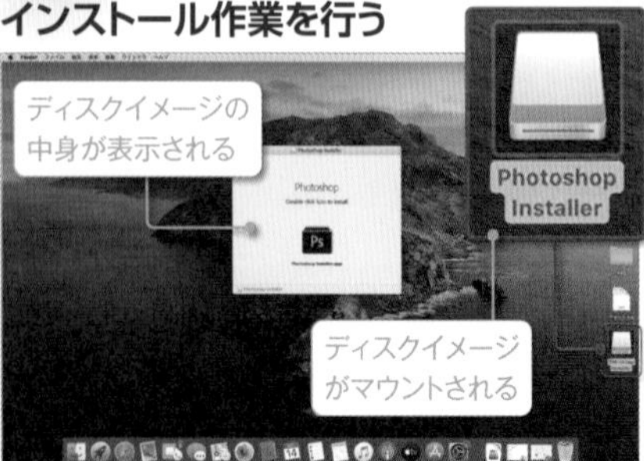

入手したファイルがディスクイメージファイルだった場合は、DMGファイルをダブルクリックして開こう。すると、ディスクイメージがマウントされ、中身が表示される。中にはアプリケーションファイルが入っていることが多いので、引き続きインストール作業を行おう。

インストーラー用Appファイルの場合

そのままダブルクリックするパターン

Appファイルの場合は、ひとまずダブルクリックしてみよう。インストーラーが起動したときは、そのままインストール作業を行えばいい。

Appファイルをアプリケーションフォルダにコピーするパターン

アプリによっては、Appファイルを「アプリケーション」フォルダ(P042参照)に直接ドラッグ&ドロップしてインストールするものもある。多くの場合は、フォルダに説明が書かれているので、それに従うこと。

App Store以外から入手したアプリのアップデートとアンインストール

アプリを手動でアップデートする方法

App Store以外から入手したアプリをアップデートするには、ほとんどの場合、手動でのアップデートとなる。アプリの公式サイトで最新版が配信されていないか確認し、必要に応じて最新版にアップデートしておこう。なお、アプリによっては、最新版のチェックや自動アップデート機能を搭載したアプリもある。

手動でアプリをアップデートする場合

1 アプリのバージョンを調べる

まずは、アプリのバージョンを調べておこう。たいていのアプリでは、メニューバーにあるアプリ名のメニューから「○○○について」または「About ○○○」を開けば、バージョンがわかる。

2 公式サイトから最新版のインストーラーを入手してインストールする

アプリの公式サイトをチェックして、最新版があればインストーラーをダウンロードしておこう。あとは、前ページと同じような方法で、アプリを上書きインストールすればいい。

不要なアプリをアンインストールする方法

App Store以外で入手したアプリは、P047で紹介したアンインストール方法（Launchpadからの削除）では削除できないことが多い。もし、アプリ公式のアンインストーラーかアンインストール機能がある場合は、それを使って削除しよう。アンインストーラーが付属していないアプリの場合は、Appファイル自体をゴミ箱に入れて削除してしまえばいい。ただし、アプリの設定ファイルなどは残ったままとなる。完全に消したい場合は、「App Cleaner」などのアンインストールアプリを使おう（P112参照）。

目的のAppファイルが見つからない場合は

たいていのアプリは「アプリケーション」フォルダ内にインストールされるが、アプリによっては別の場所に保存されていることもある。目的のアプリ（Appファイル）がアプリケーションフォルダで見つからない場合は、Finderの検索機能で探そう。

Appファイルを削除してアンインストール

公式のアンインストール機能がある場合はそれを使って削除する

アプリに公式のアンインストーラーやアンインストール機能が用意されているが場合は、それを使って削除するのが一番簡単だ。

アンインストーラーがない場合はアプリケーションフォルダから削除する

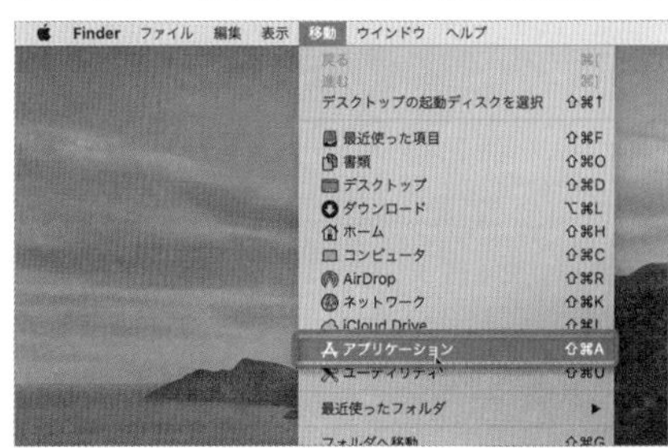

アンインストール機能がないアプリの場合は、Finderのメニューバーから「移動」→「アプリケーション」を開き、不要なアプリをゴミ箱に捨てればいい。

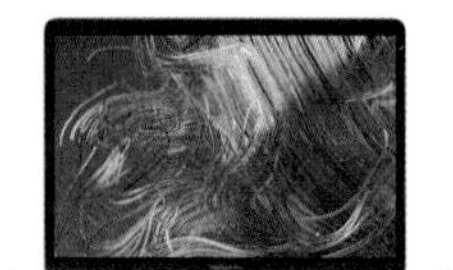

macOSに組み込まれている多彩なツール

macOSならではの便利な機能を利用しよう

ここまでに解説したFinderや文字入力、アプリの動作などは、MacBookのあらゆる操作のベースとなる基本機能だが、macOSには他にも役立つツールのような機能が組み込まれている。

一段と操作がはかどるお役立ち機能たち

MacBookには、使わなくても特に操作に支障はないが、使いこなすと操作がはかどるおすすめ機能がいくつかある。ここでは、そんな忘れられがちだけど実は便利な機能をいくつか紹介しよう。例えば、iPhoneでもおなじみの「Siri」は、何も音声でWeb検索したりアプリを起動するだけの機能ではない。MacBookではファイル検索に使うのも便利だし、自然な会話を楽しめて、ちょっとした遊び心も備えている。また、せっかく「Touch Bar」搭載モデルを購入したのに、一度も使ったことがない人もいるだろう。このバーは使用状況に応じて最適なボタンが表示され、自分で使いやすいようカスタマイズもできる便利な画面だ。意識して使いこなすと、作業効率がアップするだろう。他にも、通知センター、Spotlight、Mission Control、スクリーンショットといった機能の使い方を覚えて、MacBookをよりスマートに活用しよう。

Siri 何でも頼める音声アシスタント

情報検索やアプリの起動など多彩な用途に使える

「Siri」は、バージョンアップを重ねてますます賢く便利になっている、音声アシスタント機能だ。メニューバーのSiriボタンをクリックするか、「Hey Siri」の呼びかけで起動できる。メールの作成や、FaceTimeの発信、カレンダーへのイベント追加、アプリの起動といった使い方以外にも、MacBook内のファイルを探し出したり、通貨や単位を変換したり、流れている曲の名前を教えてもらうなど、さまざまなシーンで役立つ。何らかの作業中に、音量や画面の明るさを調整するといったちょっとした操作をSiriにまかせてもよい。

Siriを起動する

⌘ command + space
（長押しする）

メニューバーのSiriボタンをクリックするか、「command」+「スペース」キーを長押しすると、Siriが起動する。この状態でSiriに話しかけると、質問に応えてくれたり、アプリを操作してくれる。

「Hey Siri」の呼びかけで起動する

2018年以降に発売されたMacBookか、第二世代以降のAirPodsがペアリング済みであれば、MacBookに「Hey Siri」と呼びかけてSiriを起動できる。まず「システム環境設定」→「Siri」をクリックし、「“Hey Siri”を聞き取る」にチェック。

“Hey Siri”を設定

“Hey Siri”と話しかけたときに、Siriがあなたの声を認識します。

続ける

“Hey Siri”と言ってください

画面の指示に従ってSiriに何度か話しかければ、自分の声が登録されて「Hey Siri」で起動できるようになる。また「ロック中にSiriを許可」にチェックしておけば、画面がロック中でも「Hey Siri」の呼びかけでSiriを起動できる。

Siriに頼める便利な使い方

ファイルを検索する
「打ち合わせのファイルを探して」と話しかけると、一致するファイルが検索され、クリックしてすぐに開くことができる。

通貨を変換する
例えば「60ドルは何円?」と話しかけると、最新の為替レートで換算してくれる。また各種単位換算もお手の物だ。

流れている曲名を知る
「この曲は何?」と話しかけ、音楽を聴かせることで、今流れている曲名を表示させることができる。

曲をリクエスト
「おすすめの曲をかけて」などで曲を再生してくれる。Apple Musicを利用中なら、Apple Music全体から選曲する。

リマインダーを登録
「8時に○○に電話すると覚えておいて」というように「覚えておいて」と伝えると、用件をリマインダーアプリに登録してくれる。

家族の名前を登録
例えば「妻にメール」と話しかけて、連絡先の名前を伝えると、家族として登録され、以降「妻に○○」で各種操作を行える。

おみくじやサイコロ
「おみくじ」で占ってくれたり、「サイコロ」でサイコロを振ってくれるなど、遊び心のある問いかけにも反応してくれる。

「さようなら」で終了
Siriを終了させるには、Siriのアイコンをクリックするか「×」ボタンを押せばよいが、「さようなら」と話しかけることでも終了可能だ。

Touch Bar 機能が変化するタッチディスプレイ

タッチ操作で直感的に扱えるTouch Bar

一部のMacBook Proに搭載されている「Touch Bar」は、状況に応じてさまざまなボタンやスライダーが表示され、タッチで操作が行える場所だ。音量を調整したり、動画再生位置を操作したりなどがスムーズに実行できるので、うまく使いこなしてみよう。

Control Stripで音量や明るさなどを調整

Touch Barの右側には、「Control Strip」というエリアが表示される。ここからSiriを起動したり、音量や画面の明るさを調整したりが可能だ。たとえば、画面の明るさボタンをタップするとスライダーで明るさを調整することができる。

Control Stripを拡張する

Control Stripの左端にある拡張ボタンをタップすると、エリアが拡張され、Mission ControlやLaunchpad、メディア再生など、そのほかの操作ボタンが表示される。

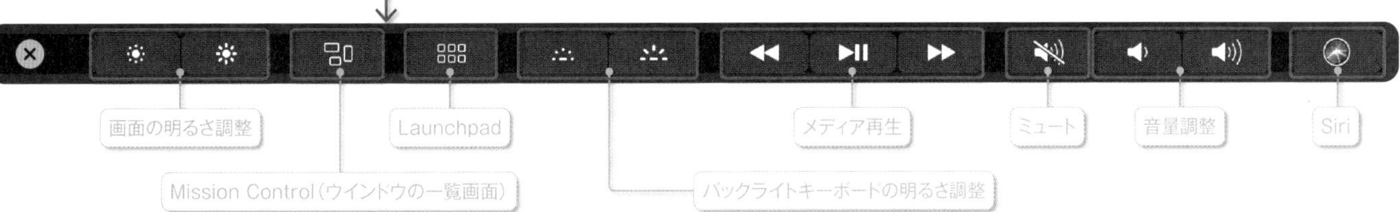

各種アプリでTouch Barを使う（Safariの場合）

Touch Barの内容は状況によって変わる。たとえば、SafariでYouTubeにアクセスして動画を再生させると、下のようにシークバーで再生位置を調整できたりするのだ。

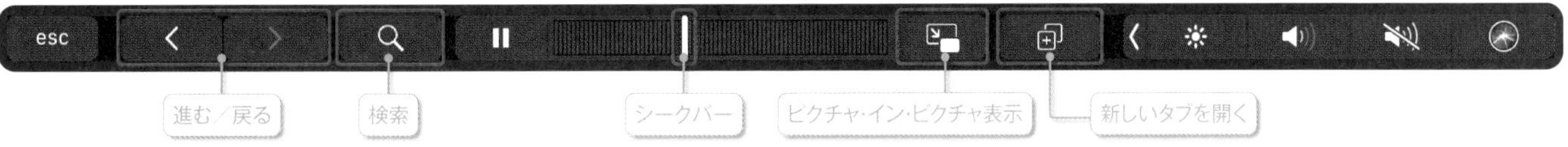

Touch Barにファンクションキーを表示する

「fn」キーを押すと、Touch Bar全体にF1～F12までのファンクションキーが表示される。ファンクションキーを使った操作やショートカットを呼び出したいときに利用しよう。

POINT

Touch Barの内容をカスタマイズする

Finderや各種アプリの「表示」メニューから「Touch Barをカスタマイズ」を実行すれば、Touch Barの内容を変更することが可能だ。自分がよく使うボタンなどを並べて使いやすいようにしておこう。

「表示」→「Touch Barをカスタマイズ」で表示された項目一覧からTouch Barに追加したいものをドラッグして画面下にドロップしよう。するとTouch Barにその項目を追加できる。

通知センター 通知だけでなく今日の予定なども確認できる

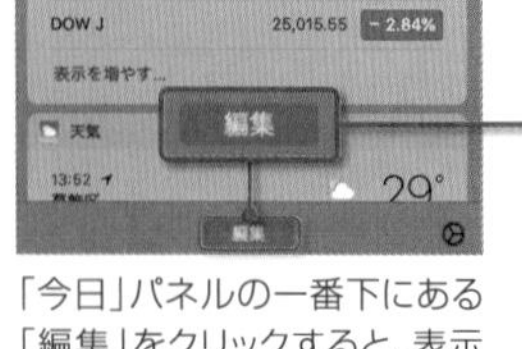

通知パネルを上にスクロールすると、画面の色味を目に優しい暖色系に切り替える「Night Shift」と、一時的に通知を停止する「おやすみモード」のスイッチが表示される。

2つの画面で予定や通知をチェック

メニューバー右端の三本線のボタンをクリックすると「通知センター」を表示できる。通知センターは「今日」と「通知」の2つのパネルで構成されている。「今日」パネルには、カレンダーや天気、株価などのウィジェットが配置されている。ウィジェットはアプリに付随する機能で、アプリの情報を表示したり、アプリの機能の一部を素早く利用することが可能。「通知」パネルには、メールやメッセージをはじめ、さまざまなアプリの通知履歴が一覧表示され、見逃した通知も後から確認することができる。通知をクリックすれば、該当のアプリが起動する。これらは、iPhoneのウィジェットや通知センターとほぼ同様の機能だ。

今日パネルのウィジェットを編集

下部の「編集」でカスタマイズ

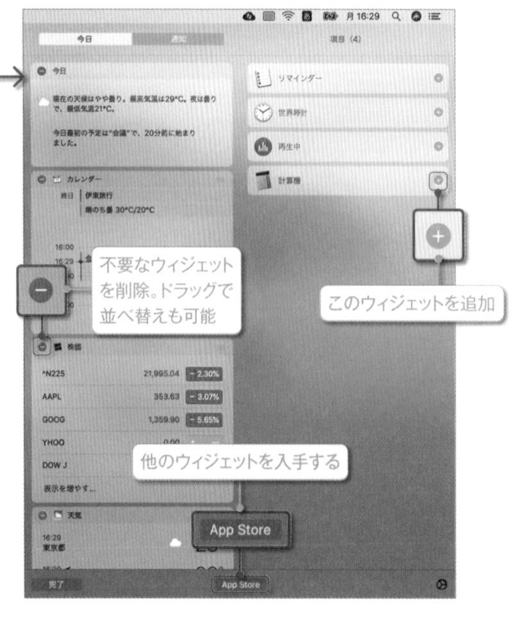

「今日」パネルの一番下にある「編集」をクリックすると、表示するウィジェットの並べ替えや削除、追加を行える。例えば、「計算機」を追加すると、その名の通り計算機画面が追加され、今日パネル上で計算を行えるようになる。また、「App Store」ボタンをクリックすれば、ウィジェットを搭載したアプリが表示され、すぐにインストール可能だ。

通知と通知パネルの設定

「バナー」と「通知パネル」の違い

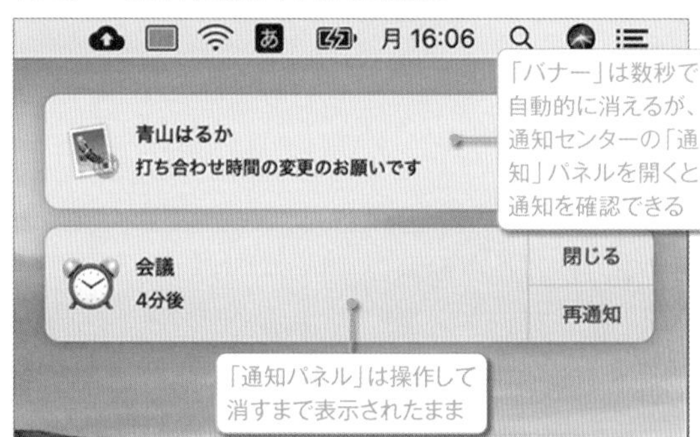

下記の通知設定を済ませておくと、通知があった際は画面右上に「バナー」や「通知パネル」がポップアップで表示されるようになる。「バナー」は自動的に消えるが、「通知パネル」の場合は「閉じる」「再通知」などのボタンも表示され、何か操作するまで消えない。

通知の表示方法を変更する

Appleメニューの「システム環境設定」→「通知」を開くと、アプリごとに通知の表示方法を設定できる。通知スタイルは「なし」「バナー」「通知パネル」から選択。また「通知プレビューを表示」のメニューで、メール内容などの一部が表示されるプレビューを表示するかしないかを選択できる。

Spotlight あらゆるデータを探し出す検索ツール

ファイルの内容も含めて検索できる

あのデータがどこにあるか分からない、という時に頼りになるのが「Spotlight」だ。ファイル名での検索はもちろん、ファイルの内容やアプリ、メール、ブックマーク、Webなど、さまざまな情報を探し出せる強力な検索機能となっている。ただ、検索対象が広すぎて関係ない情報もヒットしがちだ。ファイルを探したいだけなら、Finderの右上の検索ボックスを使って、MacBook内やフォルダを対象に検索したほうが早い。

キーワードで目的のデータを見つけ出す

キーワードを入力する

フォーマット

format_Sec02.pdf — 書類
format_Sec02.pdf — 仕事
mcb_p028-033.pdf — 書類
mcb_p034-037.pdf — 書類
mcb_p028-033.pdf — 仕事

メニューバー右上の虫眼鏡ボタンをクリックするか、「command」+「スペース」キーを押すと、Spotlightの検索画面が表示される。キーワードを入力すると、検索結果がカテゴリ別にリストアップされる。

検索結果がカテゴリ別に表示。例えば、過去の企画案件に関する情報を、ファイルやメール、ブックマークなどから洗いざらい探し出したい、といった用途に向いている

検索結果を選択するとプレビュー表示される

Mission Control 今開いているウインドウ全体を見渡す

画面がゴチャッとしたら3本指で上にスワイプ

ウインドウがいくつも重なって、どこに何があるか分からなくなったら、トラックパッドを3本指で上にスワイプしてみよう。今開いているウインドウがすべてサムネイル表示され、クリックして素早く切り替えできる。また上部のスペースには、フルスクリーン表示のウインドウ、Split Viewで使っているウインドウも表示されるほか、「+」ボタンをクリックすれば、新しいデスクトップを作成して切り替えできる。

開きたいウインドウが見つからない時は

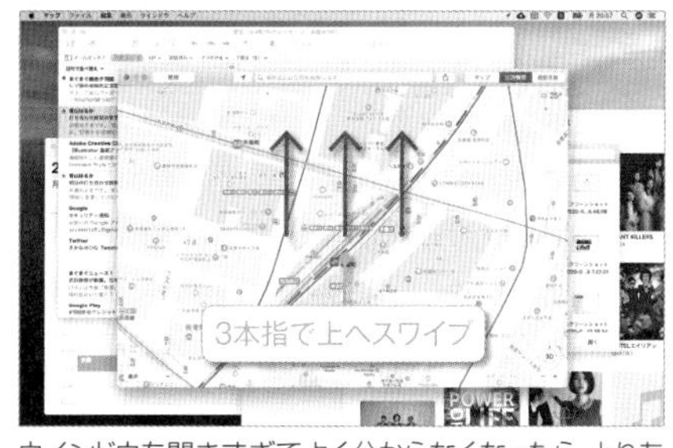

ウインドウを開きすぎてよく分からなくなったら、とりあえずトラックパッドを3本指で上にスワイプしてみよう。すべてのウインドウがサムネイルで表示される。

Mission Controlで簡単に切り替えできる

開いているすべてのウインドウがきれいに整理され、俯瞰的に表示された。目当てのウインドウをクリックして手前に表示させよう。

スクリーンショット MacBookの画面を画像として保存する

ショートカットキーを使って撮影しよう

MacBookで表示中の画面を、画像として保存できる機能が「スクリーンショット」だ。エラー画面を保存して誰かに相談したり、気になるWeb記事を保存したりと、何かと利用する機会のある操作なので、保存方法を覚えておこう。「shift」+「command」キーに加えて、画面全体を保存するなら「3」、一部を保存するなら「4」を同時に押すと覚えておけばよい。また「5」を同時に押せば、保存先の変更やタイマー設定などを行える。

フルスクリーンまたはエリア指定で撮影

フルスクリーンを撮影

エリアを指定して撮影

MacBookの画面を撮影する基本は、この2つのショートカットキーだ。「shift」+「command」と「3」を同時に押すと画面全体を撮影する。「4」を同時に押すと十字型のカーソルをドラッグした範囲を撮影する。または、「4」を同時に押してから「スペース」キーを押すと、カーソルのあるウインドウが選択状態になり、クリックして撮影できる。ウインドウの影を含めず撮影したい時は、「option」キーを押しながらクリックする。

オプションで保存先の変更やタイマー設定

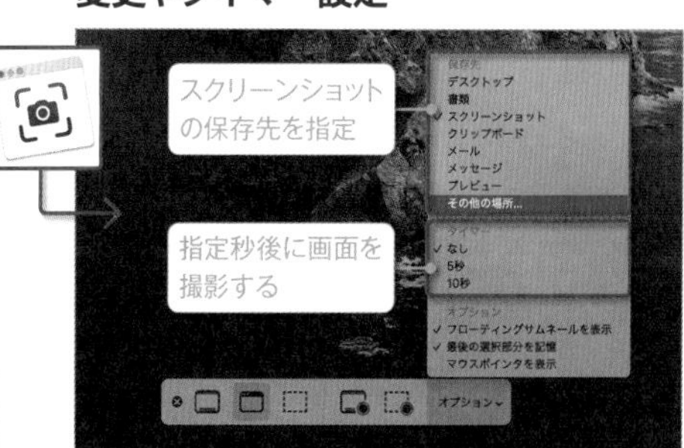

Launchpadの「その他」にある「スクリーンショット」を起動するか、「shift」+「command」+「5」を同時に押すと、ツールが表示される。スクリーンショットの保存先は標準だとデスクトップになるが、「オプション」から保存先を変更したり、タイマーを設定することが可能だ。

標準で使える便利なクラウドサービス

iCloudでさまざまなデータを同期&バックアップする

「iCloud(アイクラウド)」とは、Appleが提供するクラウドサービスだ。MacBookで使う標準アプリなどのデータが自動で保存され、iPhoneやiPadなど他のデバイスからも同じデータを利用することができる。

iCloudでは何ができる?

Apple IDを作成すると、Appleのクラウドサービス「iCloud」を、無料で5GBまで利用できるようになる。このiCloudで何ができるのかと言えば、下で解説しているように、標準アプリのデータを同期できるという点が大きな役割となる。「写真」「メール」「連絡先」「カレンダー」など標準アプリのデータを、すべて「iCloud」に保存することで、同じApple IDを使ったiPhoneはiPadからも同じデータにアクセスできるようになるのだ。この同期できる標準アプリの使い方は、P062から解説している。なお、iPhoneやiPadで使うiCloudにはもう一つ、本体のバックアップという重要な役割があるが、MacBookではiCloudをバックアップ先に使うことができない。その代わり、MacBookのデスクトップと「書類」フォルダにあるファイルを、iCloud上で同期して他のデバイスからも使うことが可能だ。右ページでは、その手順を詳しく解説する。

iCloudの役割を理解しよう

iCloudの各種機能を有効にする

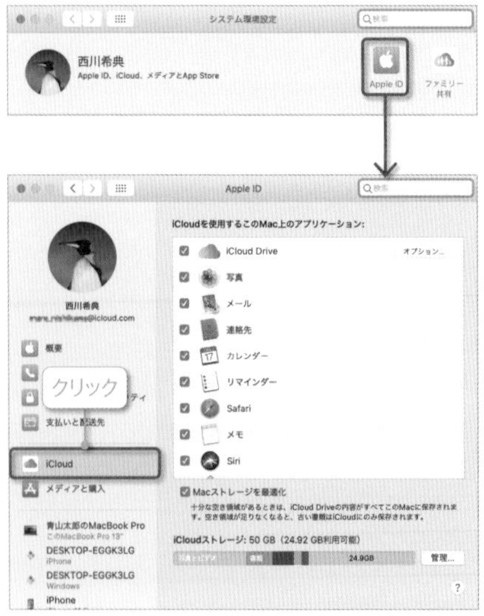

Apple ID(P013で解説)でサインインした上で、Appleメニューから「システム環境設定」→「Apple ID」をクリック。「iCloud」画面で、iCloudを使用するアプリやサービスが一覧表示され、チェックした項目が同期するようになる。「iCloud Drive」をオンにしておけば、ユーザ辞書なども同期される。下部の「管理」ボタンをクリックすると、iCloudに保存済みのデータを確認したり、不要なデータの削除も可能だ。

iCloudでできること

1 iPhoneやiPadとの同期

「写真」「メール」「連絡先」「カレンダー」などの標準アプリは、iCloudで同期を有効にすることで、iPhoneやiPadでも同じデータを扱える。例えばiPhoneで撮影した写真をMacBookで閲覧したり、MacBookのカレンダーで作成した予定をiPadでも確認することが可能だ。これら標準アプリのデータは、常に最新の状態でiCloudに保存されるので、実質的なバックアップとしても機能する。MacBookが故障してメールや連絡先を開くことができなくなっても、最新のデータ自体はiCloud上に保存されているため、新しいMacBookで同じApple IDを使ってサインインすれば、すぐにメールや連絡先を復元できる。

P063で詳しく解説

2 デスクトップや書類の保存、同期

右ページで詳しい手順を解説するが、MacBookのデスクトップや書類フォルダに保存されたファイルを、iCloudに保存して同期することもできる。同期を有効にすると、iCloud Drive上に「デスクトップ」と「書類」フォルダが作成される。これがMacBookの「デスクトップ」「書類」フォルダの本体になるので、MacBook上でデスクトップや書類フォルダにファイルを作成すれば、特に意識しなくても、自動的にiCloud上に保存されることになる。他のiPhone、iPad、パソコンのWebブラウザなどからも、デスクトップや書類フォルダにあるファイルにアクセスして利用することが可能だ。

右ページで詳しく解説

POINT iPhoneやiPadのようなバックアップは作成できない

iPhoneやiPadは、本体のバックアップもiCloudに保存しておけるが、MacBookでは保存できない。MacBookで本体の設定を含めたバックアップを作成するには、「Time Machine」機能(P102で解説)を使って外部ディスクに保存するのが基本だ。

デスクトップや書類をiCloudに保存する

MacBookで機能を有効にする

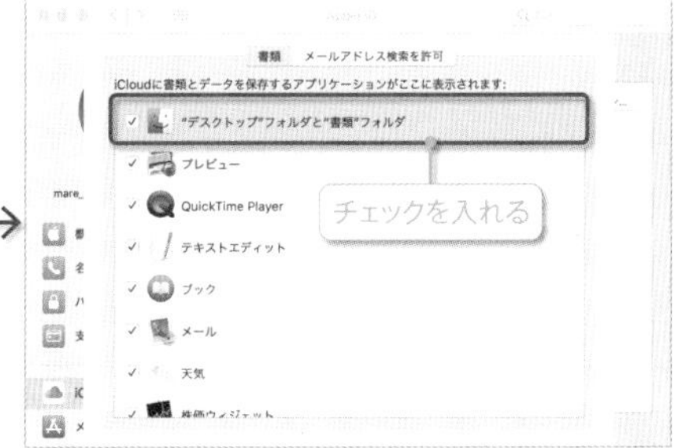

「システム環境設定」→「Apple ID」→「iCloud」を開き、「iCloud Drive」の「オプション」ボタンをクリックする。

「"デスクトップ"フォルダと"書類"フォルダ」にチェック。これで、MacBookの「デスクトップ」フォルダと「書類」フォルダがiCloud Drive上に移動する。

iPhoneやiPadの設定を確認する

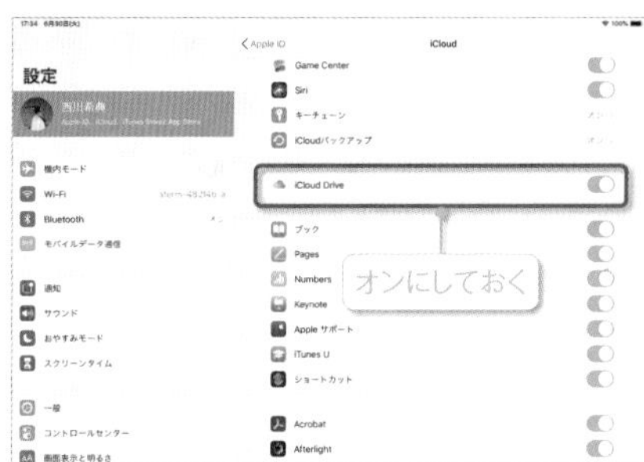

iPhoneやiPadでは、「設定」一番上のApple IDを開いて「iCloud」をタップ。「iCloud Drive」のスイッチをオンにしておく。

デスクトップにあったファイルの移動先

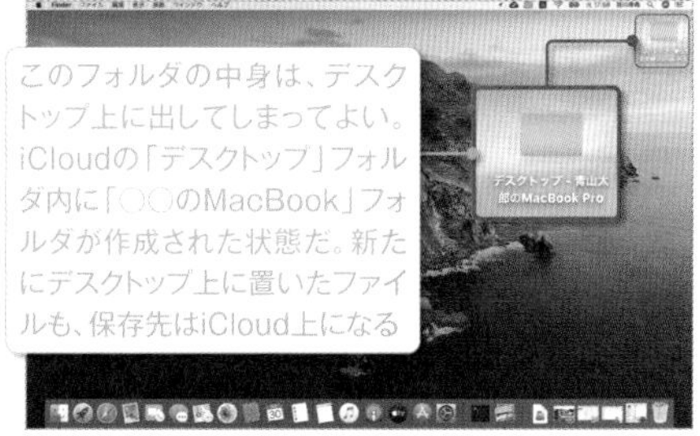

デスクトップ上に元々あったファイルは、デスクトップ上に新しく「○○のMacBook」といった名前のフォルダが作成され、その中にまとめて保存される。

通常通りデスクトップにファイルを置く

「○○のMacBook」の中身をデスクトップに出した状態。作業中のフォルダを置いたり、添付ファイルを保存したり、デスクトップを同期前と同じように利用できる。

デスクトップと書類のファイルはiCloudに保存

今後はデスクトップ上や「書類」にファイルを置いた場合、そのファイルの保存先はiCloud Driveになる。削除するとiCloud上からも消える。

iPhoneやiPadから書類にアクセスする

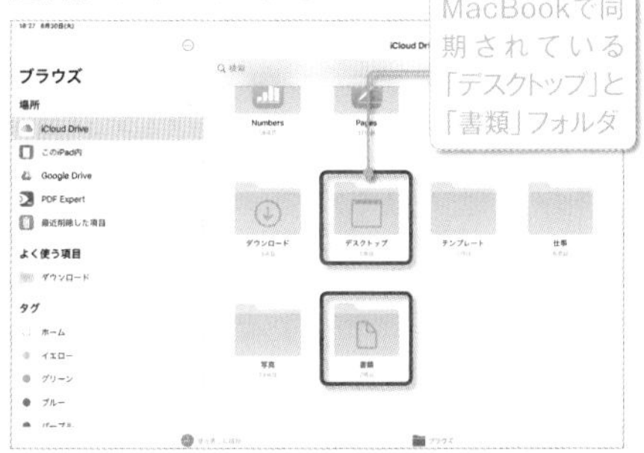

iPhoneやiPadでは、「ファイル」アプリを起動してiCloud Driveを開き、「デスクトップ」「書類」フォルダを開くと、MacBookで保存したファイルにアクセスできる。

iCloud.comからもアクセスできる

会社のWindows PCなどから操作したい時は、Webブラウザでicloud.com(https://www.icloud.com/)にアクセスし、「iCloud Drive」をクリックして開けばよい。

iCloudストレージの容量を増やすには

iCloudの容量が足りなくなったら、iCloudの設定画面で「管理」ボタンをクリック。「さらにストレージを購入」をクリックすれば容量を買い足せる。

POINT

デスクトップと書類の同期をオフにするとどうなる?

MacBookで扱うファイルは、ほとんどデスクトップ上のフォルダで管理するという人は多い。その場合、「デスクトップ」や「書類」を同期すると、iCloudのストレージ容量をかなり圧迫してしまう。iPhoneやiPadからデスクトップや書類にアクセスできる重要性が低ければ、同期はオフにしておこう。いったん同期を有効にした状態からオフにすると、MacBookのデスクトップ上からファイルが削除され、ローカル上に空の「書類」フォルダが作成される。データが消えたように見えるが心配はいらない。iCloud Drive上の「デスクトップ」や「書類」フォルダにはデータが残っているので、MacBook上のデスクトップと「書類」フォルダへコピーすればよい。

はじめにチェック!

まずは覚えておきたい設定&操作法

ここまでの記事で解説しきれなかった、確認しておくべき設定ポイントや覚えておくべき操作法を総まとめ。

01 MacBookの基本情報を確認する

「このMacについて」に情報がまとまっている

Appleメニューの一番上にある「このMacについて」を開いてみよう。搭載しているプロセッサやメモリなどの基本スペックの他、シリアル番号やインストールしているmacOSのバージョンなど、MacBookの基本情報をまとめて確認できる。画面上部のメニューの「ストレージ」でストレージの利用状況も表示可能。

1 Appleメニューで「このMacについて」を開く

「概要」にMacBookの基本情報が表示される。「システムレポート」では詳細なスペックを確認できる。

2 その他の情報を表示する

「ストレージ」を開いて、続けて「管理」をクリックすれば、詳細なストレージ利用状況を確認できる。

02 システム環境設定を一通りチェックしておく

画面や音、操作法などの設定が集約されている

Appleメニューや Dockにある「システム環境設定」には、ディスプレイやサウンド、トラックパッドの操作法など、さまざまな項目に関する設定が集約されている。iPhoneやiPadの「設定」アプリのような画面だ。どのメニューにどんな設定項目があるかあらかじめ一通り目を通しておくことをおすすめしたい。

1 Appleメニューで「システム環境設定」を開く

各項目をクリックして設定できる内容をチェックしよう。右上の「Apple ID」からiCloudの設定も開くことができる。

2 設定項目がどこにあるかキーワード検索も可能

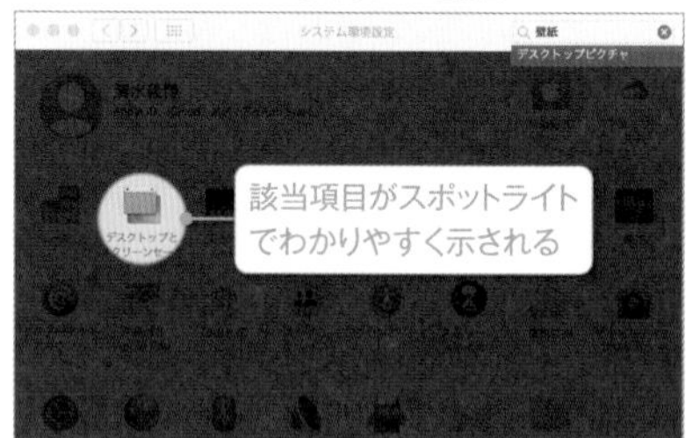

目的の設定がどこにあるかわからない時は、画面右上の検索ボックスでキーワード検索を行える。

03 メニューバーに日付と音量を表示する

時刻と並べて日付や音量をわかりやすく表示

画面上部のメニューバーには、バッテリー残量や現在時刻が表示されているが、さらにここに今日の日付と音量も表示しておこう。今日の日付や曜日を確認するためだけにカレンダーアプリを起動したり、音量の状態を確認するために音量キーを押してみる必要がなくなり非常に便利だ。

1 日付と曜日、音量の表示をそれぞれ有効にする

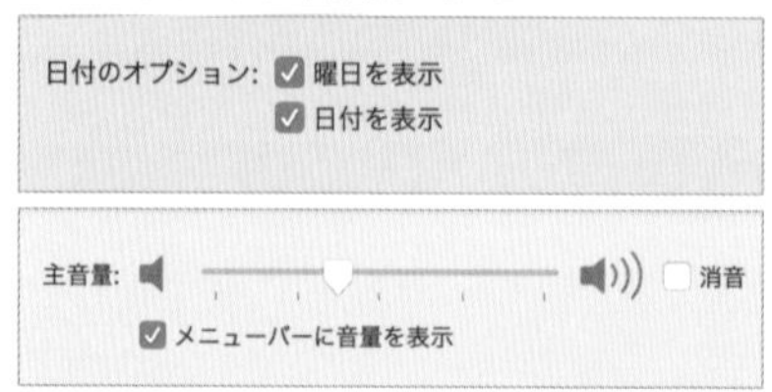

Appleメニューの「システム環境設定」→「日付と時刻」で「曜日を表示」と「日付を表示」にチェックを入れる。また、「システム環境設定」→「サウンド」で「メニューバーに音量を表示」にチェックを入れる。

2 日付と曜日、音量がメニューバーに表示された

今日の日付と曜日、音量の状態がメニューバーで即座に確認できるようになった。

04 自動でスリープするまでの時間を設定する

省電力やセキュリティを考慮して設定する

MacBookは一定時間操作を行わないと、自動的に画面が消灯しスリープ状態に移行する。このスリープするまでの時間は変更可能だ。省電力やセキュリティと使い勝手のバランスを考えて設定しよう。なお、スリープしてロックがかかるまでの時間も別途設定可能だ(このページの記事05で解説)。

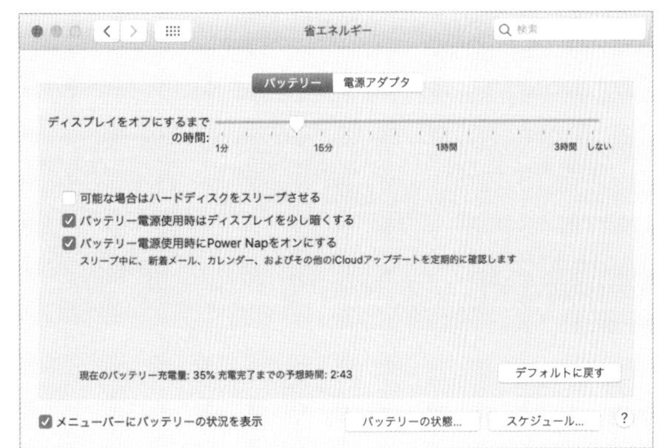

Appleメニューの「システム環境設定」→「省エネルギー」を開き、バッテリー使用時と電源アダプタ接続時それぞれのスライダーで時間を設定する。「ディスプレイがオフのときに〜」にチェックを入れると画面消灯後もスリープせず、実行中の処理も継続される。基本的にはチェックを外しておこう。その他の項目はチェックを入れておいて問題ない。

05 ディスプレイを閉じたら即座にロックする

閉じると共にスリープし同時にロックがかかる

MacBookは、スリープした後ロックがかかるまでの時間も別途設定可能だが、セキュリティを重視するなら、スリープと同時にロックを有効にしたい。そうすることで、ディスプレイを閉じた瞬間にロックがかかる状態にでき、安全性が高まるのだ。ディスプレイを開いたら、ロック画面での指紋認証などが必要だ。

1 設定で「すぐに」を選択しておく

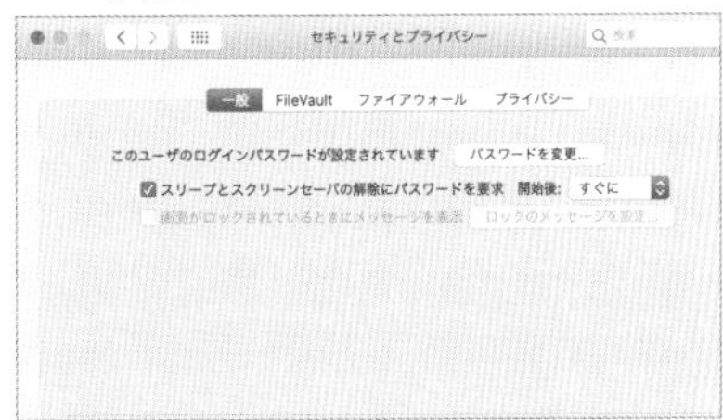

「システム環境設定」→「セキュリティとプライバシー」の「一般」にある、「スリープとスクリーンセーバの解除に〜」にチェックを入れ、「開始後:」を「すぐに」に設定する。

2 スリープした瞬間にロックがかかる

ディスプレイを閉じたり、自動スリープした瞬間にロックがかかるようになり、セキュリティの強度が高まる。

06 Touch IDに指紋を登録する

ロック解除用に3つまで指紋を登録できる

初期設定でTouch IDを設定していない場合や、指紋を追加登録したい場合は、「システム環境設定」→「Touch ID」で設定を行える。「指紋を追加」をクリックして、キーボード右上角のTouch IDセンサーに読み取りたい指紋を当て、画面の指示に従っていけばよい。指紋は3つまで登録可能だ。

登録済みの「指紋1」にポインタを合わせ、続けて左上に表示される「×」をクリックすれば、その指紋を削除できる。また、その下のチェック項目で、指紋認証をApple Payや各種ストアでの認証に使うかどうかも設定可能だ。

07 Wi-Fiに接続する

ネットワークを選んでパスワードを入力するだけ

初期設定でWi-Fiに接続していない場合や、外出先でWi-Fiに接続したい時も操作は簡単だ。メニューバーのWi-Fiマークをクリックし、ネットワーク(SSID)名を選択し、表示される画面でパスワードを入力するだけだ。iPhoneやiPadが接続中のWi-Fiなら、パスワードの自動入力も行える。

1 手動でパスワードを入力する

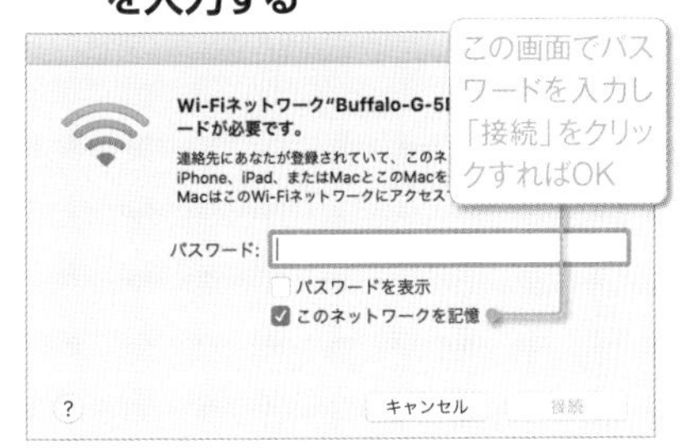

メニューバーのWi-Fiマークをクリックし、接続したいネットワーク名を選択。パスワードを入力しよう。

2 パスワードの共有機能で自動入力する

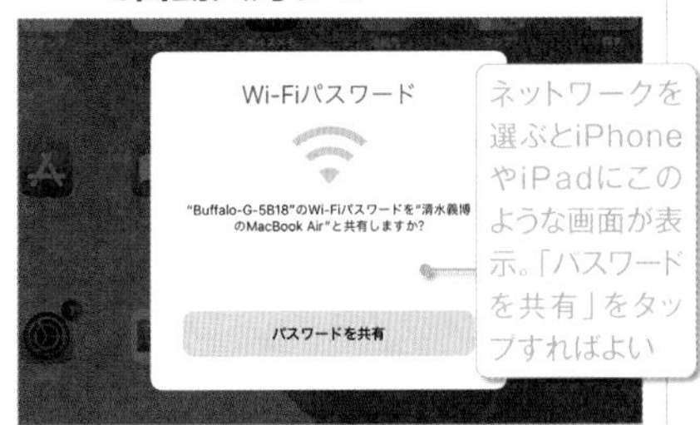

iPhoneやiPadがそのネットワークに接続中であれば、ネットワークを選ぶとパスワード共有機能が作動する。

08 画面の黄色っぽさが気になる場合は

Turue Toneをオフにしよう

MacBookに搭載される「True Tone」は、周辺の環境光を感知し、ディスプレイの色や彩度を見やすいように自動調整する機能。この機能を有効にすると、特に室内では画面が黄色っぽい暖色系になりがちだ。気になる場合は機能をオフにしよう。オフにすると、青っぽいクールな色合いになる。

ディスプレイの設定でTrue Toneをオフにする

「システム環境設定」→「ディスプレイ」の「ディスプレイ」画面にある「True Tone」をオフにすると黄色っぽさはなくなる。なお、True Toneは、iPhoneやiPadにも搭載されている機能だ。

09 操作しない時はキーボードのバックライトをオフにする

経過時間を設定して自動消灯できる

MacBookのキーボードにはバックライトが搭載されている。キーボードを下からライトで照らし、それぞれのキーに記載されている文字や記号を明瞭に表示する仕組みだ。このバックライトは、一定時間操作しない際に消灯させることもできる。若干ではあるが省電力にもなるので、必要に応じて設定しよう。

1 バックライトで各キーがわかりやすい

蛍光灯の下など明るいところではわかりにくいが、バックライトによってキーの文字が明瞭に浮き上がる。

2 一定時間でバックライトを消灯させる設定

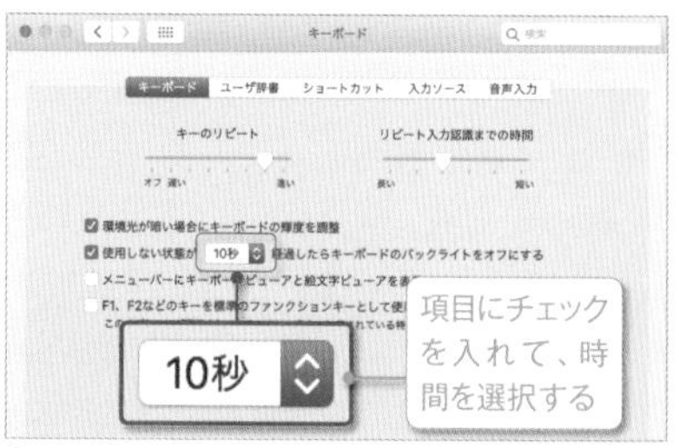

「システム環境設定」→「キーボード」で、「使用しない状態が〜」にチェックを入れ、時間を選択する。

10 電源アダプタを外した際に画面を暗くしない

省電力を重視しないなら機能をオフにする

MacBookがバッテリーで動作している時は、電源アダプタ接続中よりもディスプレイが若干暗くなるよう設定されている。これは省電力に配慮した仕組みなのだが、電源アダプタ接続中と外した際の画面の明るさの差異が気になる場合は、この機能をオフにしよう。電源アダプタを外しても明るさの変化がなくなる。

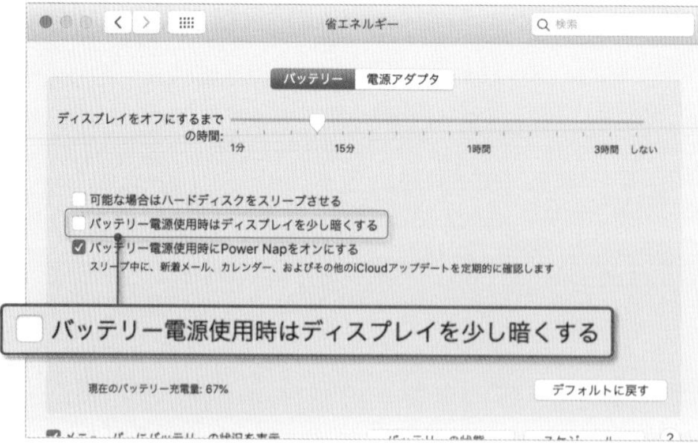

「システム環境設定」→「省エネルギー」で「バッテリー」画面を開き、「バッテリー電源使用時はディスプレイを少し暗くする」のチェックを外す。

11 Dockのアプリの長押しメニューを利用する

ウインドウが見つからない時にも

Dockのアプリを長めにクリックすると、さまざまなメニューが表示される。このメニューには、各アプリのよく使う機能や操作のショートカットが割り当てられている。また、アプリで開いているウインドウも一覧表示される。アプリをクリックして、目当てのウインドウが表示されない場合はここから選択しよう。

1 アプリの機能や操作を素早く利用できる

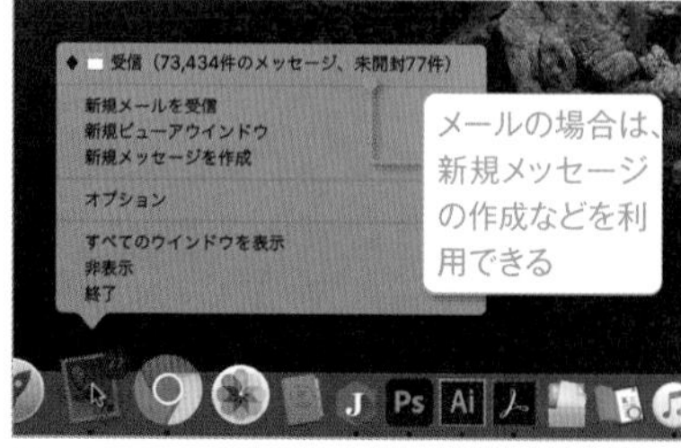

Dockのアプリを少し長めにクリック。このようなメニューが表示される。

2 見当たらないウインドウをここから表示

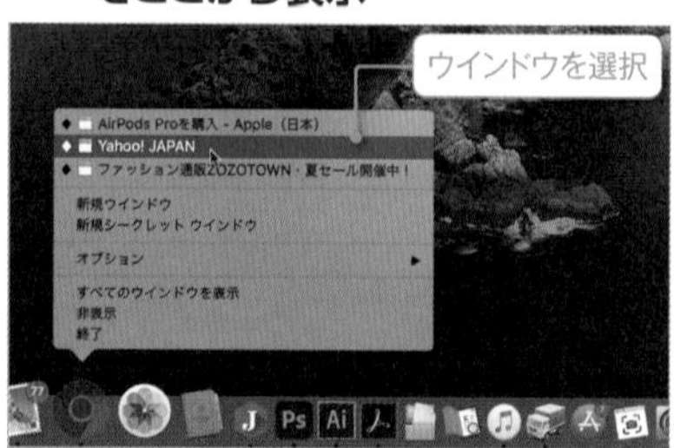

アプリで開いているウインドウ一覧が表示される。選択してウインドウを表示させよう。

12 本体の起動と同時に指定したアプリを起動させる

必ず確認したいアプリも同時に起動させる

カレンダーやリマインダー、デスクトップに表示させる付箋アプリなど、MacBookを使う際に必ず確認したいアプリは、MacBookのログインと同時に起動するよう設定できる。起動の手間が省けるのはもちろん、さまざまな情報のチェックし忘れの防止にも役立つ。同期が必要なクラウドアプリでも利用したい。

1 「ユーザとグループ」の設定画面を開く

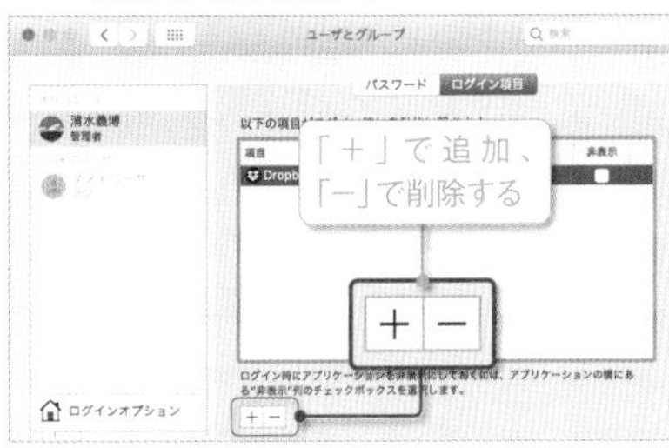

「システム環境設定」→「ユーザとグループ」で「ログイン項目」を開き、「＋」ボタンをクリック。

2 アプリを選択しログイン項目に追加

アプリを選択。ファイルやフォルダも選択できるので、備忘録のテキストを表示させるといった使い方も可能。

13 共有メニューからファイルや情報を送信する

右クリックメニューや共有ボタンを利用する

Finderやアプリに備わっている共有機能を使えば、ファイルや見ているWebサイトのリンクなどを簡単に家族や友人に送信できる。Finderの場合は、ファイルを右クリックして、メニューから「共有」を選ぶか、ウインドウ上部の共有ボタンをクリック。送信手段が表示されるので選択すればよい。

1 Finderでファイルを送信したい場合は

Finderウインドウでファイルを選択。右クリックか画面上部の共有ボタンをクリックし、送信手段を選択。

2 Webサイトのリンクを送信したい場合は

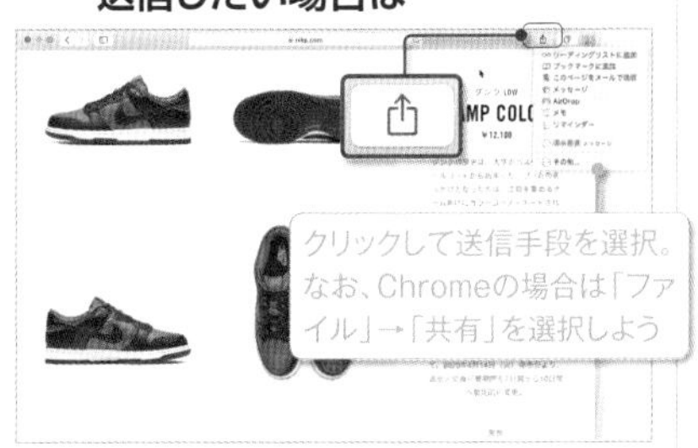

SafariでWebサイトのリンクを送信したい場合も、共有ボタンを利用しよう。

14 アプリに表示されるバッジの意味を理解する

件数も表示されるわかりやすい通知機能

メールやメッセージをはじめとしたアプリアイコンの右上に表示される、赤い丸と数字のマーク。これは「バッジ」と呼ばれる通知機能のひとつで、未読メールの数やアップデートの配信されたアプリの数など、各アプリの新着通知を件数と共に知らせてくれる機能だ。バッジは設定で非表示にもできる。

1 メールの未読件数などが一目でわかる

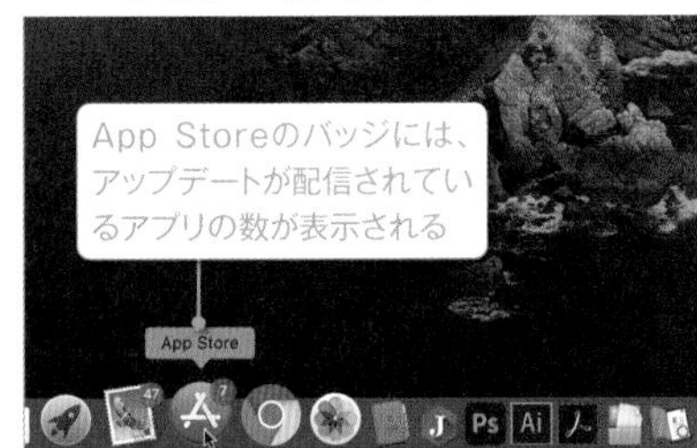

バッジの表示。システム環境設定にバッジが表示されたら、macOSのアップデートが配信された合図だ。

2 バッジを表示しないように設定する

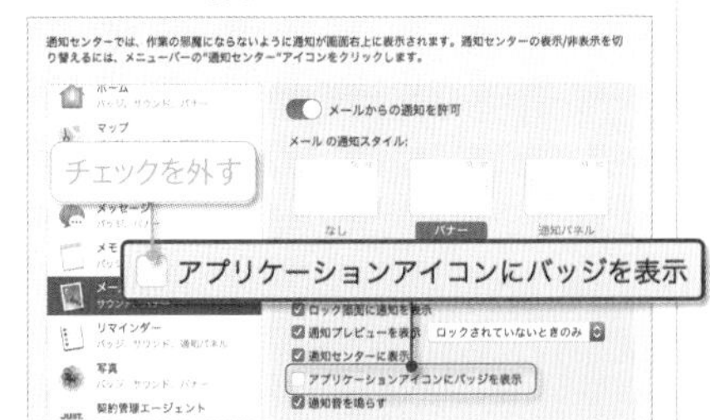

バッジを非表示にしたい場合は、「システム環境設定」→「通知」でアプリを選び、「アプリケーションアイコンにバッジを表示」のチェックを外す。

15 ファイルを圧縮／解凍する

macOS標準機能でzipファイルを扱う

macOSは、標準機能でファイルの圧縮や解凍を行える。圧縮したいファイルやフォルダを右クリックし、メニューから「"○○"を圧縮」を選択すれば、元のファイルやフォルダに重なるようにzip形式の圧縮ファイルが作成される。zipファイルを解凍したい時は、ダブルクリックすればよい。

1 ファイルやフォルダを圧縮する

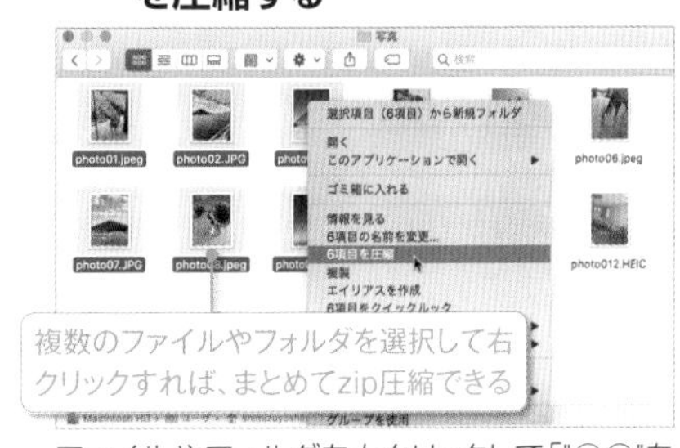

ファイルやフォルダを右クリックして「"○○"を圧縮」を選択すれば、「.zip」ファイルが作成される。

2 zipファイルを解凍する

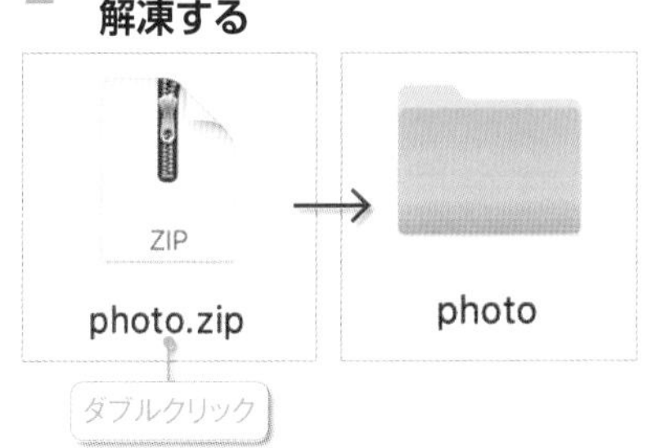

メールの添付ファイルなど、zip形式のファイルを解凍する際は、ダブルクリックするだけでよい。

16 Bluetoothで周辺機器を接続する

マウスやヘッドフォンなどワイヤレス機器を接続する

MacBookには、Bluetooth対応のマウスやヘッドフォン、スピーカーなどのワイヤレス機器を簡単に接続できる。「システム環境設定」→「Bluetooth」設定画面でBluetoothをオンにし、周辺機器をペアリング待機状態にする。Bluetooth設定画面に周辺機器名が表示されたら、「接続」をクリックすればよい。

1 Bluetooth機器を接続する

周辺機器をペアリング待機状態にし、設定画面に周辺機器名が表示されたら「接続」をクリックする。

2 Bluetooth機器の接続を解除する

Bluetooth設定画面で機器名にポインタを合わせ、右端に表示される「×」をクリックすれば接続を解除できる。

17 複数のファイルを簡単にフォルダにまとめる方法

ファイルを効率的に整理できる操作法

通常、複数のファイルをフォルダにまとめるには、まず右クリックメニューからフォルダを作成し、選択したファイルをフォルダ内へ移動させるという手順が必要だ。ところが、ここで紹介する操作法を使えば、もっと少ない手順でファイルをフォルダにまとめることができる。ぜひ覚えておこう。

1 複数ファイルを選択して右クリックする

複数のファイルを選択し、右クリックする。続けて「選択項目(〇項目)から新規フォルダ」を選択する。

2 選択したファイルをまとめたフォルダができた

選択したファイルをまとめて格納したフォルダが作成された。

18 ファイルやフォルダのエイリアスを作成する

さまざまに活用できる便利なショートカット機能

macOSの「エイリアス」は、Windowsの「ショートカット」と同じ機能だ。ファイルやフォルダの分身のような存在で、ダブルクリックすると本体を開くことができる。ファイルやフォルダ本体の保存場所を移動させることなく、別の仕分け方でフォルダにまとめておきたい際などに便利な機能だ。

1 右クリックメニューからエイリアス作成

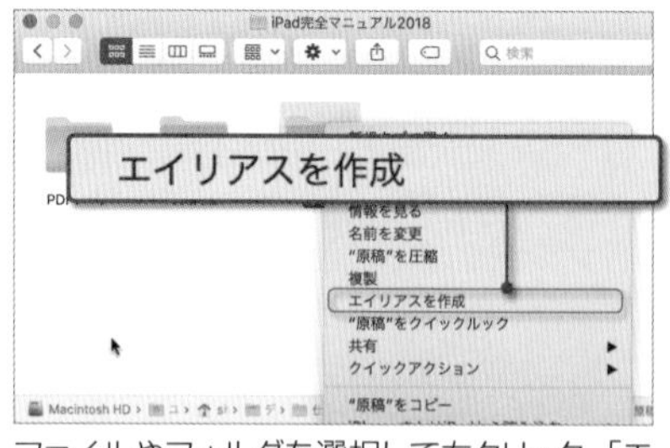

ファイルやフォルダを選択して右クリック。「エイリアスを作成」を選択する

2 フォルダの分身が作成された

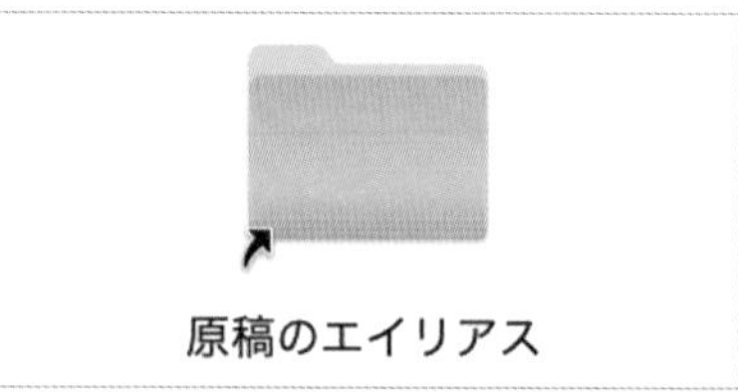

「〇〇のエイリアス」という名前でエイリアスが作成された。このエイリアスをダブルクリックすれば、本体を開くことができる。エイリアスは、どこに移動させてもいいし削除しても本体に影響はない。

19 最近使ったアプリやファイル一覧を利用する

Appleメニューからすぐに確認できる

Appleメニューの「最近使った項目」は、その名の通り最近利用したアプリやファイルを一覧表示できる機能。そこから選択して素早く開くことが可能だ。「最近使った項目」の表示数は最大50まで変更可能で、0に設定すれば非表示にできる。また、リストの一番下の項目でいつでも内容を消去可能だ。

1 アプリと扱ったファイルの一覧が表示される

Appleメニューにある「最近使った項目」を選択。一番下の「メニューを消去」で内容を消去できる。

2 表示数の変更や非表示の設定

「システム環境設定」→「一般」の「最近使った項目」のプルダウンメニューで、表示数を変更できる。

20 カーソルキーでファイルの中身を次々に確認していく

連続でクイックルックを行う効率操作

ファイルを選択してスペースキーを押すことでファイルの中身を素早く確認できる「クイックルック」は、写真やPDFの内容をサッと確認したい時に役立つ機能だ。フォルダ内の複数ファイルの内容を連続で確認したい時は、クイックルックを開いた状態で、カーソルキーを使って次々とファイルを選択していこう。

1 ファイルを選択してクイックルックを開く

ファイルを選択してスペースキーを押すと、内容が表示される。

2 カーソルキーでファイルを選択していく

クイックルックを開いたまま、キーボード右下のカーソルキーで別のファイルを選択していこう。

21 ウインドウのDockへのしまい方を変更する

それぞれのアプリのアイコンへ収納する

ウインドウ左上の黄色いボタンをクリックして、アプリやFinderのウインドウをしまうと、通常はDockの左端にいったん収納される。数が増えると表示がわずらわしいといった場合は、アプリのアイコンへしまうようにすることもできる。「システム環境設定」の「Dock」を開き、設定を変更しよう。

1 Dockの設定項目にチェックを入れる

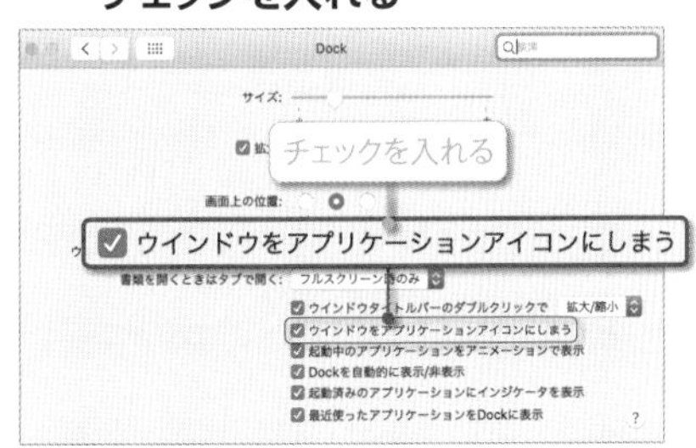

「システム環境設定」→「Dock」で「ウインドウをアプリケーションアイコンにしまう」にチェックを入れる

2 Dockのアプリアイコンにウインドウがしまわれる

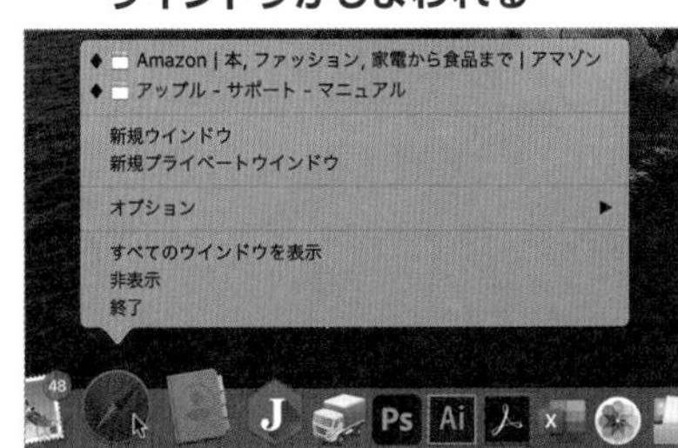

アプリアイコンにしまわれるようになった。複数ウインドウがしまわれている場合は、長押しメニューから選択して開こう。

22 集中したい時は通知を一時的に無効にする

おやすみモードを有効にする

進行中の作業に集中したい時は、通知を一時的に停止させることができる。まずは、画面右上の三本線のボタンをクリックして「通知センター」を開く。「通知」画面の一番上にある「おやすみモード」のスイッチをオンにすると、通知サウンドやバナー表示が無効となる。スケジュールを設定することも可能だ。

1 通知センターでスイッチをオンに

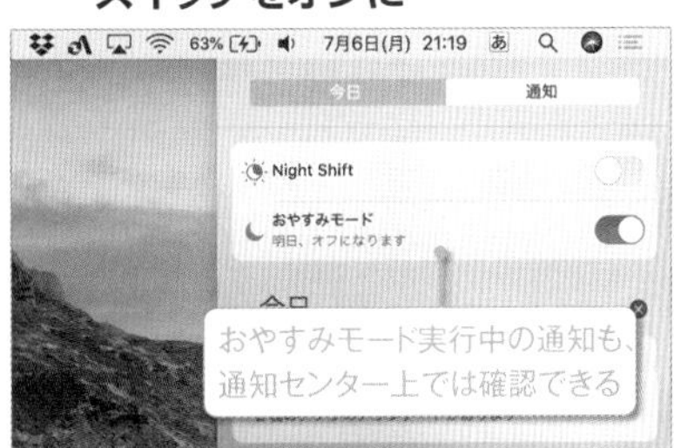

通知センターで「おやすみモード」のスイッチをオンにすると、通知サウンドやバナー表示が停止される。

2 おやすみモードのスケジュール機能を設定

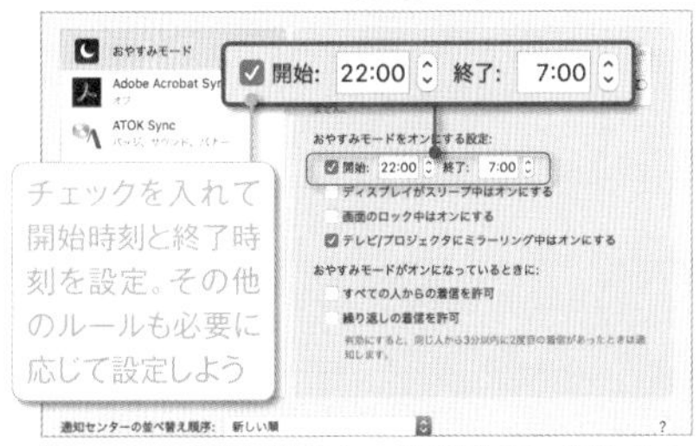

「システム環境設定」→「通知」で、おやすみモードを自動実行するスケジュールを設定可能だ。

23 macOSの自動アップデートをオフにする

内容を確認してアップデートしたい場合は

macOSは、定期的に不具合の解消や新機能の追加を行ったアップデートが配信される。改善を目的としたアップデートだが、環境によってはトラブルが起こることもある。アップデートの内容を精査した上で、手動でインストールしたい場合は、あらかじめ設定を確認、変更しておこう。

1 自動アップデートのチェックを外す

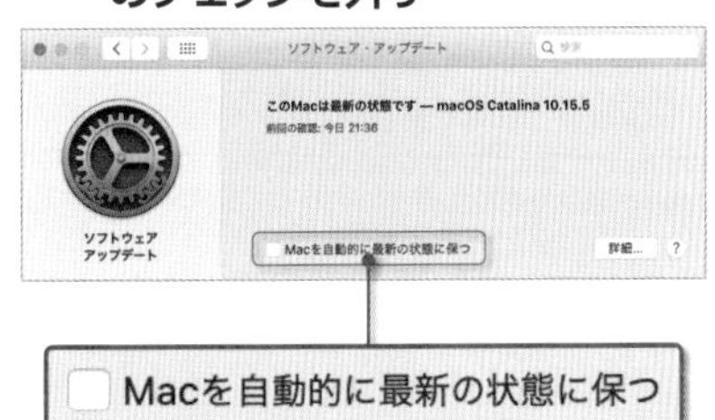

「システム環境設定」→「ソフトウェア・アップデート」を開き、「Macを自動的に最新の状態に保つ」のチェックを外す。

2 詳細設定もチェックしておく

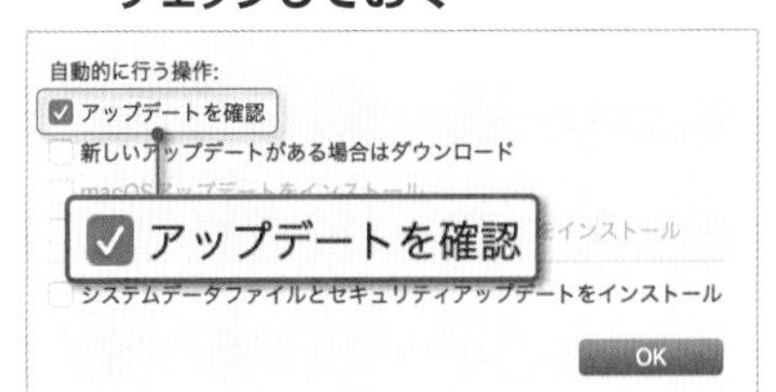

インストールは手動でも、アップデートの配信開始を知らせて欲しい場合は、「詳細」の画面で「アップデートを確認」にチェックを入れておこう。必要に応じてその他の項目もチェックしておこう。

SECTION

02

標準アプリ操作ガイド

本体やmacOSの仕組みや基本操作を覚えたら、はじめからMacBookにインストールされている標準アプリを使ってみよう。標準のメールアプリやWebブラウザのSafari、iPhoneともやり取りできるメッセージやFaceTimeなど、主力として使える良質なアプリが揃っている。ぜひ操作法をマスターしよう。

基本を確認

標準アプリとiCloudの関係を理解しておこう

アプリとiCloudの同期はバックアップにもなる

MacBookに標準インストールされているアプリのいくつかは、「iCloud」というAppleのクラウドサービスと「同期」できるようになっている。iCloudとは、Apple IDを作成すると、自動的に無料で5GBまで使えるようになるインターネット上の保管スペースのこと。同期とは、写真やメールといった標準アプリのデータを、常に最新に状態でiCloud上に保存しておき、同じApple IDを使ったiPhoneやiPadでも同じデータを見ることができるようにする機能のことだ。標準アプリのデータは、常にiCloud上に保存されることになるので、つまりiCloudには標準アプリのバックアップが自動的に作成されているとも言える。万一MacBookが壊れてしまっても、標準アプリのデータ本体はiCloud上にあるため、すぐに復元できる。iPhoneやiPadを使っていなくても便利な機能なので、iCloudの容量が許す限り標準アプリのiCloud同期は有効にしておこう。

標準アプリをiCloudと同期すると

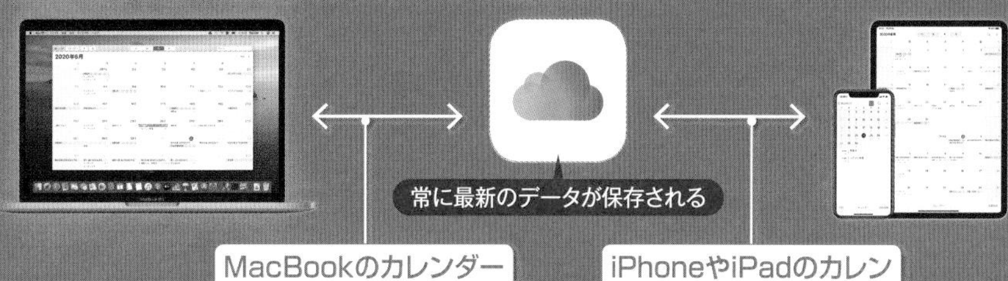

iCloudの設定画面を確認する

Apple ID(P013で解説)でサインインした上で、Appleメニューから「システム環境設定」→「Apple ID」をクリック。サイドバーの「iCloud」でiCloudの管理画面が開く。

ここでチェックした標準アプリのデータは、常に最新の状態でiCloud上に保存される。iCloudの空き容量に対して標準アプリのデータが大きすぎる場合はチェックできない。

各アプリで同期、バックアップされる内容

写真

「写真」アプリで管理している写真やビデオがiCloud上に保存される。写真アプリの「環境設定」→「iCloud」で、同期方法を「iCloud写真」(P126で解説)か「マイフォトストリーム」から選択できる。

メール

iCloudメール(「@icloud.com」のアドレス)のメールのみiCloud上に保存される。iCloudメールをまだ持っていない場合は、チェックを入れると新しいiCloudメールを作成できる。

連絡先

iCloudアカウントに追加された連絡先のみiCloud上に保存される。「連絡先」アプリで新しく作成した連絡先の追加先は、「環境設定」→「一般」→「デフォルトアカウント」で変更できる。

カレンダー

iCloudカレンダーに追加されたイベントのみiCloud上に保存される。「カレンダー」アプリでイベントを作成する際は、イベント名の横にあるボタンで追加先のカレンダーを選択できる。

リマインダー

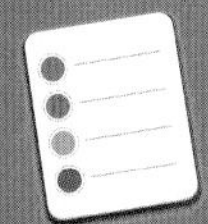

「リマインダー」アプリに登録したタスク、作成したリスト、実行済みやフラグなどの状態はすべてiCloud上に保存される。通知を許可しておけば各デバイスに同時にリマインダーが届く。

Safari

「Safari」のブックマーク、リーディングリスト、表示中のタブ、履歴などがiCloud上に保存される。MacBookのSafariで見ていたWebサイトを、iPhoneのSafariで開き直すといった操作も簡単。

メモ

iCloudアカウントに追加されたメモのみiCloud上に保存される。複数アカウントを追加している場合は、サイドバーでiCloudのフォルダを選択するとiCloudアカウントにメモを作成できる。

POINT

「キーチェーン」の同期も確認

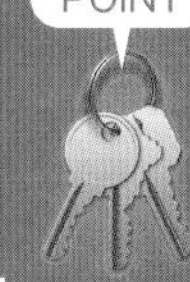

「iCloudキーチェーン」は、一度ログインしたWebサービスのユーザー名やパスワード、登録したクレジットカード情報などをiCloud上に保存しておき、次回からはTouch IDなどで認証するだけで自動入力できるようにする機能だ。iCloudの同期を有効にしておくことで、iPhoneやiPadでも同じログイン情報やクレジットカード情報を使って自動入力できるようになる。iCloudキーチェーンに保存されたログイン情報は、Safariの「環境設定」→「パスワード」をクリックし、コンピュータアカウントのパスワードを入力すれば確認できる。

Safari

Webサイトを見るための標準Webブラウザ

Webサイトを閲覧する基本操作を知ろう

MacBookでWebサイトを閲覧するには、標準で用意されているWebブラウザ「Safari」を使おう。Safariのアドレス欄はキーワード検索ボックスも兼ねるので、Webサイトを検索するにはアドレス欄にキーワードを入力すればよい。「タブ」を追加することで、1つのウインドウで複数のWebサイトを切り替えて表示することも可能だ。また、「お気に入り」やブックマークの登録方法、ファイルのダウンロード方法なども覚えておこう。

使い始めPOINT

起動時に前回開いていたウインドウを表示する

Safariで開いていたタブを残したまま次回も開くようにするには、Safariのメニューバーから「Safari」→「環境設定」→「一般」タブを開き、「Safariの起動時」を「最後のセッションの全ウインドウ」にしておけばよい。ただし、Safariのウインドウ左上の「×」をクリックすると、アプリは終了せずウインドウが閉じてしまうため(P044で詳しく解説)、次回起動時にはウインドウを閉じる前の状態を復元できない。ウインドウを開いたままで、メニューバーから「Safari」→「Safariを終了」で終了するようにしよう。

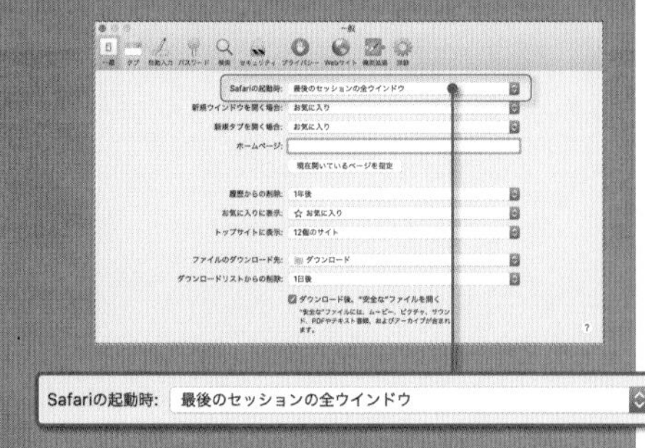

Webサイトにアクセスして閲覧する

1 アドレス欄にURLを入力する

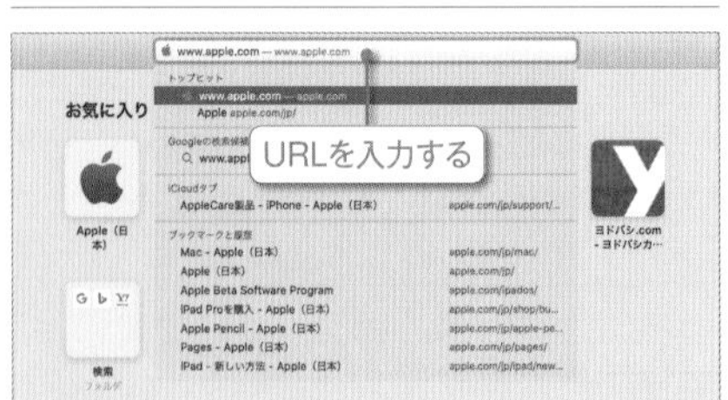

Safariのアドレス欄に直接URLを入力してreturnキーを押すと、入力したアドレスのページを開くことができる。

2 アドレス欄でキーワード検索する

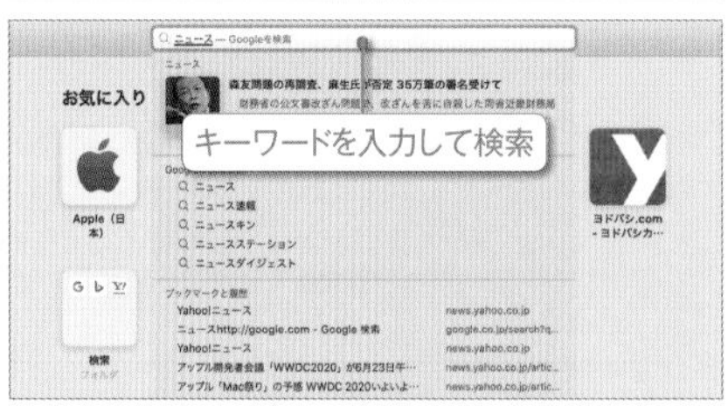

アドレス欄ではキーワード検索も可能だ。キーワードを入力してreturnキーを押すと、トップヒットのWebサイトか、またはGoogleの検索結果が表示される。

3 URLやキーワードの候補から選択する

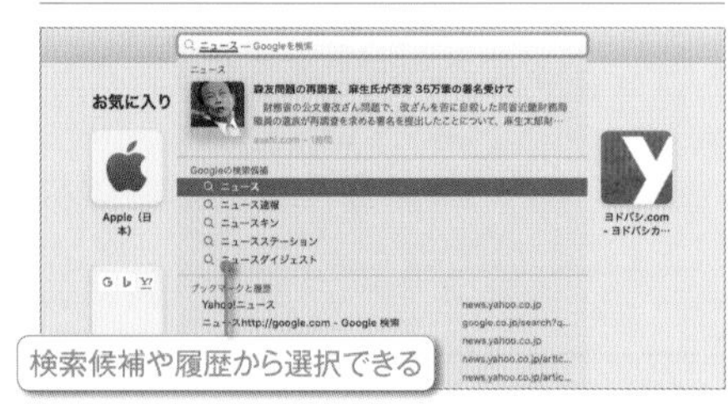

URLやキーワードを入力した際は下部にメニューが開き、よく使われる検索候補や、履歴などが表示される。これら候補から選択してクリックしても良い。

4 リンクをクリックしてリンク先を開く

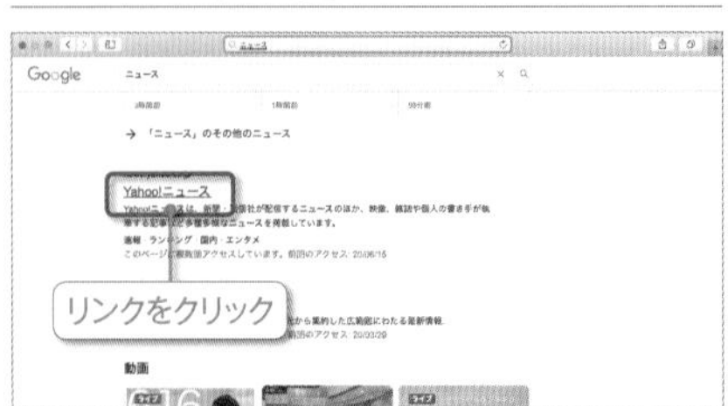

検索結果などWebサイト内のリンクをクリックすると、そのリンク先にアクセスし、Webサイトを表示することができる。

5 前のページに戻る、次のページに進む

ツールバー左上の「<」をクリックすると直前に開いていたページに戻る。戻ったあとに「>」をクリックすると次のページに進む。

使いこなしヒント

トラックパッドのジェスチャで操作する

トラックパッドを2本指でダブルタップすると、Webサイトを拡大縮小できる(スマートズーム)。また2本指で左右にスワイプすると、前後のページを表示できる。このようなトラックパッドのジェスチャで誤操作が多いなら、Appleメニューの「システム環境設定」→「トラックパッド」で機能をオフにしておこう。

複数のWebサイトをタブで切り替えて表示する

1 新しいタブを開く

Safariでは、新しいWebサイトを「タブ」で開き、複数のWebサイトを切り替えて表示できる。右上の「+」ボタンをクリックすると、新しいタブが開く。

2 他のタブに表示を切り替える

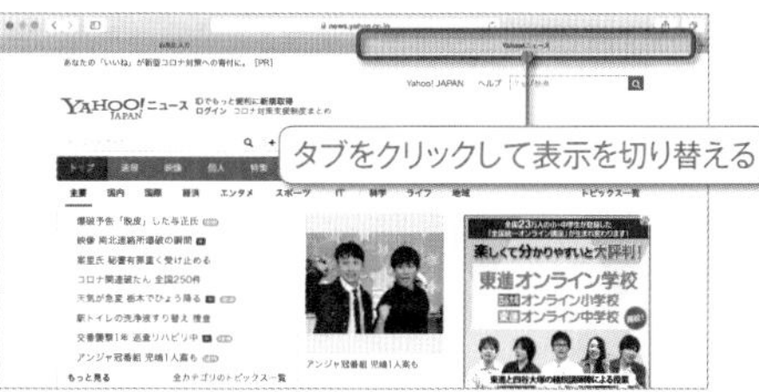

元のWebサイトを残したまま、新しいタブで別のWebサイトを表示できる。タブをクリックすることで、表示するWebサイトを切り替えできる。

3 リンク先を新しいタブで開く

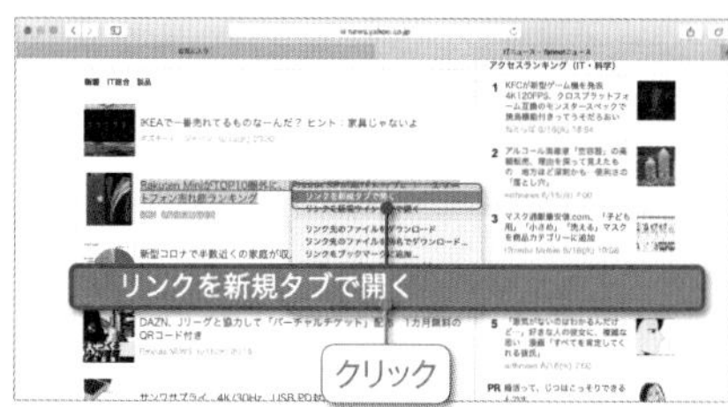

リンクを右クリックして「リンクを新規タブで開く」を選択すると、リンク先を新しいタブで開くことができる。

4 すべてのタブを表示する

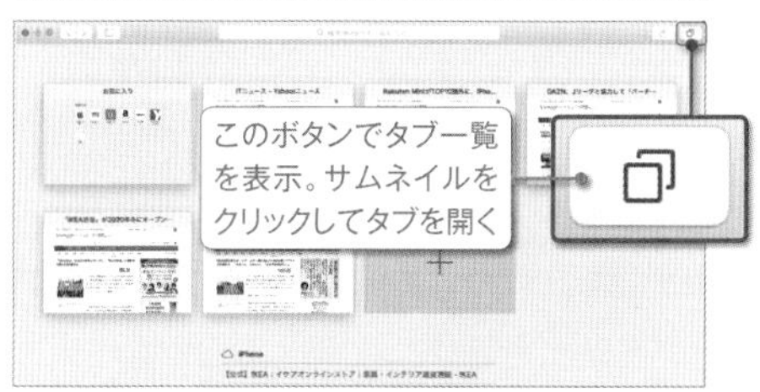

ツールバーの右端にあるボタンをクリックすると、開いているすべてのタブが一覧表示される。

5 不要なタブを閉じる

タブにカーソルを重ねると、「×」ボタンが表示される。これをクリックすれば、不要なタブを閉じることができる。

使いこなしヒント

音がなるページをミュートする

YouTubeなどの音が鳴るページを複数のタブで開くと、それぞれのタブから同時に音が鳴ってしまう。音が鳴っているWebサイトは、タブの右端にスピーカーボタンが表示されるので、これをクリックしよう。そのタブの音をミュート(消音)することができる。もう一度クリックすればミュートが解除される。

よく見るWebサイトをお気に入りに登録する

1 Webサイトをお気に入りに登録

Webサイトを表示してアドレス欄をクリックすると、「お気に入り」が表示される。この「お気に入り」欄にアドレス欄のファビコン(小さなアイコン)をドラッグすると、表示中のページをお気に入りに登録できる。「お気に入り」は新しいタブを開いた際などにも表示されるので、よく使うWebサイトを素早く開けるようになる。

2 お気に入りのWebサイトを削除

お気に入りに登録したWebサイトを削除したい時は、「お気に入り」欄からWebサイトのアイコンを選択し、「お気に入り」欄の外にドラッグしよう。「×」ボタンが表示されたら離すと、このWebサイトをお気に入りから削除できる。お気に入りバーから削除するときも、同様にお気に入りバーの外にドラッグすればよい。

使いこなしヒント

お気に入りバーを表示する

Safariのメニューバーから「表示」→「お気に入りバーを表示」を選択すると、ツールバーの下にお気に入りバーが表示される。お気に入りに登録したWebサイト名が表示され、クリックすればすぐに開くことが可能だ。アドレス欄のファビコンをお気に入りバーにドラッグして、お気に入りに登録することもできる。

Webサイトをブックマークに追加する

1 ブックマークに追加をクリック

表示中のWebサイトを「お気に入り」以外の場所にブックマーク登録したい場合は、右上の共有ボタンから「ブックマークに追加」をクリックしよう。

2 保存場所を選択して追加

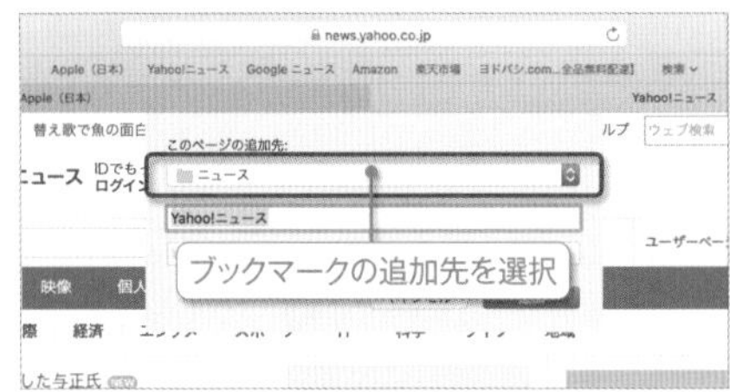

「このページの追加先」をクリックし、ブックマークを追加する場所を指定したら、「追加」をクリックで追加できる。

3 ブックマークからWebサイトを開く

「サイドバー」ボタンをクリックして「ブックマーク」ボタンをクリックすると、ブックマークが一覧表示される。クリックするとすぐにアクセスできる。

4 ブックマークを編集する

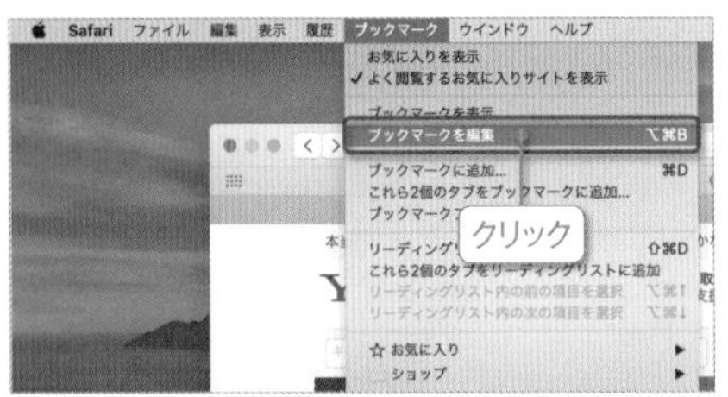

登録したブックマークをフォルダで分類して整理するには、Safariのメニューバーから「ブックマーク」→「ブックマークを編集」をクリックしよう。

5 フォルダを作成して整理する

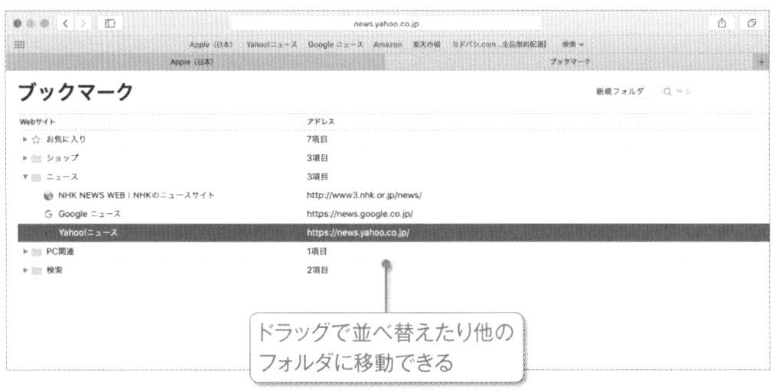

ブックマークの編集画面が開く。「新規フォルダ」でフォルダを作成したり、フォルダやブックマークをドラッグして並べ替える事ができる。

Webサイトからファイルをダウンロードする

1 リンク先をダウンロードする

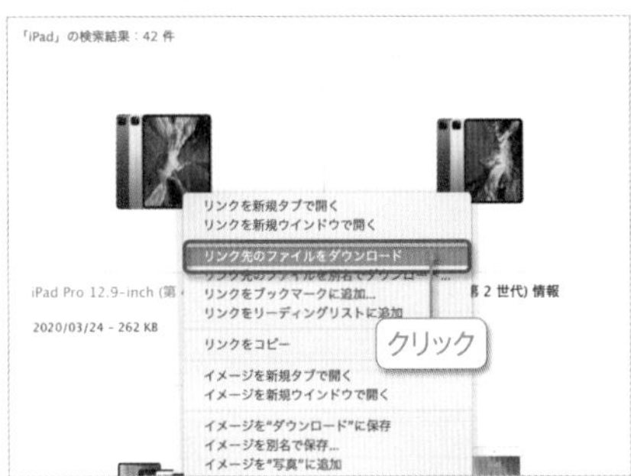

SafariでPDFやZIPなどのファイルを保存するには、リンクを右クリックして、「リンク先のファイルをダウンロード」をクリックすればよい。ダウンロードを開始するとツールバーの右上に「ダウンロードを表示」ボタンが表示され、クリックするとダウンロードの進捗状況が表示される。

2 ダウンロードしたファイルを確認

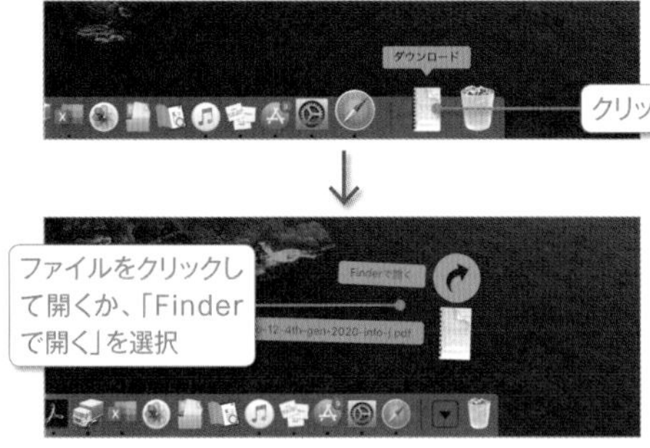

ダウンロードしたファイルは、Dockのゴミ箱の左に表示され、クリックしてすぐに開くことができる。また、「Finderで開く」を選ぶと、保存先の「ダウンロード」フォルダを開くことができる。

ダウンロードしたファイルの保存先を変更する

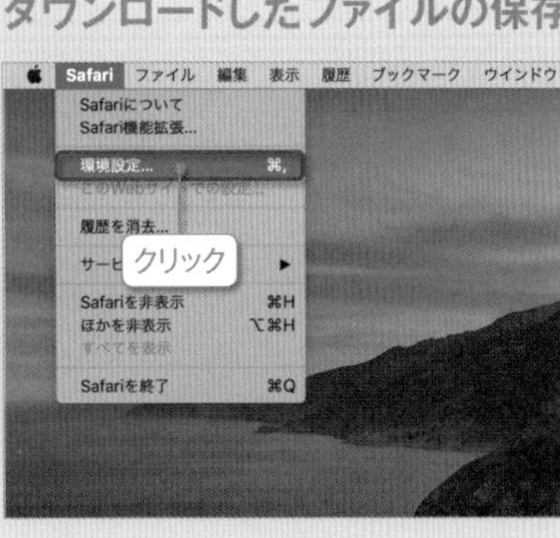

ダウンロードしたファイルの保存先を変更することもできる。Safariのメニューバーから「Safari」→「環境設定」をクリック。

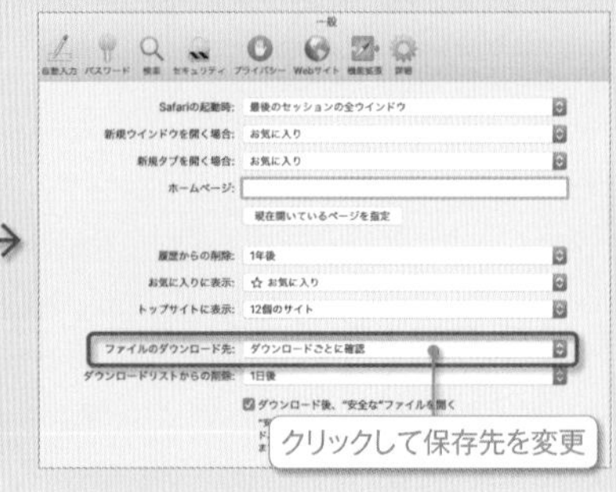

「一般」タブの「ファイルのダウンロード先」で保存先を変更しよう。「ダウンロードごとに確認」を選択すれば、毎回保存先を選択できる。

見ているWebサイトを家族や友人に共有する

1 共有ボタンで共有方法を選択

Safariのツールバーの右上にある共有ボタンをクリックすると、表示中のWebサイトをさまざまな方法で共有できる。たとえば、気になる記事を家族や友人にメールで伝えたい時は、「このページをメールで送信」をクリックしよう。他に、メッセージやAirDropでも共有できる。

2 Webサイトをメールで送信する

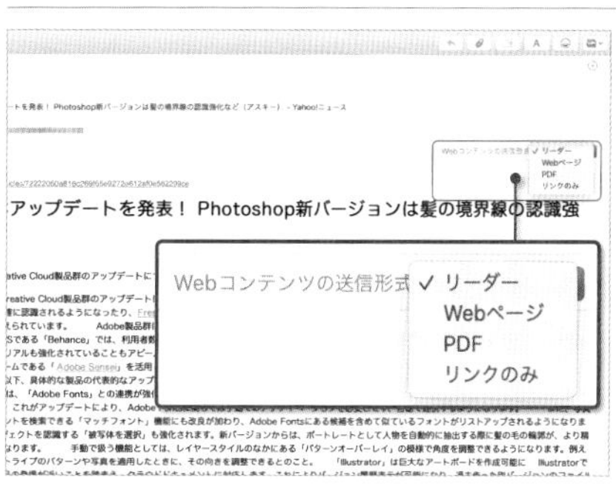

新規メールの作成画面が表示される。メールには、Webサイトがそのままのレイアウトで貼り付けられたり、「リーダー」表示に対応する記事なら文字情報のみ形式で貼り付けられる。「Webコンテンツの送信形式」をクリックすると、PDF形式にしたりリンクのみを送信することも可能だ。

使いこなしヒント

WebサイトをTwitterなどに投稿する

TwitterやFacebookなどのアプリをインストール済みなら、共有ボタンの「その他」から共有方法に追加することで、クリックするだけで表示中のWebサイトを投稿できるようになる。

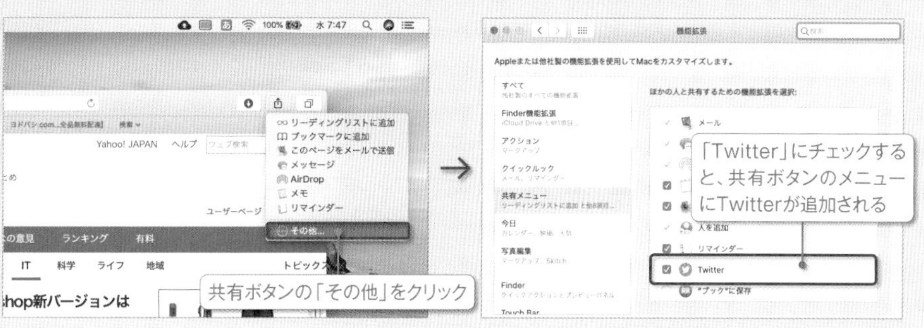

デフォルトのWebブラウザをGoogle Chromeに変更する

WindowsやスマートフォンなどでGoogle Chromeを使い慣れているなら、MacBookのデフォルトのWebブラウザをGoogle Chromeに変更することも可能だ。メールやTwitterでURLをクリックすると、Google Chromeが起動するようになる。またGoogleアカウントでサインインして同期を有効にすれば、ブックマークや拡張機能などもMacBookで利用できるようになる。

Google Chrome
作者／Google
価格／無料
入手先／https://www.google.com/chrome/

1 システム環境設定の一般をクリック

Google Chromeのインストールを済ませたら、Appleメニューの「システム環境設定」→「一般」をクリック。

2 デフォルトのWebブラウザを変更する

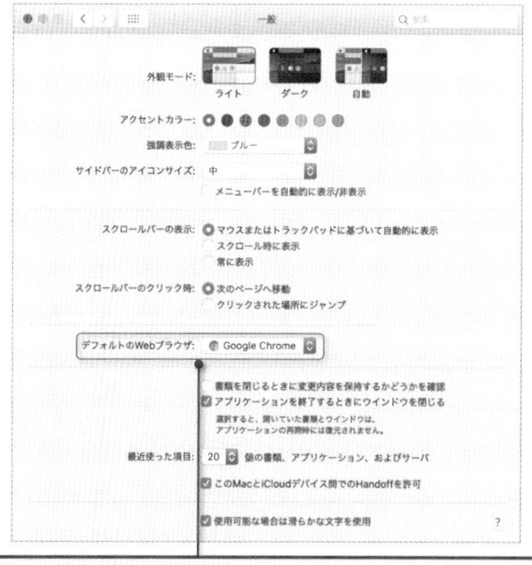

「デフォルトのWebブラウザ」をクリックし、Google Chromeを選択すれば、以降はSafariに変わってGoogle Chromeが標準のWebブラウザになる。

使いこなしヒント

ChromeとSafariの間でHandoffを利用できる

MacBookやiPhone、iPad間でアプリの作業を引き継げる「Handoff」機能（詳しくはP123で解説）。MacBookの標準WebブラウザをGoogle Chromeにし、iPhoneやiPadではSafariを使っている場合も問題なく連携可能だ。右の通り、iPhoneのAppスイッチャーでHandoffのバナーをタップすれば、MacBookのChromeで開いているサイトを開き直すことができる。

メール

自宅や会社のメールをまとめて管理

メールを効率的に整理する さまざまな機能を備える

MacBookに標準搭載されている「メール」は、自宅のプロバイダメールや会社のメール、iCloudメールやGmailといったメールサービスなど、複数のメールアカウントを追加して、まとめて管理できる便利なアプリだ。複数アカウントのメールを効率的に整理する、さまざまな機能を備えているので、まずは普段使っているメールアカウントをすべて追加しておこう。メールの送受信や整理など、基本的な使い方も解説する。

使い始めPOINT

メールアプリに アカウントを追加する

メールアカウントは、メールのメニューバーから「メール」→「アカウントを追加」をクリックして登録する。iCloudメールやGmailならアカウントとパスワードの入力で簡単に登録できるが、自宅や会社のメールはPOPサーバーやSMTPサーバなどの情報を入力する必要がある。

Gmailを追加するなら「Google」、会社などのプロバイダメールを追加するなら「その他〜」にチェックし、設定を進めていく。

自宅や会社のメールを送受信できるようにする

1 その他のメール アカウントを選択

メニューバーから「メール」→「アカウントを追加」をクリックし、「その他のメールアカウント」にチェックして「続ける」をクリック。

2 アカウント情報を 入力する

メール送信時に使用する名前と、自宅や会社のメールアドレス、パスワードを入力し、「サインイン」をクリックする。

3 メールサーバーの 情報を入力する

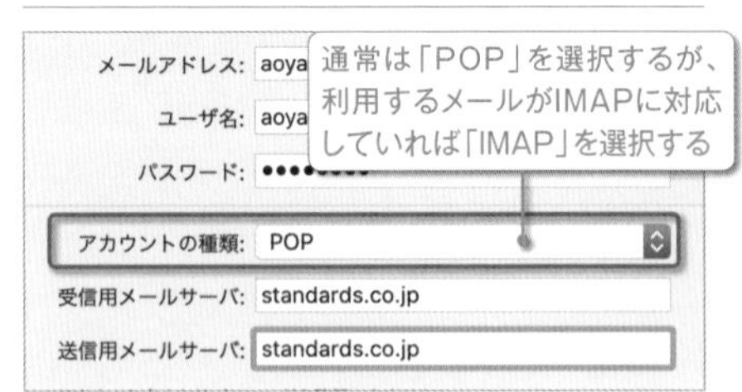

ユーザー名やアカウントの種類、受信用メールサーバ、送信用メールサーバの情報を入力し、「サインイン」でアカウントを追加できる。

使いこなしヒント

追加したアカウントを確認する

追加したメールアカウントは、メニューバーの「メール」→「環境設定」の「アカウント」タブで確認できる。「アカウント情報」の「このアカウントを使用」のチェックを外せば、メールアプリでのこのアカウントの使用を停止できる。

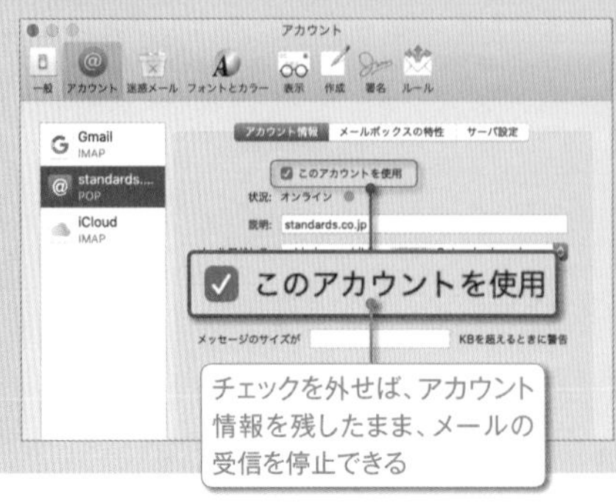

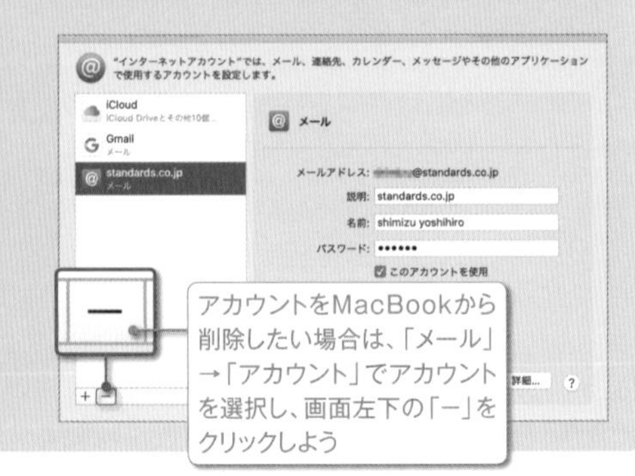

受信したメールを操作する

1 メールを受信する

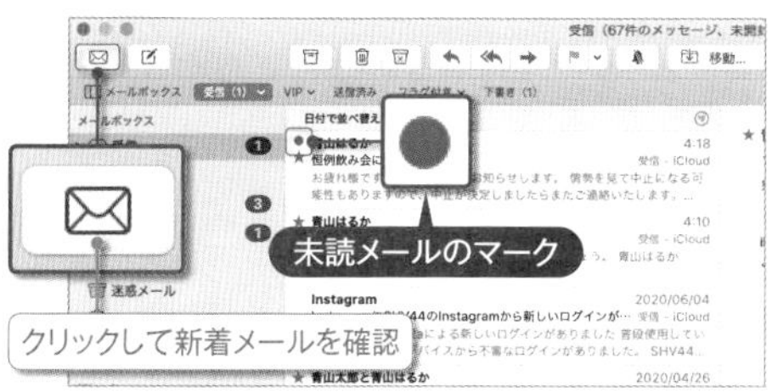

メールが届くと自動的に受信されるが、今すぐ新着メールを確認したい時は、左上の受信ボタンをクリックすればよい。未読メールには青いマークが付く。

2 受信したメールを読む

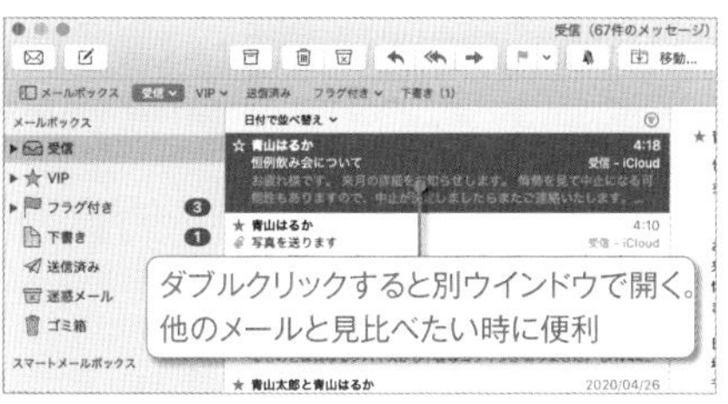

受信メールのリストからメールを選択すると、右欄にメール内容が表示される。リストのメールをダブルクリックすると別ウインドウで表示できる。

使いこなしヒント

アカウントごとにメールを確認する

複数アカウントを追加している場合は、メールボックスを開いて「受信」の三角ボタンをクリックすると、アカウントごとに受信メールを確認できる。

クリック

3 返信や転送メールを作成する

開いたメールに対して返信メールを送りたい時は、上部の矢印ボタンをクリックすれば良い。左から、返信、全員に返信、転送ボタンとなっている。なお、メール本文のヘッダ部分にカーソルを合わせても、返信や転送ボタンが表示される。

4 添付されたファイルを開く

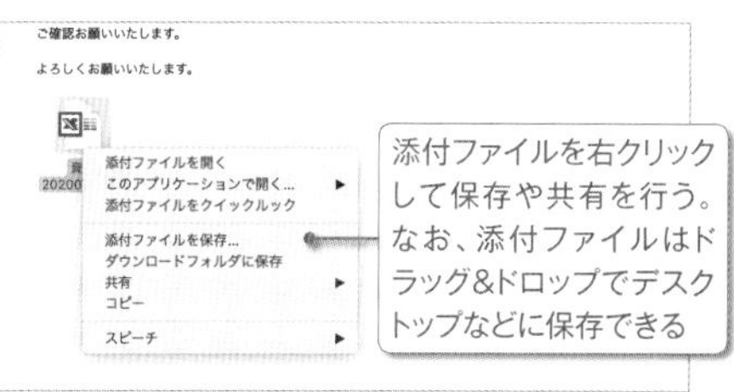

メールに添付されたファイルはダブルクリックで開くことができる。また、右クリックすれば、アプリを指定して開く他、保存や共有などの操作を行える。

新規メールを作成して送信する

1 新規メールを作成する

新規メールを作成するには、メールのツールバーにある、新規メッセージボタンをクリックしよう。メールの作成画面が開く。

2 メールの宛先を入力する

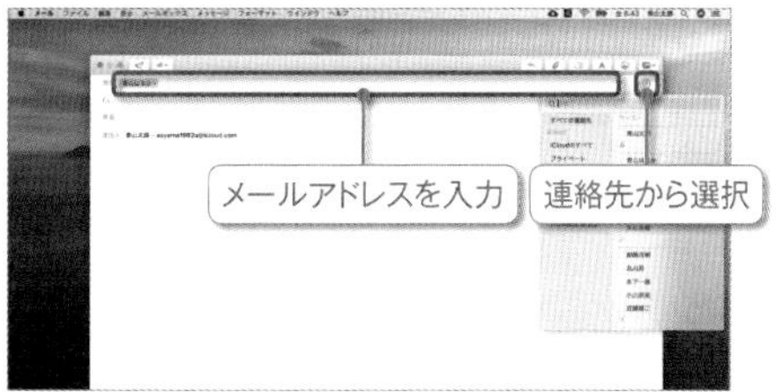

「宛先」欄にメールアドレスを入力するか、入力途中に表示される候補から選択しよう。または、右端の「+」ボタンで連絡先から選択できる。

3 複数の相手に同じメールを送信する

宛先を入力してreturnキーをクリックすると、自動的に宛先が区切られて、複数の宛先を追加入力することができる。

4 Bccで複数の宛先にメールを送信する

CcやBccで複数の相手にメールを送ることもできる。CcとBccの宛先欄が表示されていない場合は、ツールバーの三本線ボタンから表示させることができる。

5 差出人アドレスを変更する

複数のアカウントを設定しており、差出人アドレスを変更したい場合は、「差出人」欄をクリックし、差出人アドレスを選択すればよい。

6 件名や本文を入力して送信

宛先と差出人を設定したら、あとは件名と本文を入力して、左上の送信ボタンをクリックすれば、メールを送信できる。

メールにファイルを添付する

1 添付ボタンでファイルを添付

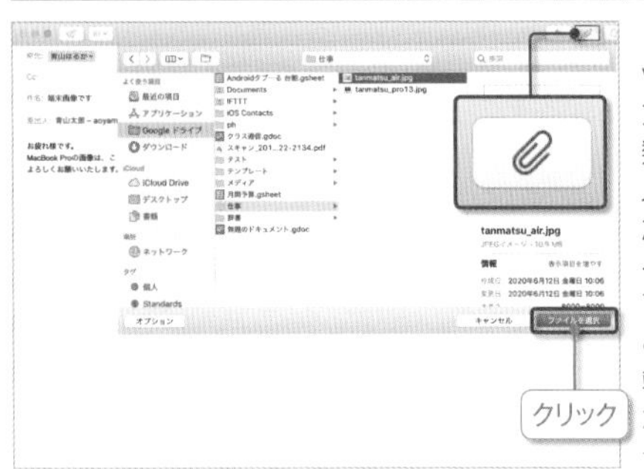

ツールバーにある添付ボタンをクリックすると、画像や書類などさまざまなファイルをメールに添付できる。添付したいファイルを探して、「ファイルを選択」をクリックしよう。フォルダをそのまま添付することも可能だ。ツールバー右端の「写真ブラウザ」ボタンから写真を添付することもできる。

2 ドラッグ&ドロップでも添付できる

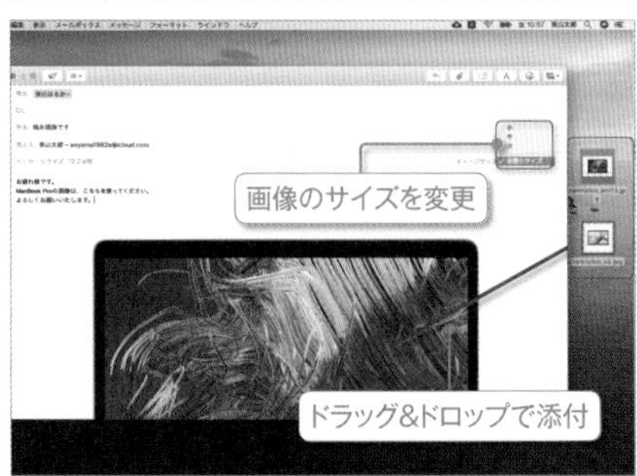

メールウインドウにファイルをドラッグ&ドロップしても添付できる。添付ファイルが画像の場合は、ウインドウの本文内に画像が貼り付けられる。「イメージサイズ」のメニューで、添付する画像のサイズを小中大に変更することも可能だ。画像を削除したい時は、文字と同じようにdeleteキーを押せばよい。

使いこなしヒント

大きなサイズのファイルを送信する

添付ファイルのサイズが大きすぎる場合は、送信時に「Mail Dropを使用」という画面が表示される。この機能を使うと、ファイルがiCloudに一時的にアップロードされ、相手にはダウンロードリンクのみが送信される。アップロードされたファイルは最大30日間保存されるので、相手は30日以内ならいつでもダウンロードが可能だ。

メールの管理と検索で覚えておきたい操作

1 メールを下書きとして保存する

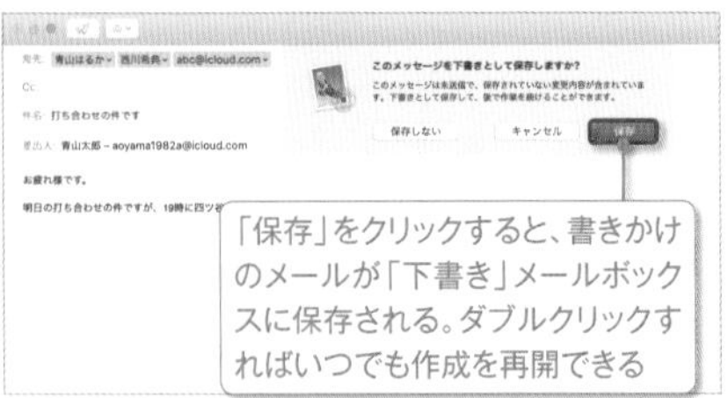

メールの作成途中にウインドウを閉じると、「下書きとして保存しますか?」と表示される。「保存」をクリックすれば、あとでメール作成を再開できる。

2 未読メールをまとめて開封する

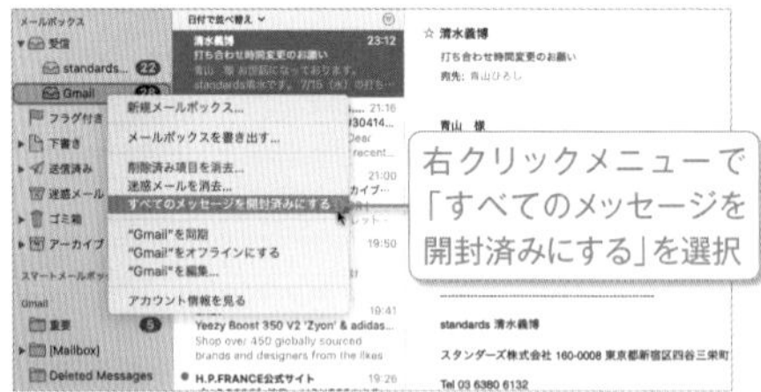

未読メールをまとめて開封済みにしたい場合は、メールボックスを右クリックし、「すべてのメッセージを開封済みにする」を選択すればよい。

3 特定の相手を受信拒否する

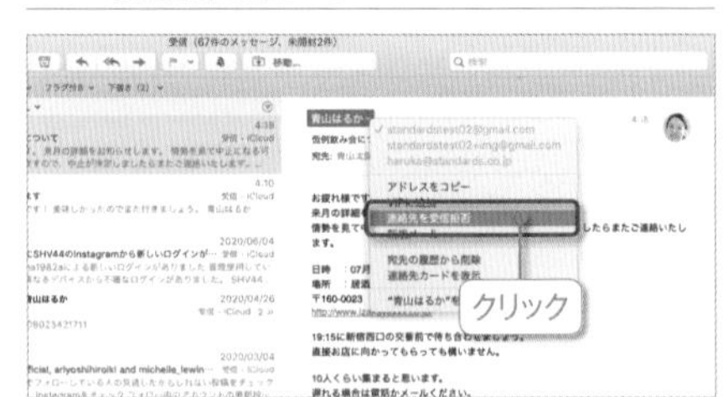

受信メールの差出人名の右にある「∨」をクリックし、「連絡先を受信拒否」を選択すると、この相手からのメールを受信拒否できる。

4 受信拒否の設定を変更する

メニューバーから「メール」→「環境設定」→「迷惑メール」タブを開くと、受信拒否メールの動作を設定したり、拒否したアドレスを管理できる。

5 キーワードでメールを検索する

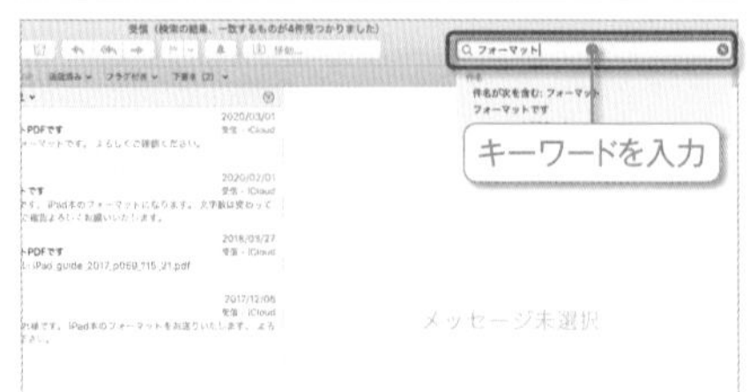

右上の検索ボックスで、メールをキーワード検索できる。「昨日青山さんから」といった自然な文体でも検索することが可能だ。

6 フィルタボタンでメールを抽出する

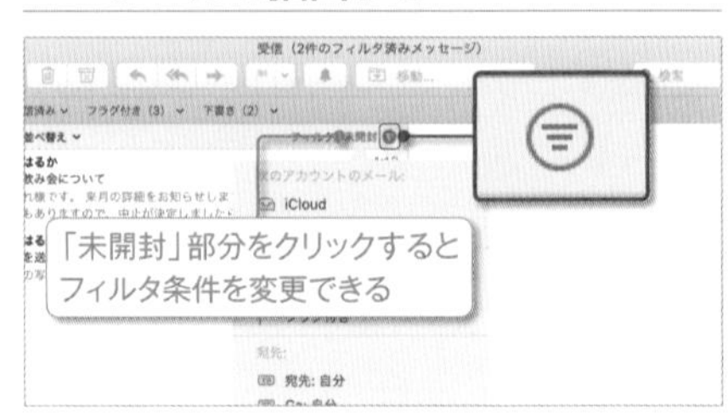

メッセージリストの上部にある「フィルタ」ボタンをクリックすると、未開封やフラグ付き、VIPからのメールのみといった条件でメールを抽出できる。

重要なメールにフラグを付ける

1 重要なメールに フラグを付ける

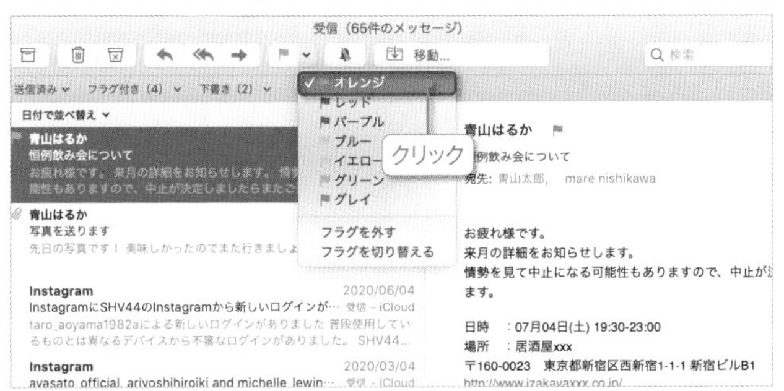

重要なメールには、ツールバーの「フラグ」ボタンをクリックして、好きな色のフラグを付けておこう。フラグを付けたメールには、メール一覧や宛先の横に旗のマークが表示されて目立つようになる。フラグを外す時は、ツールバーの「フラグ」から「フラグを外す」をクリックすればよい。

2 フラグ付きの メールを表示する

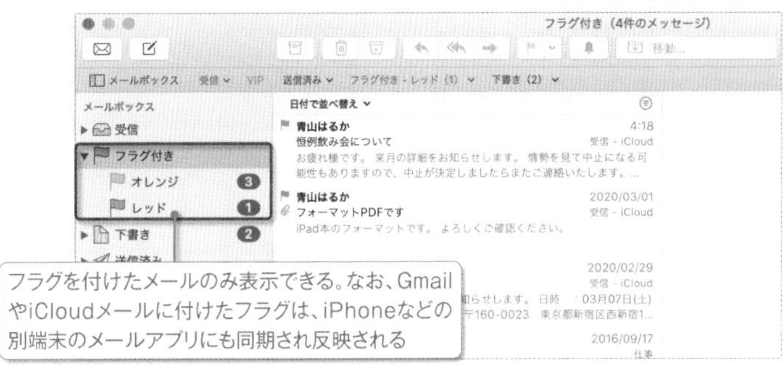

「フラグ付き」メールボックスを開くと、フラグを付けた重要なメールだけをリストアップできる。左の三角ボタンをクリックしてメニューを開くと、特定のカラーのフラグを付けたメールのみ表示することも可能だ。また、右上の検索欄に「オレンジ」などフラグ名を入力すれば、その色のフラグを付けたメール探し出せる。

重要な相手はVIPに登録しておく

1 重要な相手を VIPに登録する

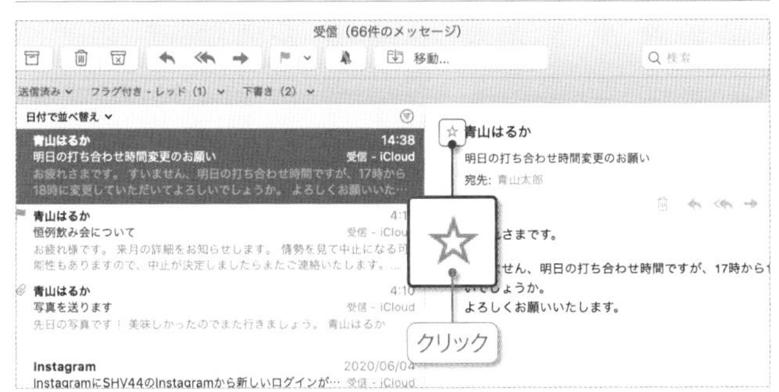

仕事先やよく連絡する友人など、重要な相手からのメールを見逃さないようにするには、「VIP」機能で自動分類すると便利だ。まずメールを見逃したくない相手からのメールを開き、差出人名の左のスペースにマウスポインタを合わせよう。名前の左に☆ボタンが表示されるので、これをクリックすると、この相手は「VIP」に登録される。

2 VIPからの メールを確認する

VIPに登録した相手からメールが届くと、受信ボックスだけでなく、「VIP」メールボックスにも自動で振り分けられるようになる。左の三角ボタンをクリックしてメニューを開くと、VIPに登録した相手ごとにメールを表示することが可能だ。差出人名の「☆」をもう一度クリックすればVIPから削除できる。

メールに署名を自動で付ける

1 メールに付ける 署名を作成する

メニューバーから「メール」→「環境設定」→「署名」タブを開くと、メールの作成時に自動で入力する署名を設定しておける。左欄で署名を設定するアカウントを選択したら、「+」ボタンをクリックし、「個人」「仕事」など複数の署名を作成しておこう。また下部の「署名を選択」で、普段使う署名を選択しておける。

2 メール作成時に 署名が入力される

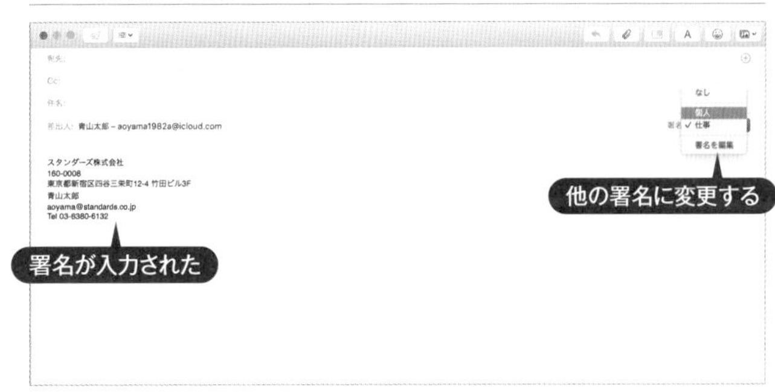

署名を設定したアカウントで新規メールを作成すると、署名が自動入力されるようになる。「署名を選択」欄で設定した署名とは異なる署名に切り替えるには、差出人名の右端にある「署名」をクリック。設定済みの署名から選択することが可能だ。

使い始めPOINT

メッセージで送受信できる宛先

iMessageでやり取りできる相手は、iPhone、iPad、Macだけ。宛先のアドレスは、Apple IDかiPhoneの電話番号、iMessageの送受信用に登録したメールアドレスのみだ。iMessageのやり取りができるかどうかは、下記の通り宛先を入力した際の色で判別できる。なお、iPhoneを持っていれば、iPhoneを経由することでAndroidとSMSのやりとりも可能だ。

● iMessageの送受信可

iMessageで送信送信可能な宛先は青色で表示される。

宛先: 西川希典 ⌄

● iMessageの送受信不可

緑色の相手はiMessageでやり取りできない。iPhone経由でSMSをやり取りするしかない。

宛先: 青山はるか ⌄

メッセージ

iMessageでメッセージをやり取りする

会話形式でテキストや画像を送受信できる

「メッセージ」は、iPhoneやiPad、Mac相手にメッセージをやり取りする無料のメッセージサービス、「iMessage」を利用するためのアプリ。テキスト以外に写真やビデオ、音声メッセージなども会話形式でやり取りできるほか、原稿執筆時点ではまだ使えないが、iOS版メッセージアプリで使えるアニ文字やステッカーなどの機能も、Mac版で使えるようになる予定だ。なお、相手がAndroidの場合はiMessageでやり取りできない。

メッセージを利用可能な状態にする

1 Apple IDでサインインする

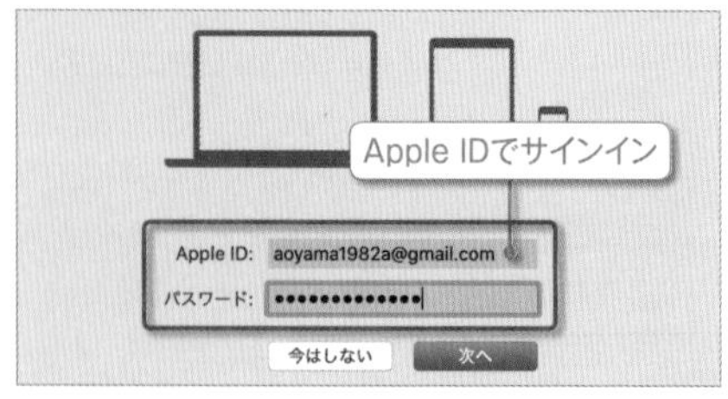

メッセージ起動時にApple IDでサインインしていないと、サインインを求められる。Apple IDとパスワードを入力してサインインを済ませよう。

2 メッセージが利用可能になった

iPhoneやiPadと同じApple IDを使ってサインインした場合は、下記の通りiPhoneやiPad側でメッセージのiCloudバックアップを有効にし、Macの環境設定でも「"iCloudにメッセージを保管"を有効にする」を有効にすることで、iPhoneやiPadで過去にやり取りしたメッセージも同期できる。

使いこなしヒント

iPhoneやiPadとメッセージを同期する

カレンダー
リマインダー
メモ
メッセージ
Safari
株価
ホーム

オンにする

iPhoneやiPadで受信済みのメッセージをMacでも同期するには、まずiPhoneやiPad側で、「設定」一番上のApple IDを開き、「iCloud」→「メッセージ」をオンにしておく。また、「iCloudバックアップ」で「今すぐバックアップを作成」を実行しておこう。

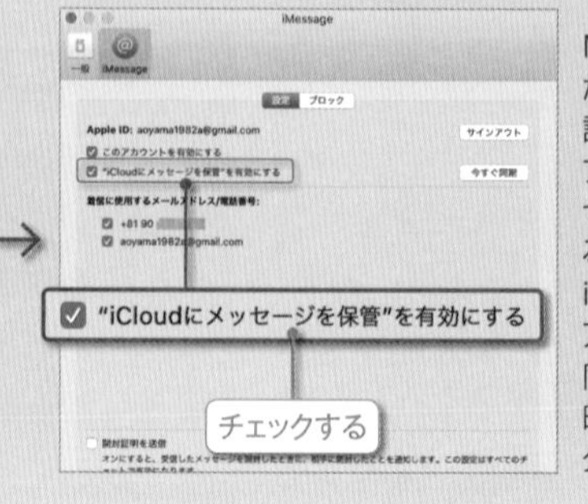

Mac側では、メニューバーから「メッセージ」→「環境設定」→「iMessage」タブを開き、「"iCloudにメッセージを保管"を有効にする」をチェックする。これで、iPhoneやiPadでバックアップ済みのメッセージが同期される。同期されない時は「今すぐ同期」をクリックしよう。

メッセージでiMessageをやり取りする

1 新規メッセージを作成する

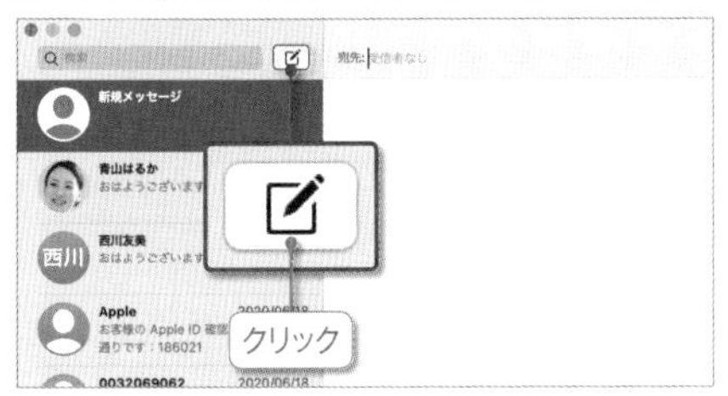

メッセージ一覧の上部にある新規メッセージ作成ボタンをクリックすると、右欄に新規メッセージの作成画面が開く。

2 iMessageを送る宛先を入力する

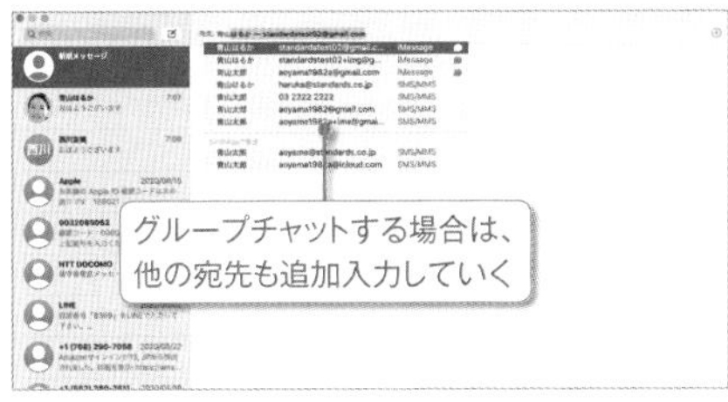

宛先欄に相手の名前やメールアドレス、電話番号を入力しよう。入力中に候補から選択できるほか、右端の「+」ボタンで連絡先から選択できる。

3 メッセージを入力して送信する

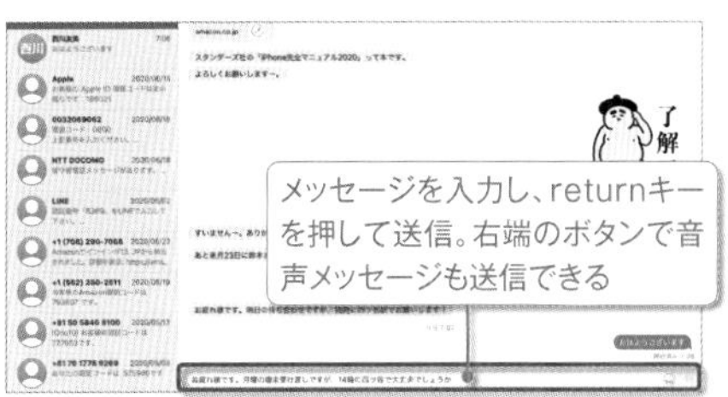

ウインドウ下部の入力欄にメッセージを入力し、returnキーを押すと送信できる。相手とのやり取りは吹き出しの会話形式で表示される。

4 写真やビデオを送信する

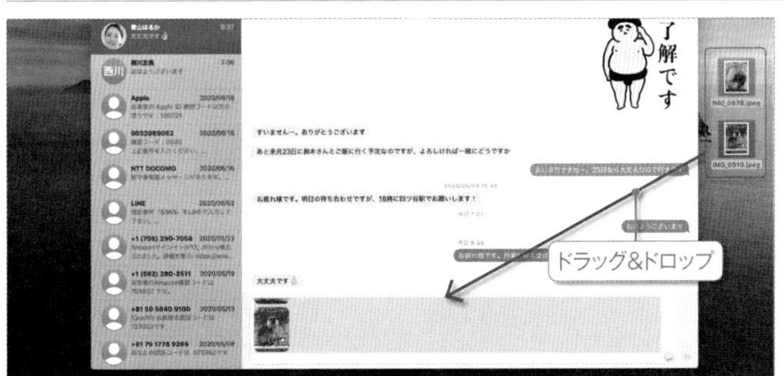

写真やビデオを送信するには、画面内にドラッグ&ドロップすればよい。メッセージ入力欄にサムネイルが表示されるので、そのままreturnキーを押せば送信できる。または、メニューバーから「メンバー」→「ファイルを送信」をクリックすると、送信するファイルを選択できる。

5 メッセージにリアクションする

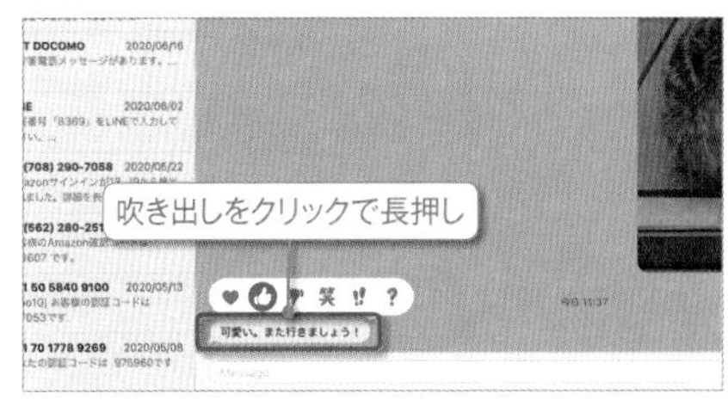

メッセージの吹き出しや写真などをクリックで長押しすると、ハートやいいねなどのマークで、メッセージに対して簡単にリアクションすることができる。

SMS／MMSの送受信と発信元アドレスの変更

1 SMSやMMSを送受信できるようにする

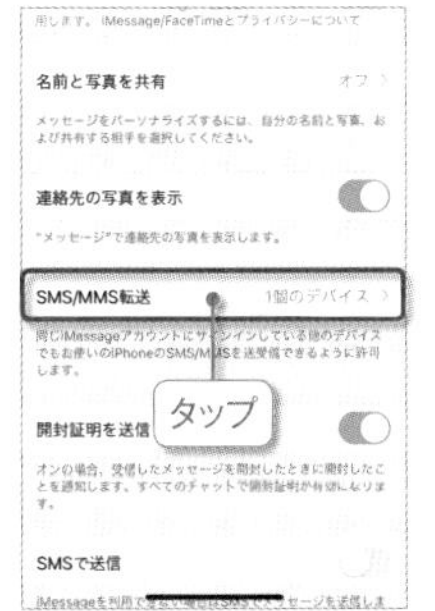

MacからSMSやMMSを送信できるようにするには、iPhone側の設定が必要になる。iPhoneの「設定」→「メッセージ」→「SMS／MMS転送」をタップすると、同じApple IDでサインインしているMacのデバイス名が表示されるので、このスイッチをオンにしておこう。

2 発信元アドレスを変更する

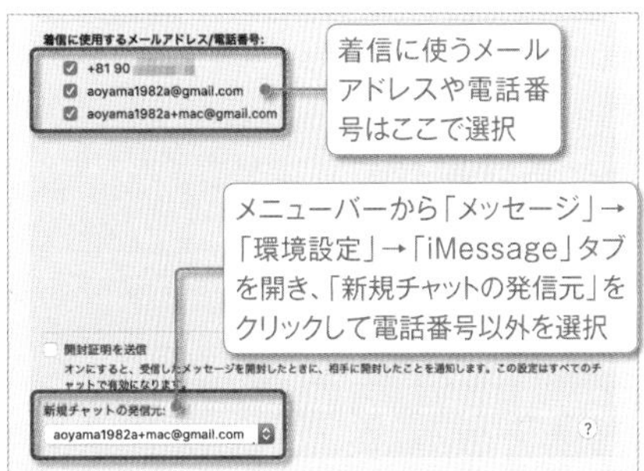

iPhoneと同じApple IDを使うと、Macでメッセージを送信する際の発信元アドレスがiPhoneの電話番号になっている事がある。電話番号を知らせていない相手にiMessageを送ると、自分の電話番号が分かってしまうので、発信元アドレスをApple IDのメールアドレスなどに変更しておこう。

使いこなしヒント

送受信アドレスを追加する

「新規チャットの発信元」で選べるのは、iPhoneの電話番号とApple IDだけではない。Appleメニューから「システム環境設定」→「Apple ID」→「名前、電話、メール」をクリックし、連絡先欄の下にある「+」ボタンでメールアドレスを認証すれば、iMessageやFaceTime（P074で解説）の送受信用アドレスを追加できるのだ。iPhoneやiPad、Macで送受信アドレスを使い分けておけば、同じ相手にメッセージを送っても、個別のスレッドとして表示されるようになる。

FaceTime

ビデオ通話や音声通話を楽しむ

iPhoneやiPad、Mac相手に高品質な通話が可能

「FaceTime」は、iPhoneやiPad、Mac相手にビデオ通話や音声通話を行えるアプリだ。iMessage（P072で解説）と同じく、iOSやiPadOS、macOSが搭載されているApple製品同士でしか利用できないものの、通話中の映像や音声は非常に高品質で通話料なども一切かからない。顔を映したくないなら音声のみで応答もできる。周りにAppleユーザーが多い人はぜひ活用しよう。最大32人まで同時にグループ通話することも可能だ。

使い始めPOINT

FaceTimeで発着信できる宛先

FaceTimeアプリでは、FaceTimeを有効にしたiPhoneやiPad、Mac相手に通話できる。宛先のアドレスは、Apple IDかiPhoneの電話番号、FaceTimeの送受信用に追加したメールアドレスになる。Androidスマートフォンやwindowsとの通話はできない。FaceTimeで発信可能な相手は、宛先欄に電話番号やメールアドレスを入力した際に、「オーディオ」や「ビデオ」ボタンが緑色になる。

FaceTimeを利用可能な状態にする

1 Apple IDでサインインする

FaceTime起動時にApple IDでサインインしていないと、サインインを求められる。Apple IDとパスワードを入力してサインインを済ませよう。

2 FaceTimeが利用可能になった

左欄が履歴画面に変わったら、FaceTimeが利用可能な状態。上部の入力欄に宛先を入力して発信できる。

3 発着信アドレスを確認する

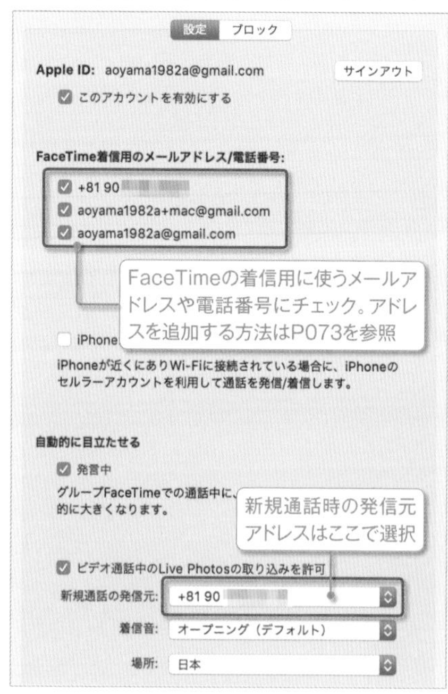

FaceTimeの発着信アドレスは、メニューバーの「FaceTime」→「環境設定」で確認できる。MacBookで利用するアドレスだけチェックしておこう。

使いこなしヒント

iPhoneやiPadと同時に着信するのを防ぐ

iPhoneやiPadのFaceTimeに、MacBookと同じAppleIDを使っていると、FaceTimeの着信音が同時に鳴ってしまう。これを防ぐには、MacBookのFaceTimeアカウントをオフにするか、iPhoneやiPadとは別のメールアドレスをFaceTime発着信アドレスに設定すればよい。

Apple ID: aoyama1982a@gmail.com
このアカウントを有効にする
このチェックを外すとFaceTimeの利用を停止する
FaceTime着信用のメールアドレス/電話番号:
+81 90
aoyama1982a+mac@gmail.com
MacBookで使うアドレスのみチェック

メニューバーの「FaceTime」→「環境設定」でiPhoneやiPadと異なる着信用アドレスのみチェック。iPhoneやiPadでもそれぞれで使うアドレスだけ選択しておけば、FaceTimeの着信音が複数のデバイスで同時に鳴らなくなる。

FaceTimeでビデオ通話や音声通話を行う

1 宛先欄に宛先を入力する

FaceTimeを起動したら、左上の宛先欄に名前やメールアドレス、電話番号を入力しよう。入力中に連絡先の候補から選択できる。

2 ビデオやオーディオをクリックして発信

入力した宛先にFaceTimeを発信可能なら、「オーディオ」「ビデオ」ボタンが緑色で表示される。どちらかクリックして発信しよう。

3 かかってきた通話に応答する

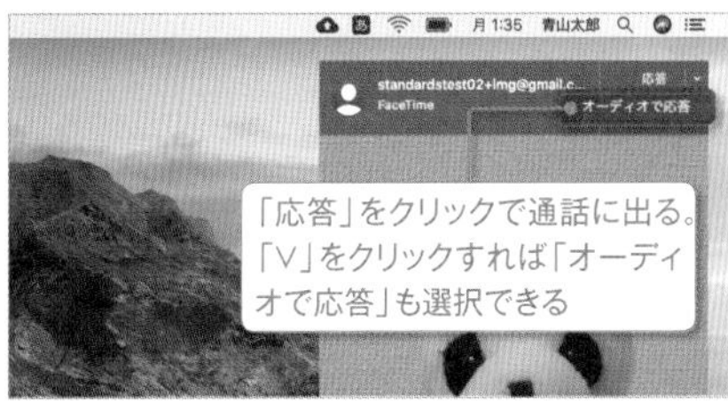

相手からFaceTime通話がかかってきた場合は、FaceTimeが自動的に起動する。「応答」をクリックで応答、「拒否」をクリックで応答拒否。

4 通話中画面のメニューと機能

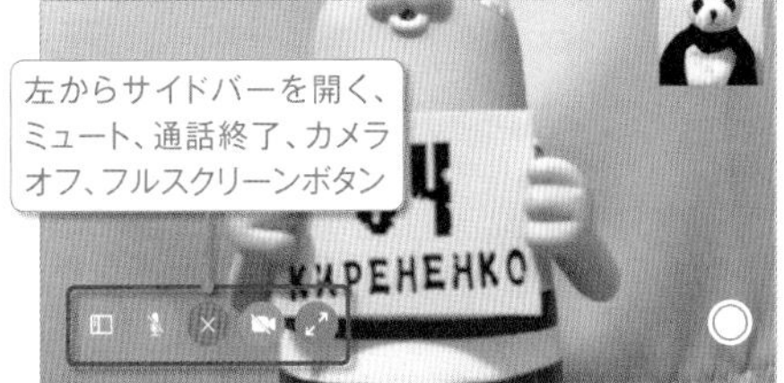

通話中に画面内にポインタを置くと、各種メニューボタンが表示される。「×」ボタンをクリックすると通話を終了する。

5 通話中の画面のLive Photosを撮影

右下のシャッターボタンで、前後3秒の映像を含む動く写真「Live Photos」を撮影できる。通話相手がLive Photosの取り込みを許可している必要がある。

6 通話相手を着信拒否する

履歴を右クリックして「この発信者をブロック」をクリックすると、この相手を着信拒否できる。同じApple IDを使うすべてのデバイスでブロックされる。

グループ通話を発信する

1 サイドバーから参加者を追加する

通話中にメニューボタン左端のサイドバーボタンをクリックし、続けて「参加者を追加」をクリックして参加者を追加していくと、グループ通話を行える。最大32人まで同時に通話することが可能だ。

2 グループ通話中の画面

使いこなしヒント

今すぐ応答できない時の2つの操作

FaceTime通話がかかってきた時に、「拒否」ボタンをクリックすると応答を拒否できるが、「V」をクリックすることで応答拒否のオプションメニューも表示される。「メッセージで返信」をクリックすると、通話を拒否して、相手にiMessageを送信することが可能だ。また「5分後に通知」などをクリックすると、あとでかけ直すよう、指定した時間後に通知するリマインダーを設定しておける。

「拒否」ボタン右の「V」から、応答を拒否してメッセージを送ったり、指定時間後に通知するようリマインダーに登録できる。

プレビュー

十分な機能を備えた画像&PDF閲覧アプリ

編集機能も備える標準ビューア

画像やPDFファイルを表示するためのアプリが「プレビュー」だ。標準状態では、画像やPDFファイルをダブルクリックすると、このプレビューアプリが起動する。

ファイルの閲覧だけでなく編集機能も備えており、画像の場合はトリミングやスケッチ、色調補正などが可能。ファイル形式を変換して保存することもできる。PDFの場合は注釈を書き込んだりメモを追加できるほか、ページ順の入れ替えや結合もできる。

使い始めPOINT

ダブルクリックしてもプレビューで開かない場合

画像やPDFをダブルクリックした際に、別のアプリが起動する場合は、関連付けが変更されている。画像やPDFのファイルを右クリックして「情報を見る」をクリック。「このアプリケーションで開く」で「プレビュー」を選択し、「すべてを変更」をクリックすれば、プレビューで開くようになる。逆に画像やPDFを別のアプリで開きたい時は、同様の手順で「このアプリケーションで開く」から他のアプリを選択すればよい。

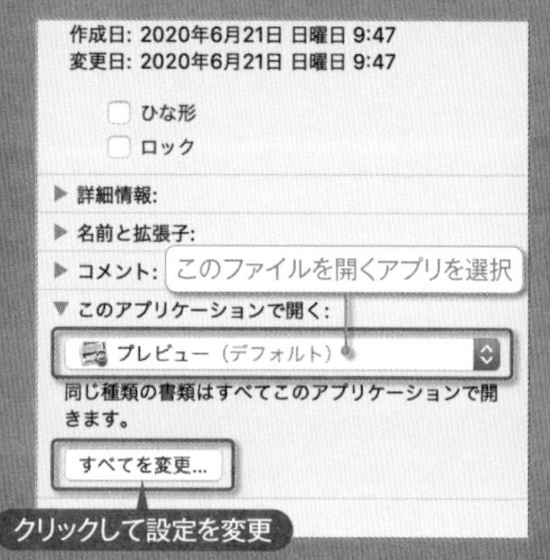

画像やPDFファイルを表示する

1 プレビューで画像を開く

画像ファイルをダブルクリックすると、プレビューで画像が表示される。複数画像を選択しダブルクリックした場合は、サイドバーで一覧表示される。

2 画像の向きを回転する

ツールバーの回転ボタンをクリックすると、画像が反時計回りに回転する。「option」キーを押しながらクリックすると、時計回りに回転する。

3 画像のファイル形式を変換する

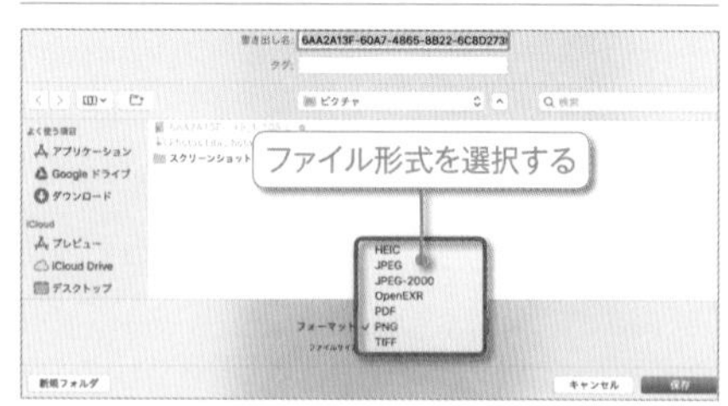

メニューバーから「ファイル」→「書き出す」をクリックし、「フォーマット」をクリックすると、JPEG、PDF、PNGなどさまざまなファイル形式に変換できる。

4 プレビューでPDFを開く

PDFファイルをダブルクリックすると、プレビューでPDFが表示される。サイドバーでPDFのページ一覧を確認できる。

5 PDFの表示方法を変更する

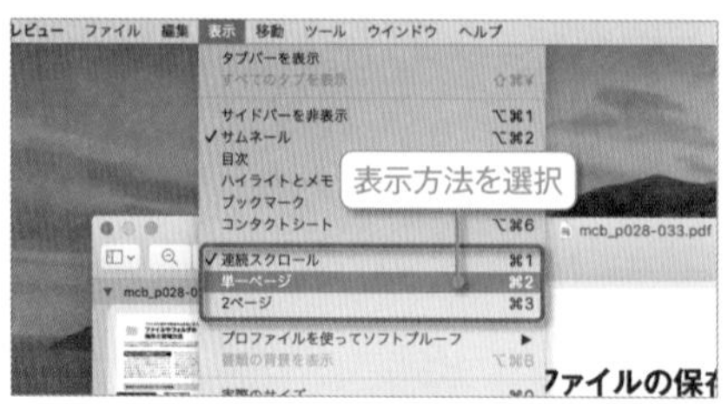

メニューバーの「表示」から、PDFの表示方法を単一ページや2ページ(見開き)に変更できる。画面内の右クリックメニューからも変更可能だ。

使いこなしヒント

内容をさっと確認するならクイックルック

画像やPDFの内容をさっと確認したいだけなら、アプリを起動せずにファイルの中身を表示できる、「クイックルック」機能(P031で解説)を使うのが便利だ。ファイルを選択した状態でスペースキーを押すだけで、画像やPDFの内容が表示される。マークアップで編集を加えたり、プレビューで開き直すこともできる。

プレビューで画像を編集する

1 マークアップツールバーを表示する

プレビューで画像を開いたら、「マークアップツールバーを表示」ボタンをクリックしよう。マークアップツールバーで画像の編集ツールが表示される。

2 選択した範囲をトリミングする

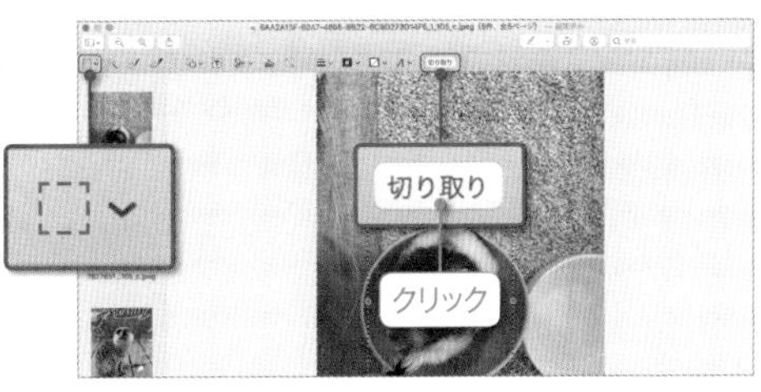

「選択ツール」で切り取りたい範囲を選択し、ツールバーに表示される「切り取り」をクリックすると、選択した範囲をトリミングできる。

3 画像のサイズを変更する

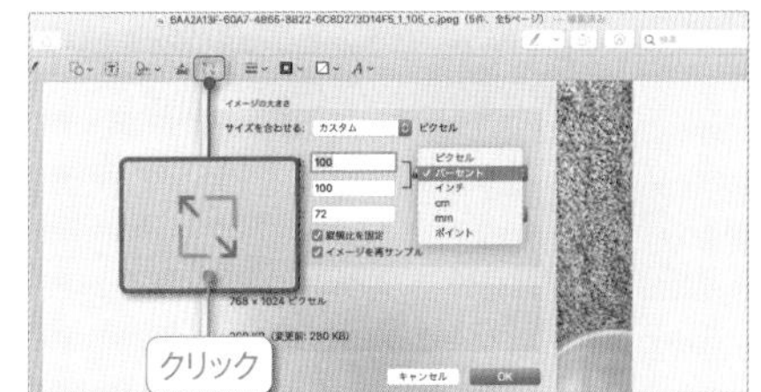

「サイズを調整」ボタンで画像をリサイズできる。「幅」と「高さ」の横のメニューを「パーセント」に変更すると、サイズを割合で変更できる。

4 画像のカラーを調整する

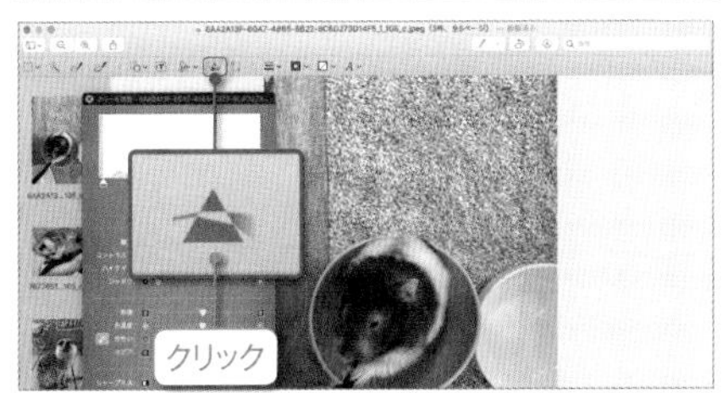

「カラーを調整」ボタンをクリックすると、画像の露出やコントラスト、彩度、色合いなどの値を調整できる。「自動レベル」で自動補正も可能。

5 フリーハンドで画像に書き込む

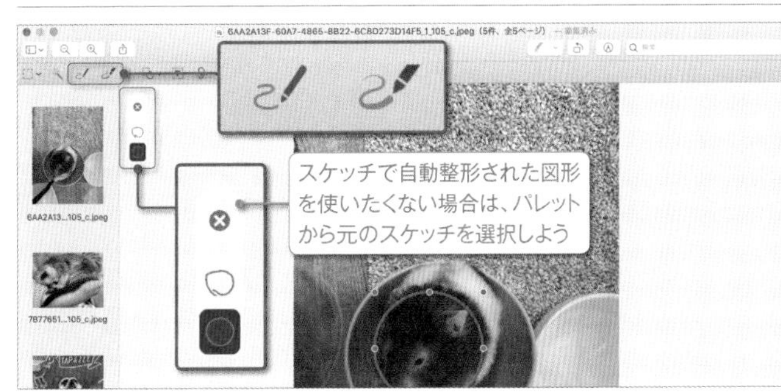

「スケッチ」および「描画」ツールで、画面内にフリーハンドで描画できる。左の「スケッチ」で丸や三角などの標準図形を描画した場合は、きれいな形の図形に自動的に整形される。元のフリーハンドの図形を使いたい時は、表示されるパレットから選択すればよい。

プレビューでPDFに注釈を書き込む

1 マークアップツールバーを表示する

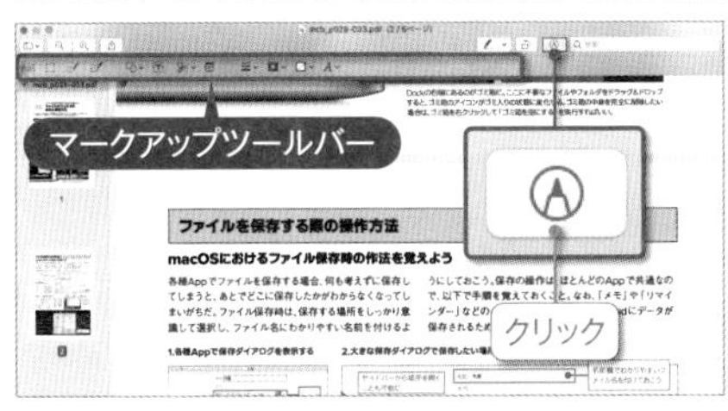

プレビューでPDFを開いたら、「マークアップツールバーを表示」ボタンをクリックしよう。マークアップツールバーでPDFの編集ツールが表示される。

2 テキストを選択してコピーする

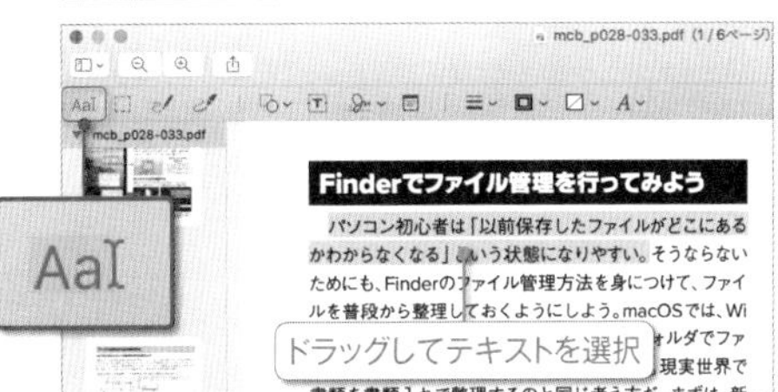

「テキスト選択」ボタンをクリックすると、PDF内のテキストを選択できる。ドラッグして選択状態にしたら、メニューバーの「編集」からコピーできる。

3 フリーハンドでPDFに書き込む

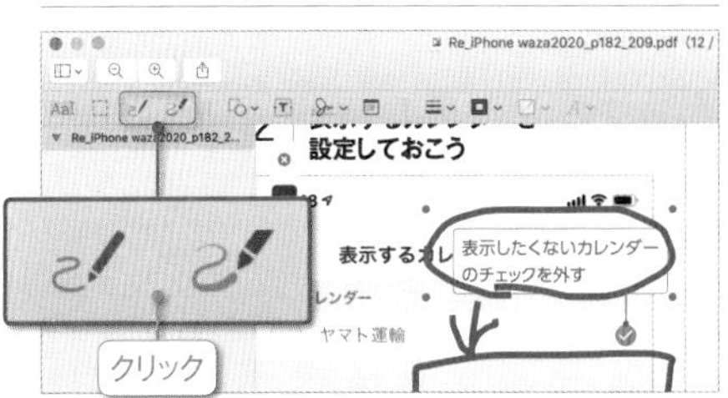

画像の場合と同様に、「スケッチ」や「描画」ツールでPDF内に書き込める。「スケッチ」で描いた丸や三角は整形されるが、元のスケッチも選択できる。

4 PDF内にメモを追加する

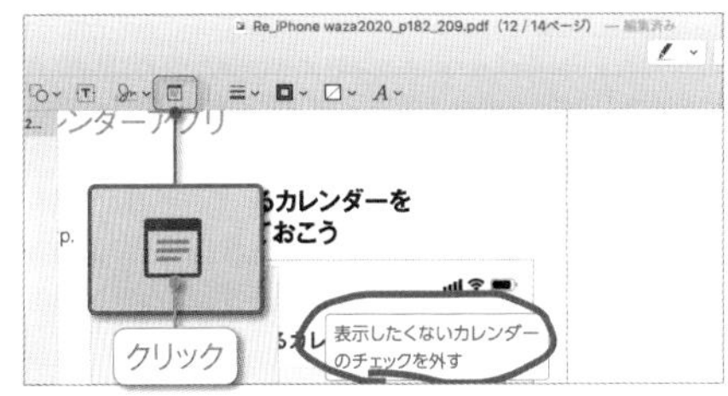

「メモ」ボタン をクリックすると、PDF内にメモを追加できる。メニューバーの「表示」→「ハイライトとメモ」で、すべてのメモが一覧表示される。

5 PDFのページ順を入れ替える

サイドバーのサムネイルをドラッグすると、PDFのページ順を入れ替えできる。メニューバーの「編集」から、ページの追加や削除も可能だ。

6 他のPDFを結合する

他のPDFのページを結合したい場合は、それぞれのPDFをプレビューで開いてサイドバーを表示し、結合したいPDFページをもう一方にドラッグすればよい。

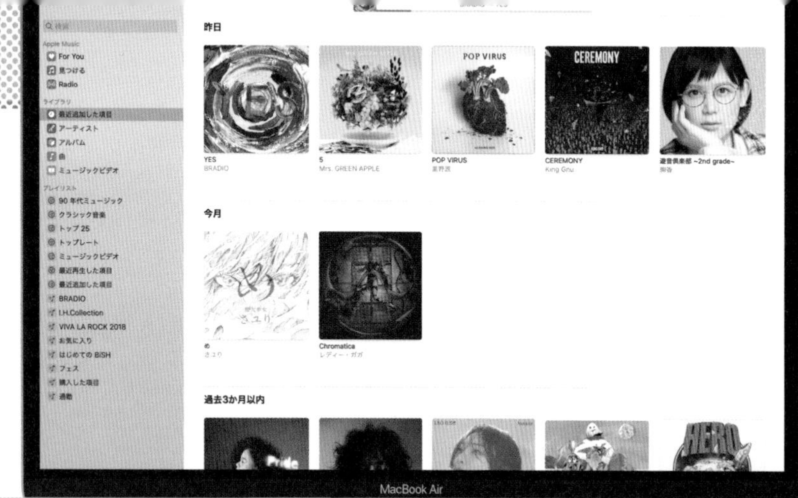

「ライブラリ」画面ですべての曲を管理できる

ミュージックでは、iTunes Storeで購入した曲も、Apple Musicから追加した曲も、音楽CDから取り込んだ曲も、「ライブラリ」画面でまとめて管理できる。iTunes Storeで購入した曲や、Apple Musicの配信曲は、MacBookにダウンロード保存しなくてもストリーミングで再生でき、MacBook内に保存された曲ファイルと同様に扱うことが可能だ。

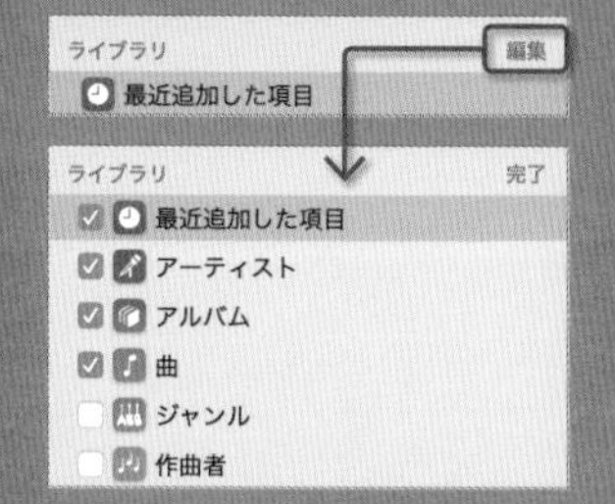

すべての曲はサイドバーの「ライブラリ」で確認できるので、「アーティスト」や「アルバム」などの項目から聴きたい曲を探そう。なお、「ライブラリ」の上にカーソルを置いて「編集」をクリックすると、「ライブラリ」に表示させる項目を選択できる。

ミュージック

さまざまな曲を再生したり管理する

Apple Musicも楽しめる標準音楽プレイヤー

MacBookで音楽を楽しむには、「ミュージック」アプリを使おう。MacBook内に保存されている曲だけでなく、iTunes Storeで購入した曲や、Apple Musicの曲なども、まとめて一元管理できる。またApple Musicの利用中は、「For You」や「見つける」で好みの曲を発見したり、iCloudを経由してiPhoneやiPadとライブラリを同期することも可能だ（P124で詳しく解説）。Apple Musicへの登録方法と使い方も、あわせて紹介する。

ミュージックの基本操作

1 聴きたい曲を探して再生する

サイドバーの「ライブラリ」にある、「アーティスト」や「アルバム」などの項目から聴きたい曲を探し出そう。作成済みのプレイリストを開いてもよい。聴きたい曲を探したら、曲名をダブルクリックするか、カーソルを合わせて表示される再生ボタンをクリックすれば、再生が開始される。

2 シャッフル再生とリピート再生

上部メニューの「シャッフル」をオンにするとランダムな順番で再生される。「リピート」をオンにすると、現在の再生リストまたは再生曲のみをリピート再生する。

3 再生中の曲の歌詞を表示する

上部メニューの「歌詞」ボタンをクリックすると歌詞を表示できる。一部の曲は、カラオケのように曲の再生に合わせて歌詞がハイライト表示される。

4 次に再生する曲を変更する

上部メニューの「次に再生」ボタンをクリックすると、再生予定の曲のリストが表示される。曲の再生順を変更したり、再生リストから削除することも可能だ。

5 ミニプレーヤーに切り替える

メニューバーの「ウインドウ」→「ミニプレーヤー」をクリックすると、ミニプレーヤーに切り替えできる。アートワークを消してより縮小することも可能。

プレイリストを作成する

1 新規プレイリストをクリック

好きな曲だけをまとめたプレイリストを作成するには、まずサイドバーのプレイリスト欄を右クリックし、「新規プレイリスト」をクリック。

2 名前を付けてプレイリストを作成

作成したプレイリストに、「お気に入り」「作業用」といった名前を付けておこう。サイドバーのプレイリスト一覧に追加される。

3 好きな曲をドラッグして登録

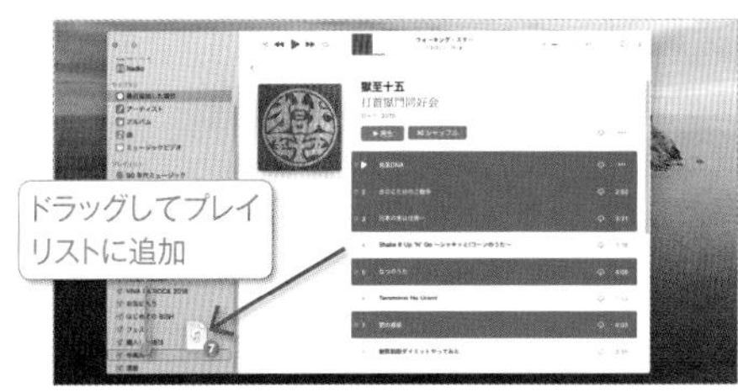

ライブラリ画面でプレイリストに登録したい曲を選択したら、そのまま作成したプレイリストにドラッグしよう。プレイリストに曲が追加されていく。

4 プレイリストを再生する

サイドバーからプレイリストを開くと、お気に入りの曲だけまとめて再生できる。再生順はドラッグ&ドロップで変更可能だ。

5 プレイリストから曲を削除する

プレイリストから曲を削除したい時は、削除したい曲を選択して右クリック。「プレイリストから削除」をクリックすればよい。

6 プレイリストを削除する

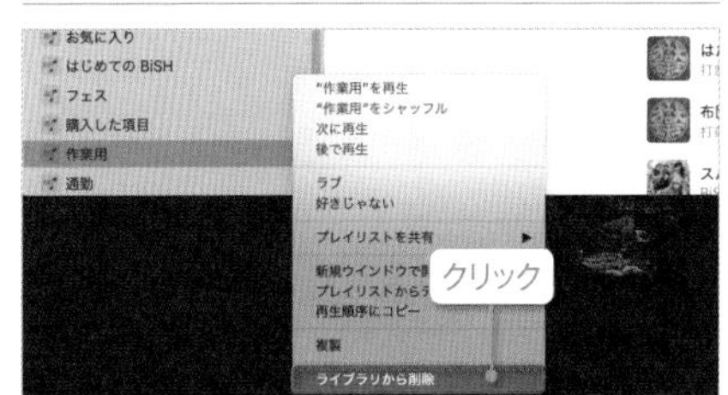

プレイリスト自体を削除するには、サイドバーのプレイリストを選択して右クリック。「ライブラリから削除」をクリックすればよい。

iTunes Storeで曲を購入する

1 iTunes Storeをサイドバーに表示する

ミュージックではiTunes Storeでの楽曲の購入も可能だ。サイドバーにiTunes Storeが表示されていないなら、「ミュージック」→「環境設定」→「一般」で「iTunes Store」にチェックしよう。

2 iTunes Storeで曲を購入する

サイドバーで「iTunes Store」をクリックしてiTunes Storeを開き、欲しい曲やアルバムを探す。価格部分をクリックすれば購入できる。

3 iTunes Store内をキーワード検索する

iTunes Store内の曲を検索するには、左上の検索欄にキーワードを入力して検索し、右上のタブを「iTunes Store」に切り替えよう。

使いこなしヒント

コンプリート・マイ・アルバム機能を使う

アルバム中の数曲のみをすでに購入済みで、残りの曲も購入したい時は「コンプリート・マイ・アルバム」機能を使おう。アルバムは1曲数百円程度で購入できるが、1曲ずつ追加購入していくと合計金額がアルバム全体の価格を越えてしまうことがある。しかし、このコンプリート・マイ・アルバム機能を使えば、差額の支払いだけで完全なアルバムをダウンロードできるのだ。

Apple Musicに登録する

1 Apple Musicに登録する

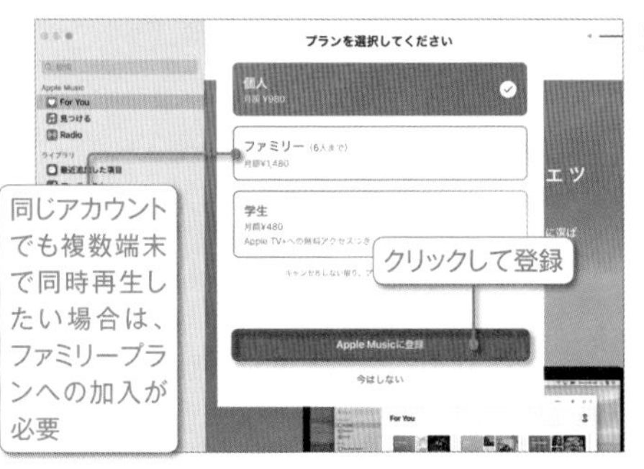

定額で国内外の約6,000万曲が聴き放題になるApple Musicには、メニューバーの「アカウント」→「Apple Musicに登録」から登録しよう。初回登録時は3ヶ月無料で試用できる。契約プランは、月額980円の「個人」、ファミリー共有機能で6人まで利用できる「ファミリー」、在学証明が必要な「学生」から選択できる。

2 好みのジャンルやアーティストを選択

Apple IDで認証して購入処理を済ませたら、画面の指示に従い、好みのジャンルや好きなアーティストを選択していこう。Apple Musicが音楽の好みを学習し、「For You」画面でおすすめの曲を提案するようになる。最後に「完了」をクリックすればApple Musicが利用可能になる。

使いこなしヒント

無料期間終了後に自動で課金されるのを防ぐ

3ヶ月の無料期間終了後に自動で課金されるのを防ぐには、「App Store」でサイドバー下部のユーザーボタンをクリックし、続けて「情報を表示」をクリック。表示されるページで、サブスクリプション欄の「管理」をクリックしよう。Apple Musicの「編集」→「サブスクリプションをキャンセルする」でキャンセルできる。キャンセルしても、無料期間中は引き続きサービスの利用が可能だ。

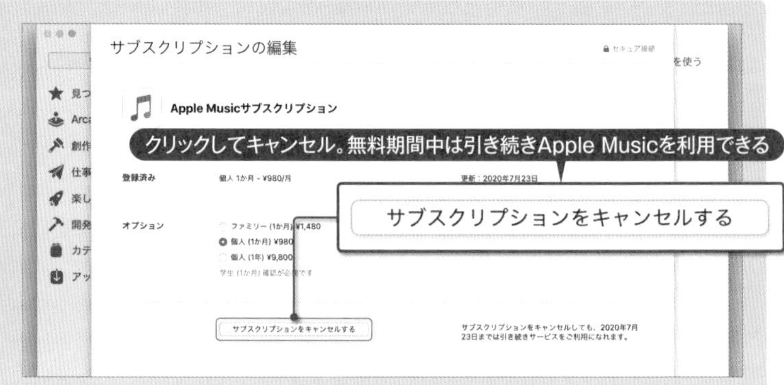

Apple Musicを利用する

1 Apple Musicの設定を確認する

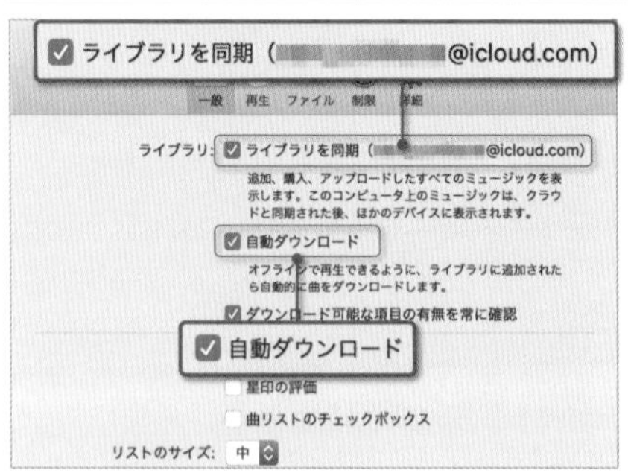

Apple Musicの曲をライブラリに追加するには、メニューバーの「ミュージック」→「環境設定」→「一般」で、「ライブラリを同期」にチェックしておく必要がある。また、「自動ダウンロード」にもチェックしておくと、Apple Musicの曲をライブラリに追加した際に、自動でダウンロード保存するようになる。

2 Apple Musicの曲をキーワード検索する

曲名やアーティスト名を入力してキーワード検索しよう。「Apple Music」タブで、Apple Musicの検索結果が一覧表示される。

3 歌詞の一部でも検索できる

歌詞の一部を入力して検索すると、そのフレーズを歌詞に含む曲が表示される。「歌詞:○○○○」と表示されているものが、歌詞でヒットした楽曲になる。

4 Apple Musicの曲をライブラリに追加

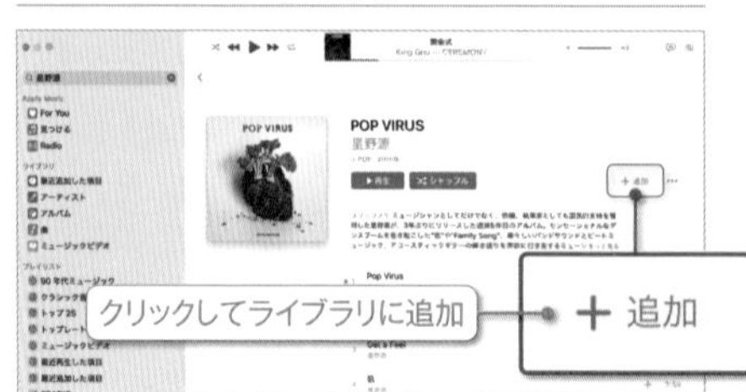

Apple Musicで検索した曲やアルバムをクリックして開き、「追加」や「+」ボタンをクリックすると、このアルバムや曲をライブラリに追加できる。

5 ライブラリに追加した曲をダウンロードする

「自動ダウンロード」を無効にしている場合は、iCloudボタンをクリックすることでMacBook内にダウンロードでき、オフラインでも再生できるようになる。

Apple Musicで使える便利な機能

1 「For You」画面で好みの曲に出会う

「For You」を開くと、好みのジャンルやアーティスト情報に沿った、おすすめの曲やプレイリスト、ニューアルバムなどを提案してくれる。

2 好みの曲にラブを付ける

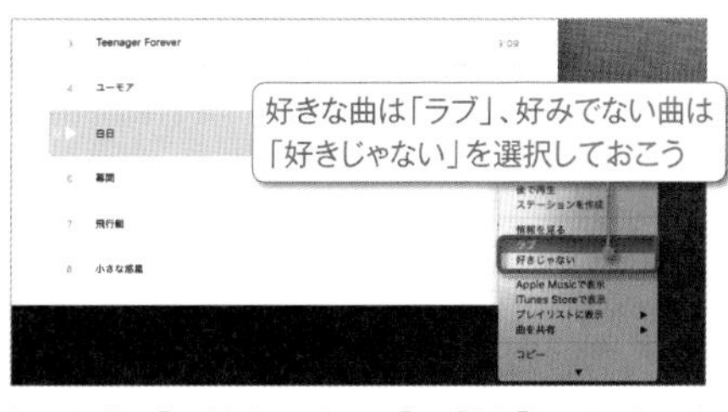

好きな曲の「…」をクリックして「ラブ」や「好きじゃない」を選択しておくと、「For You」画面で提案されるおすすめ曲の精度がアップする。

3 友達をフォローして音楽を共有する

「For You」画面右上のユーザーボタンからプロフィールを作成して友達を追加すると、聞いている曲を共有したり、友達が聞いている曲をチェックできる。

4 「見つける」画面で注目曲をチェック

「見つける」を開くと、ニューリリースの曲やアルバム、話題のプレイリストなどをチェックできる。ジャンルやランキングからも注目曲を発見できる。

5 発売前の新作をライブラリに追加

リリース前のアルバムは「先行リリース」と表示される。「追加」でライブラリに追加しておくと、正式リリース後に通知され、先行配信曲以外の曲も追加される。

6 「Radio」画面で人気の曲を聴く

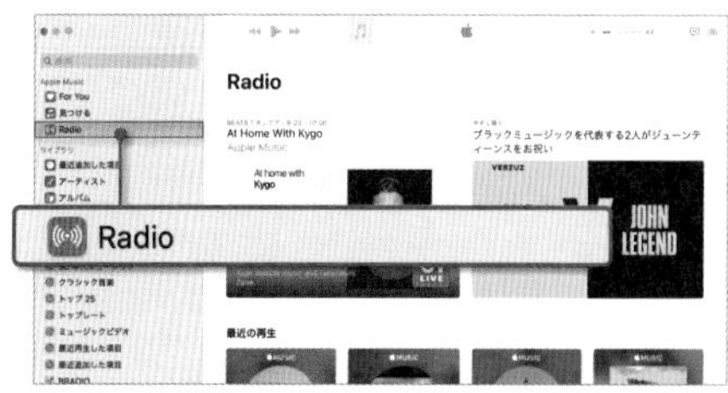

「Radio」では24時間ライブ放送される「Beats 1」などを聴けるほか、Apple Musicに登録すると、自分の好みに合わせて選曲されたラジオも聴ける。

音楽CDの曲をミュージックに取り込む

1 音楽CDをセットして読み込む

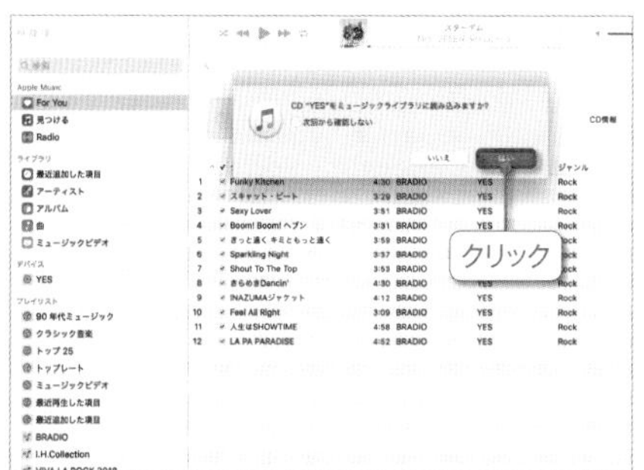

手持ちの音楽CDの曲をミュージックアプリに取り込むには、まず外付けの光学ドライブをMacBookに接続しよう。光学ドライブに音楽CDを挿入すると、「ミュージックライブラリに読み込みますか?」と確認メッセージが表示されるので、「はい」をクリックする。

2 ライブラリに曲が追加される

音楽CD内の曲がミュージックに取り込まれ、ファイルとして変換されていく。すべての曲に緑色のチェックマークが付くまで、しばらく待とう。なお、曲名やアーティスト名なども自動的に設定される。読み込みが完了したら、ライブラリを確認しよう。音楽CDのアルバムが追加されているはずだ。

使いこなしヒント

音楽CDの読み込み設定を変更する

メニューバーの「ミュージック」→「環境設定」で「ファイル」を開き、「読み込み設定」をクリックすると、音楽CDを読み込む際のファイル形式や音質を変更できる。標準設定は音質とファイルサイズのバランスがいい「AACエンコーダ」の「iTunes Plus」(ステレオ256kbps)に設定されているが、汎用性の高い「MP3エンコーダ」や、音質が劣化しない「Apple Losslessエンコーダ」も選択できる。

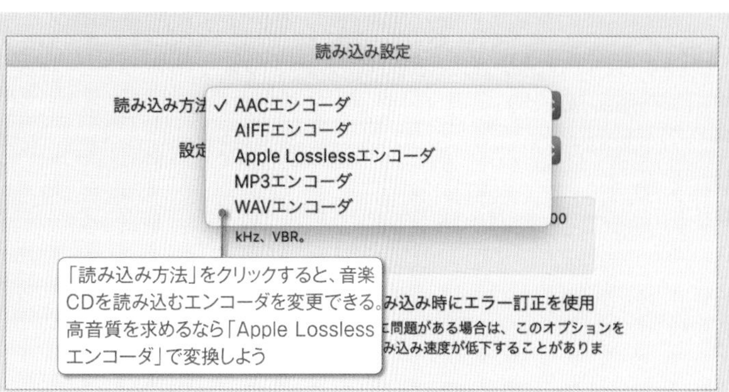

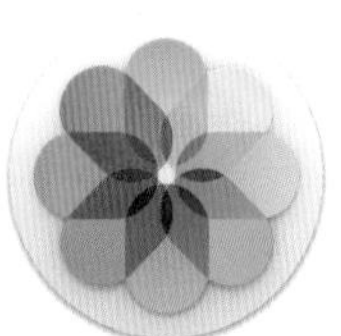

写真

すべての写真やビデオを管理する

編集機能も備えた写真管理アプリ

MacBookでの写真管理は、すべて「写真」アプリにまかせよう。デジカメやiPhoneをケーブルで接続すれば、簡単に写真やビデオを読み込める。読み込んだ写真やビデオは、撮影日や撮影地ごとに自動で分類され、人物やメディアの種類からも素早く探し出すことができるようになる。また高度な編集機能も用意されており、色調補正やフィルタの適用、傾き補正や切り抜きも行える。「iCloud写真」での同期についてはP126で解説する。

使い始めPOINT

写真アプリの仕組みを理解する

写真アプリで写真やビデオを管理するには、一度写真アプリにファイルを読み込む必要がある。写真アプリに読み込んだ写真やビデオの元データは、「ピクチャ」フォルダにある「写真ライブラリ」という一つのファイルにまとめられている。これを右クリックして「パッケージの内容を表示」をクリックし、「originals」フォルダを開くと、元の写真やビデオをFinderで一覧表示できるが、ファイル名も順番もバラバラなので、Finderから目的の写真を探し出すのは難しい。

写真アプリで管理する写真やビデオはすべて、「ピクチャ」フォルダ内の「写真ライブラリ」ファイルにまとめられている。

写真の読み込みと基本操作

1 デジカメなどの写真を読み込む

まずは写真アプリで管理できるように、写真やビデオを読み込もう。デジカメやiPhoneをケーブルで接続すると、サイドバーの「デバイス」欄にデバイス名が表示されるので、これをクリック。ツールバーの「すべての新しい項目を読み込む」をクリックすれば、接続したデバイス内の写真を追加できる。

2 MacBook内の写真を読み込む

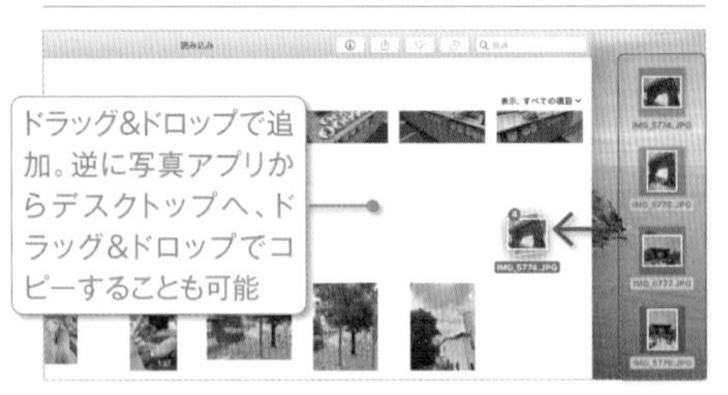

MacBook内に保存された写真やビデオを写真アプリに読み込むには、画面内にドラッグ&ドロップすればよい。

3 「写真」でベストショットを楽しむ

ライブラリの「写真」では、上部メニューで年別／月別／日別で表示を切り替えでき、写りの悪い写真を除いたベストショット写真が一覧表示される。

4 写真を大きく表示する

写真を選択してダブルクリックすると、写真が大きく表示される。ビデオの場合は再生コントローラーが表示され、再生や一時停止、音量調整などを行える。

使いこなしヒント

写真が見当たらない時は「最近の項目」

写真が見当たらない時は、ライブラリの「最近の項目」を開いてみよう。この画面では、写真アプリに読み込んだすべての写真やビデオが、時系列順に一覧表示されるので、どこかに探している写真がある。

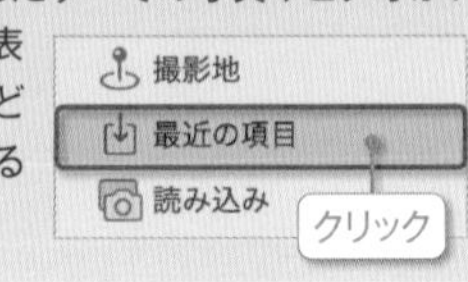

各ライブラリの機能と検索

1 「メモリー」でスライドショーを再生

「メモリー」では、自動生成されたスライドショーを再生できるほか、おすすめの写真なども自動でまとめられる。

2 「ピープル」で人物別に写真を表示

「ピープル」では、顔認識された人物が一覧表示される。ダブルクリックすると、この人物が写った写真を抽出して表示できる。

3 「撮影地」で撮影地ごとに表示

「撮影地」では、撮影した写真がある場所にサムネイルが表示される。サムネイルをクリックすると、その場所で撮影した写真が一覧表示される。

4 「最近削除した項目」で写真を復元

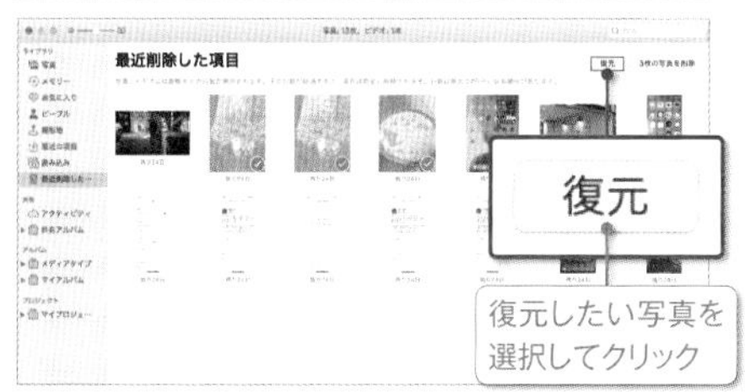

写真アプリで削除した写真は、「最近削除した項目」に最大30日間保存されている。写真を選択して右上の「復元」をクリックすれば復元できる。

5 メディアタイプから写真やビデオを探す

アルバム欄の「メディアタイプ」を開くと、ビデオ、セルフィー、Live Photos、ポートレートなど、種類別に写真やビデオを探すことができる。

6 強力な検索機能を活用する

右上の検索欄では、「ラーメン」「海」など被写体をキーワードにして写真を検索できる。複数キーワードの組み合わせも可能だ。

写真を加工、編集する

1 編集モードで写真を編集する

写真を表示して右上の「編集」をクリックすると編集モードになる。上部メニューの「調整」で色調補正やレタッチができるほか、「フィルタ」でフィルタを適用したり、「切り取り」で傾き補正やトリミングを行える。左上のボタンで編集前後の比較が可能。右上の「完了」をクリックで編集が反映される。

2 編集した写真はいつでも元に戻せる

編集を加えた写真は、いつでも元のオリジナル状態に戻すことが可能だ。まず編集を加えた写真を開いたら、「編集」をクリックして編集モードに。左上の「オリジナルに戻す」をクリックすると、編集前のオリジナル写真に戻るので、そのまま「完了」をクリックして編集を終えればよい。

使いこなしヒント

ビデオをトリミングする

ビデオの場合は、再生コントローラーの歯車ボタンから「トリム」をクリックして不要部分を削除できる。タイムラインの両端にある黄色いスライダを動かし、開始時点と終了時点を変更したら、「トリム」をクリックして反映させよう。写真と同様に「編集」画面からいつでも元の長さに戻せる。

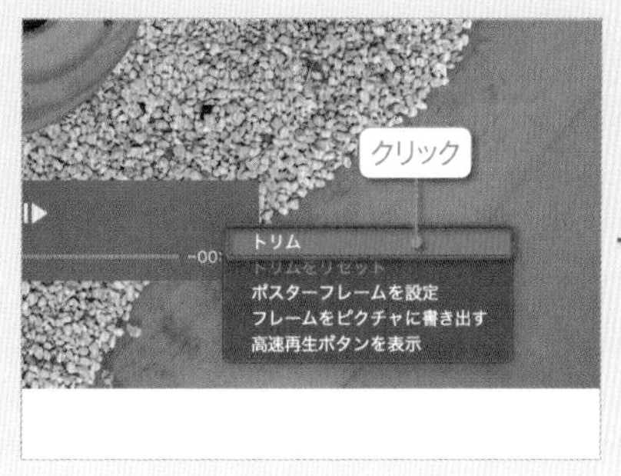

連絡先

友人や仕事先の電話番号や住所を管理

登録した連絡先は他のアプリでも利用できる

MacBookで連絡先を管理するには、「連絡先」アプリを利用する。iPhoneやAndroidスマートフォンで登録済みの連絡先があるなら、まず連絡先を同期させてから使い始めよう。連絡先に登録済みの電話番号やメールアドレスは、FaceTimeやメールなど他のアプリからも利用できる。連絡先からメールを送ったり、FaceTimeを発信することも可能だ。また「仕事」や「プライベート」などグループを作成しておけば、連絡先を振り分けて整理できる。

使い始めPOINT

Androidスマートフォンと同期するには?

Androidスマートフォンを使っているなら、連絡先はGoogleアカウントに保存されているはずだ。この連絡先をMacBookでも利用するには、メニューバーの「連絡先」→「アカウント」からGoogleアカウントを追加して、「連絡先」にチェックすればよい。iPhoneと同期する場合は、iCloudで「連絡先」にチェックを入れておけば自動で同期して同じ連絡先を利用できる(P063で解説)。

「連絡先」→「アカウント」からGoogleアカウントを追加し、「連絡先」にチェック

連絡先を作成、編集する

1 「+」ボタンから新規連絡先を作成

クリック。新規グループもここから作成できる

連絡先のウインドウ下部にある「+」ボタンをクリックし、「新規連絡先」を選択しよう。新規連絡先の作成画面が表示される。

2 名前や電話番号などを入力する

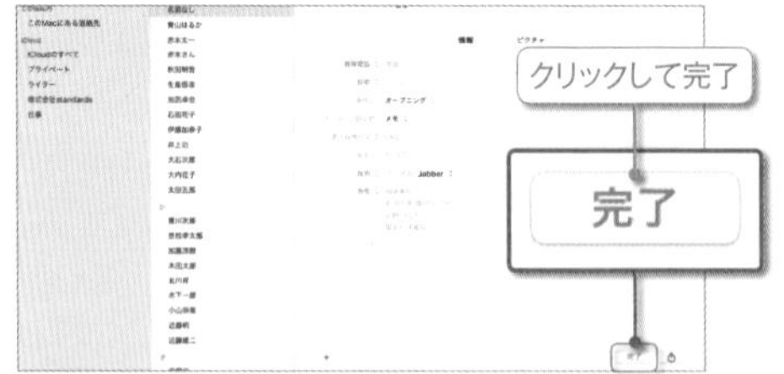

クリックして完了

名前やフリガナ、電話番号、メールアドレス、住所などの連絡先情報を入力していこう。入力を終えたら、「完了」をクリック。

3 作成した連絡先を編集する

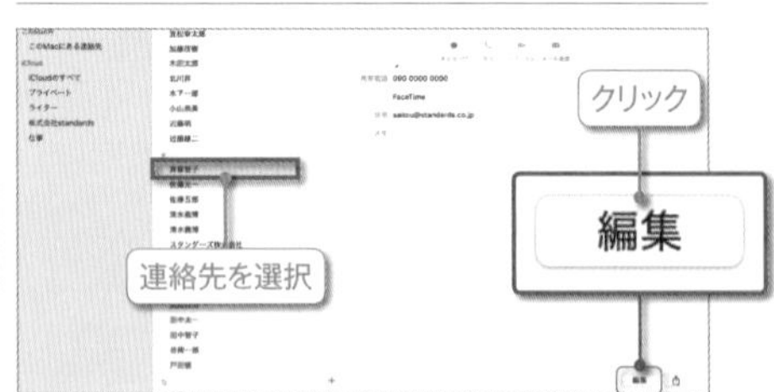

連絡先を選択

クリック

連絡先リストから連絡先を選択し、ウインドウの下部にある「編集」をクリックすると、連絡先情報を修正したり、新しい情報を追加できる。

4 不要な連絡先を削除する

クリック

連絡先を削除するには、連絡先の右クリックメニューから「カードを削除」をクリックすればよい。または連絡先を選択してDeleteキーを押せば削除できる。

5 連絡先をグループに振り分ける

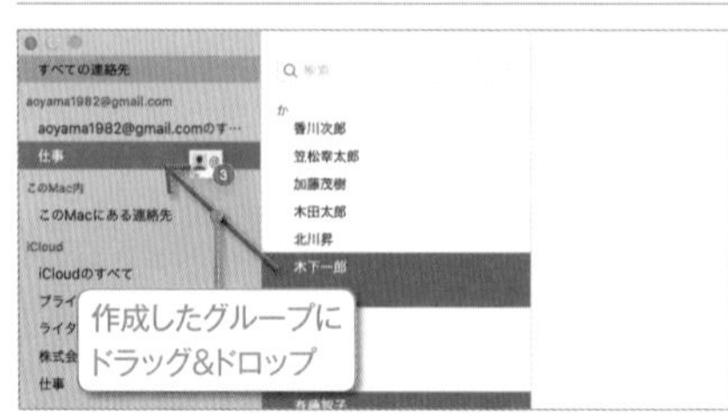

作成したグループにドラッグ&ドロップ

「+」ボタンから「新規グループ」で「仕事」「プライベート」などのグループを作成しておけば、連絡先をドラッグ&ドロップして分類できる。

使いこなしヒント

デフォルトの連絡先アカウントを変更する

複数のアカウントを使用する場合、新しい連絡先はデフォルトのアカウントに追加される。Androidスマートフォンを使っていて、連絡先はGoogleアカウントですべて管理しているなら、「連絡先」→「環境設定」→「一般」タブで、「デフォルトアカウント」をGoogleアカウントに変更しておこう。

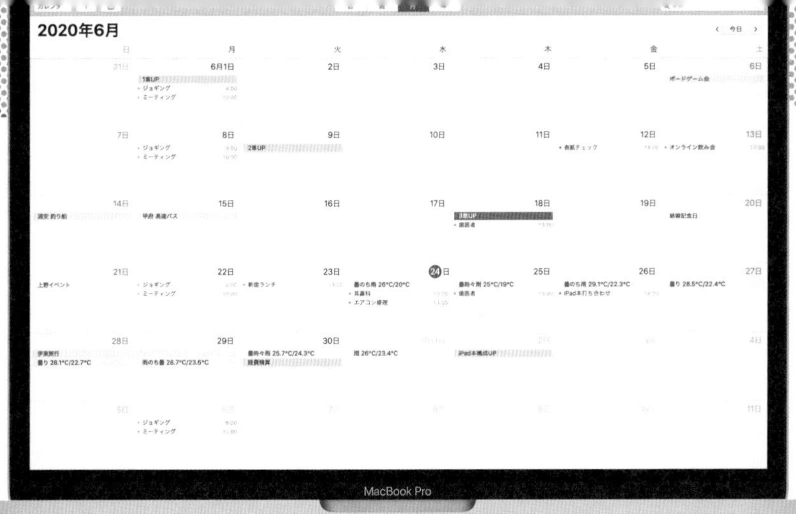

カレンダー

スケジュールを効率的に管理する

iCloudカレンダーやGoogleカレンダーと同期して使おう

MacBookでスケジュールを管理するには、「カレンダー」アプリを利用する。日、週、月、年別で表示を切り替えでき、移動時間の自動計算や移動時間を考慮した通知など、さまざまな便利機能を備えているが、作成したイベントをMacBook内だけに保存しては、せっかくの機能を活かしきれない。iPhoneやAndroidスマートフォンでも確認できるように、「iCloudカレンダー」や「Googleカレンダー」と同期させて使うのがおすすめだ。

使い始めPOINT

Googleカレンダーと同期するには?

スケジュール管理にGoogleカレンダーを使っているなら、MacBookのカレンダーとも同期させて利用しよう。メニューバーの「カレンダー」→「アカウント」からGoogleアカウントを追加して、「カレンダー」にチェックすればよい。iPhoneやiPadでは、「設定」→「パスワードとアカウント」→「アカウントを追加」でGoogleアカウントを追加し、「カレンダー」をオンにすればGoogleカレンダーと同期できる。

スケジュールを作成、管理する

1 カレンダーを追加する

メニューバーの「ファイル」→「新規カレンダー」をクリックし、あらかじめ「仕事」や「プライベート」といったカレンダーを作成しておこう。

2 表示するカレンダーを選択

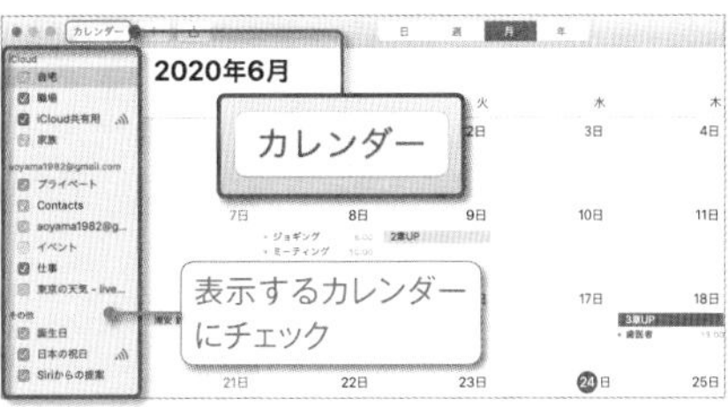

カレンダーを起動し、左上の「カレンダー」ボタンをクリックすると、表示するカレンダーを選択できる。必要なものだけチェックしておこう。

3 表示モードを切り替える

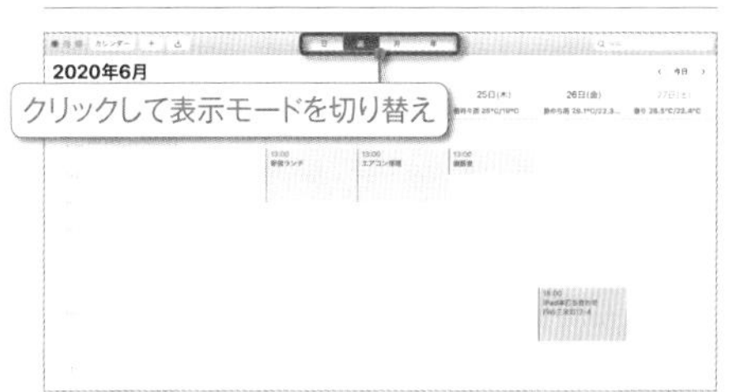

カレンダー上部のメニューで、日、週、月、年別の表示モードに変更できる。自分で予定を把握しやすい表示形式に切り替えておこう。

4 新規イベントを作成する

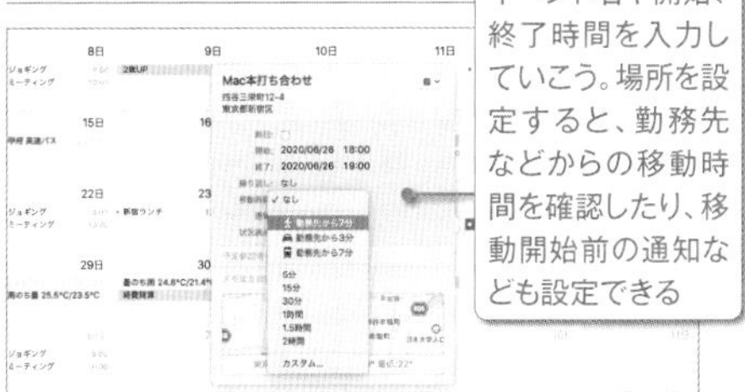

月表示の場合は、予定を作成したい日付をダブルクリック。日や週表示の場合は、予定を作成する時間帯をドラッグすると、新規イベントを作成できる。

5 イベントの作成先カレンダーを選択

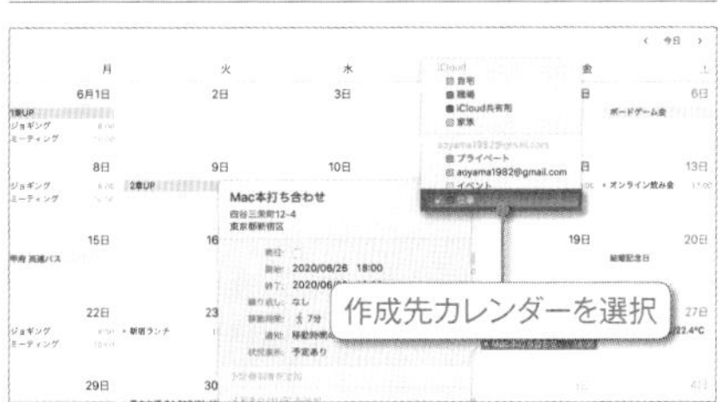

イベント名入力欄の右にあるボタンをクリックし、このイベントをどのアカウントの何のカレンダーに作成するかを選択しておこう。

6 作成したイベントを編集する

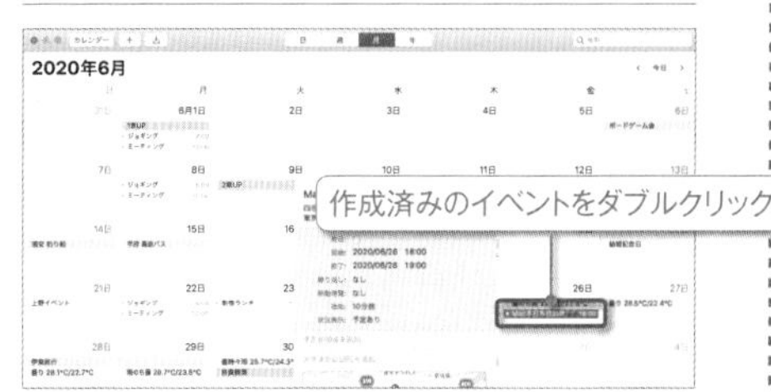

作成済みのイベントをダブルクリックすると、予定の詳細が表示され、各項目をクリックして内容を変更できる。右クリックメニューから予定の削除も可能。

メモ

意外と多機能な標準メモアプリ

ファイルの添付や共同編集も可能

「メモ」アプリは、ちょっとした記録や備忘録をメモして保存しておけるアプリだ。メモ内には写真や位置情報などを添付できるほか、表やチェックリストを作成したり、他のユーザーと共同編集したり、メモに添付された画像を被写体のキーワードで検索することもできる。ツールバーの鍵ボタンからメモをロックすることも可能だ。シンプルな見た目に反して意外と多機能で、さまざまな活用ができるアプリなので、ぜひ使いこなそう。

使い始めPOINT

手書きスケッチはMac上で利用できない

MacBookのメモアプリでは手書きでスケッチを描いたりメモを入力できないが、iPhoneやiPadを持っているなら、「メディア」ボタンから「スケッチを追加」をクリックすることで、iPhoneやiPadで手書き入力したスケッチをカーソル位置に挿入できる(P133で詳しく解説)。他にも、Handoff機能で連携させておけば、iPhoneやiPadで入力した手書きスケッチがすぐにMac側のメモに反映される。また、iPhoneやiPad側で手書きスケッチしたメモを保存すれば、普通にiCloud経由で同期されMacでも利用できる。

Macでは手書きスケッチを利用できないが、iPhoneやiPadからスケッチを追加する機能が用意されている。

メモアプリの基本操作

1 新規メモを作成する

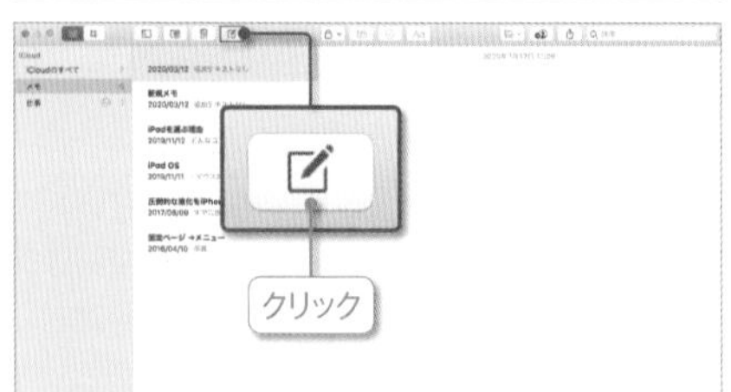

ツールバーの「新規メモ」ボタンをクリックすると、新規メモを作成できる。メモの最初の行がタイトルとして設定される。

2 メモに画像を添付する

画面内に画像などをドロップすれば、ファイルを添付できる。ツールバーの「メディア」ボタンから「写真」をクリックし、写真ライブラリから選択してもよい。

3 すべてのメモの添付ファイルを確認する

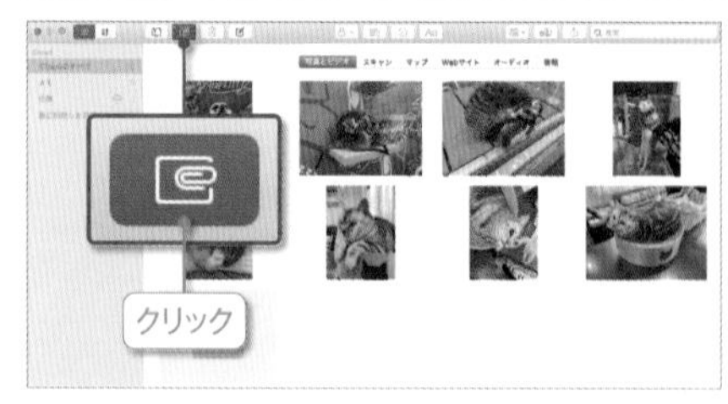

ツールバーの「添付ファイル」ボタンをクリックすると、すべてのメモの添付ファイルを、「写真とビデオ」「マップ」など種類別に確認できる。

4 メモをキーワード検索する

右上の検索ボックスで、メモをキーワード検索できる。メモの本文やファイル名に加えて、メモ内の手書きテキストや、写真の被写体なども検索対象になる。

5 メモを他のユーザーと共有する

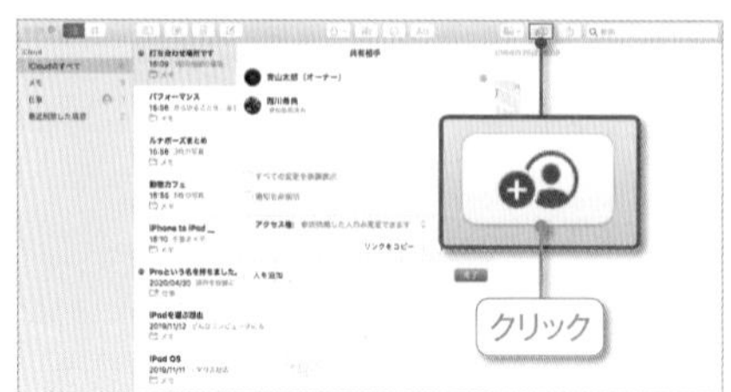

ツールバーの「人を追加」ボタンをクリックすると、メモにメンバーを追加して共有できる。フォルダ単位で共有することも可能だ。

6 不要なメモを削除する

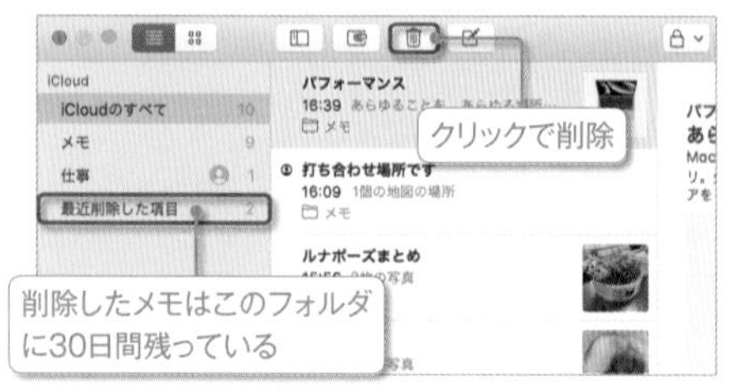

ツールバーの「削除」ボタンでメモを削除できる。削除したメモは「最近削除した項目」フォルダに最大30日間残るので、必要に応じて復元できる。

リマインダー

やるべきことを忘れず通知する

日々のタスク管理や買い物メモに活用しよう

「リマインダー」は、やるべき事を登録しておけばしかるべきタイミングで通知してくれる、タスク管理アプリだ。例えば「明日14時に山本さんに電話を入れる」「トイレの電球を買っておく」など、日々のやるべきことを登録しておけば、通知でうっかり忘れを防げる。リマインダーは自分でリストを作って整理できるほか、「今日」「日時設定あり」「フラグ付き」などの条件に合ったタスクを素早く確認できる点も便利だ。

使い始めPOINT

リマインダーは通知設定が肝要

せっかくリマインダーを設定していても、通知に気づかなければ意味がないので、Appleメニューの「システム環境設定」→「通知」→「リマインダー」を開き、通知方法が適切に設定されているか確認しておこう。通知スタイルは、操作して消すまで表示されたままになる「通知パネル」に設定しておくのがおすすめ。通知画面から「実行済み」にしたり、「あとで」をクリックして指定時間後に再通知させることもできる。

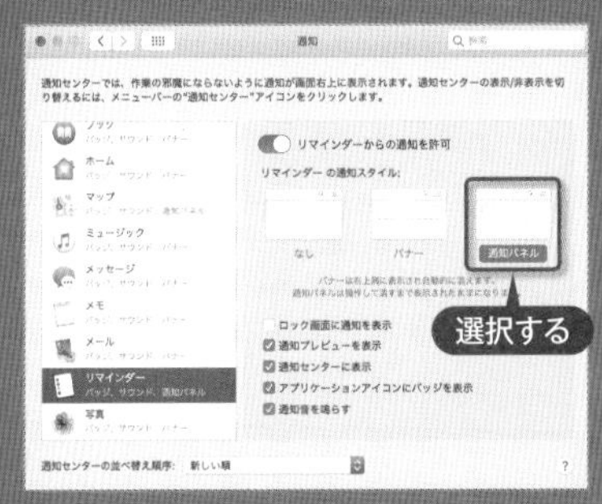

リマインダーの通知設定は、何か操作するまで通知が消えない「通知パネル」を選択しておくのがおすすめ。

リマインダーの基本操作

1 リマインダーの画面の見方

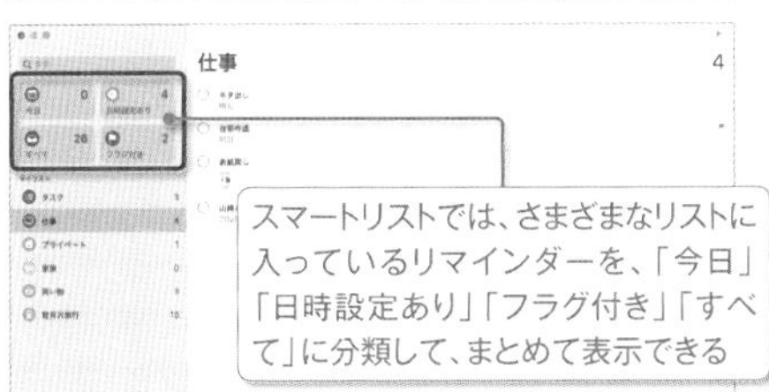

リマインダーを起動すると、左欄にはスマートリストとマイリスト、右欄には各リストのタスクが一覧表示される。

2 リストの追加とアイコンの変更

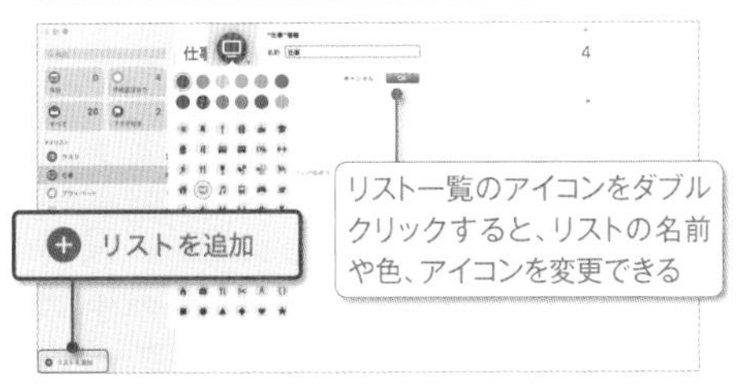

左欄下部の「リストを追加」で新規リストを作成できる。「仕事」「プライベート」などリスト名を入力し、アイコンと色を設定しよう。

3 新規リマインダーを作成する

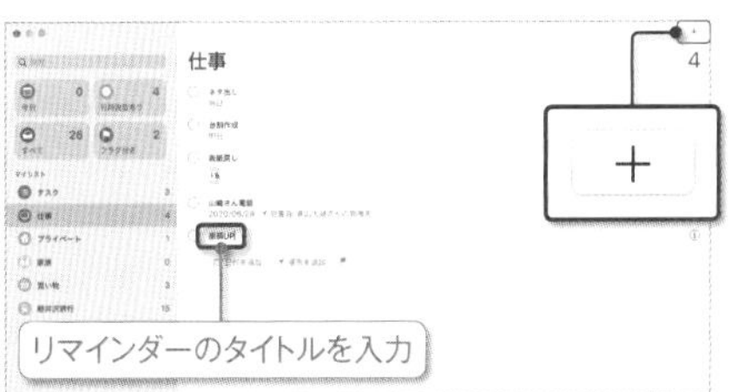

リマインダーを登録したいリストを開き、右上の「+」ボタンをクリックすると、新規リマインダーの入力画面が開く。まずタイトルを入力しよう。

4 リマインダーの期日を設定する

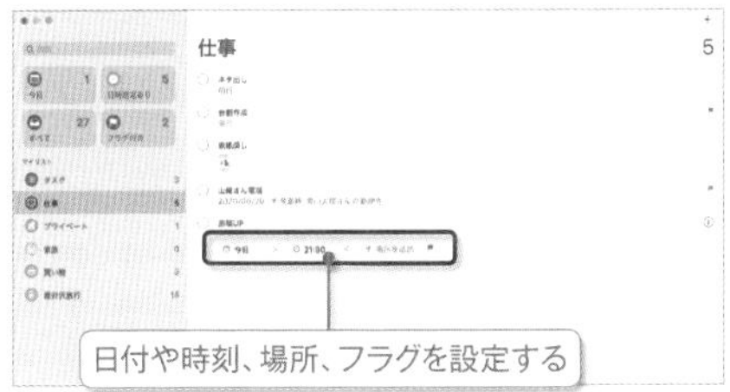

新規リマインダーの「日付を追加」部分をクリックすると、期限の日付と時刻を設定できる。またフラグをクリックするとフラグ付きに設定できる。

5 詳細情報を開いて編集する

リマインダーを選択して「i」ボタンをクリックすると、詳細情報が開き、日時や場所の変更、リストの移動などさまざまな操作を行える。

6 リマインダーを完了する

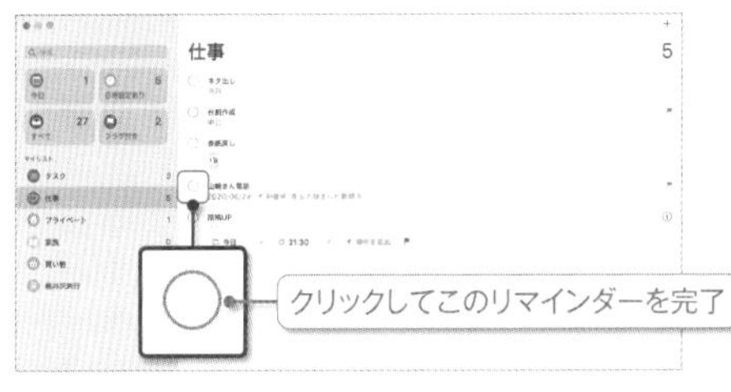

リマインダーに登録した予定を完了したら、リマインダーのタイトル横にある「○」をクリックしよう。このリマインダーは実行済みとなり非表示になる。

その他の標準アプリ

Appleならではの洗練されたツールを使ってみよう

MacBookには、ここまで解説してきたアプリの他にも、さまざまなアプリがインストールされている。普段は使わなくてもいざという時に便利なアプリが多数用意されているので、一度確認してみるといいだろう。なお、環境によってはインストールされていないアプリもあるので、AppStoreで探してみよう。また標準アプリが消えるか破損した時は、macOSを再インストールすることで復元が可能だ。MacBookを再起動したら「option」+「command」+「R」キーを押したままにして、回転する地球儀のアイコンが表示されたらキーを離す。「macOSを再インストール」を選べば、データを消すことなくmacOSを再インストールできる。

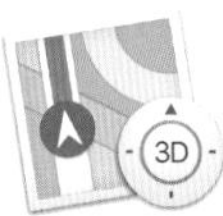

ルート検索もできる地図アプリ

マップ

標準の地図アプリ。車／徒歩／交通機関でのルート検索を行えるほか、スポットの詳細情報なども確認できる。

紛失した端末や友達を探せる

探す

紛失したMacBookの位置を探して遠隔操作したり、家族や友達の現在位置を調べることができるアプリ。

写真をエフェクトで楽しむ

Photo Booth

サーモグラフィーやミラー、X線など、さまざまなエフェクトを適用して、一風変わった写真を撮影できるアプリ。

ラジオやビデオ番組を楽しめる

Podcast

ネット上で公開されている、音声や動画を視聴できるアプリ。主にラジオ番組やニュース、教育番組などが見つかる。

さまざまな映画やドラマを楽しむ

Apple TV

映画やドラマを購入またはレンタルして視聴できるアプリ。サブスクリプションサービス「AplleTV+」も利用できる。

ワンクリックでその場の音声を録音

ボイスメモ

ワンクリックでその場の音声を録音できるアプリ。録音した音声をトリミング編集したり、iCloudで同期することも可能。

手軽に作曲できる音楽制作アプリ

Grageband

さまざまな音源を組み合わせて作曲できる、音楽制作アプリ。分かりやすいインターフェイスで初心者でも扱える。

高クオリティなビデオを作成できる

iMovie

写真やビデオをつなぎ合わせて、オリジナルビデオを作成できるビデオ編集アプリ。タイトルやBGMなども追加できる。

Apple標準のワープロソフト

Pages

標準で用意されている、無料のワープロソフト。写真や図形を自由に配置して、見栄えのいい書類を作成できる。

Apple標準の表計算ソフト

Numbers

標準で用意されている、無料の表計算ソフト。表やグラフを作成して分かりやすくデータを集計、分析できる。

Apple標準のプレゼンソフト

Keynote

標準で用意されている、無料のプレゼンソフト。豊富なテーマやエフェクトで見やすいスライド資料を作成できる。

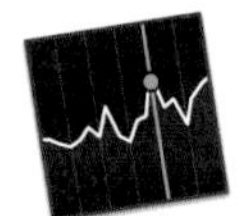

株価と関連ニュースをチェック

株価

日経平均や登録した指定銘柄の、株価チャートと詳細を確認できるアプリ。主なビジネスニュースも確認できる。

電子書籍を購入して読める

ブック

電子書籍リーダー&ストアアプリ。キーワード検索やランキングから、電子書籍を探して購入できる。無料本も豊富。

辞書などで単語を調べる

辞書

国語、英和／和英、Apple用語、Wikipediaなどで単語を調べられる辞書アプリ。他のアプリやWebページからも調べられる。

関数計算や単位変換も可能

計算機

電卓アプリ。四則演算だけでなく、メニューから関数電卓に切り替えたり、単位換算や為替レートの変換も行える。

Homekit対応機器を一元管理する

ホーム

「照明を点けて」「電源をオンにして」など、Siriで話しかけて家電を操作する「HomeKit」を利用するためのアプリ。

便利な音声アシスタント

Siri

マイクで話しかけることで、質問に応えてくれたり、必要な情報を探したり、アプリを操作してくれる音声アシスタント。

編集も可能なメディアプレイヤー

QuickTime Player

ビデオや音声を再生できるメディアプレイヤー。ビデオを編集したり、MacBookやiPhone、iPadの画面収録も可能。

軽快に動作するエディタ

テキストエディット
ワープロよりも軽快に動作するテキストエディタ。リッチテキストやHTMLファイルなども作成、編集できる。

デスクトップに付箋を貼る

スティッキーズ
デスクトップに付箋のようにメモを貼れるアプリ。ToDoやちょっとしたメモなどを入力して表示させておこう。

バックアップを作成、復元する

Time Machine
システムファイル、アプリ、音楽、写真、メール、書類などを含む、MacBook全体のバックアップを作成できる。

さまざまなフォントを管理する

Font Book
標準のフォント管理アプリ。フォントをインストールして使えるようにしたり、プレビューを確認できる。

カメラやiPhoneから写真を転送

イメージキャプチャ
デジタルカメラやiPhone、iPadなどの他のデバイスから、写真やビデオをMacBookの好きな場所に取り込めるアプリ。

複数の操作を自動化する

Automater
いつも行う繰り返しの操作を登録しておくことで、ボタン1つで自動実行できるようになる自動化アプリ。

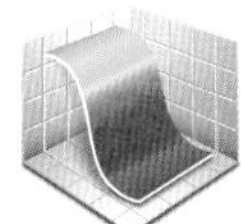

方程式からグラフを作成する

Grapher
方程式から2次元や3次元のグラフを作成できるソフト。グラフから3Dアニメーションを作成することもできる。

VoiceOverをカスタマイズ

VoiceOverユーティリティ
視覚障がい者をサポートするための音声読み上げ機能、「VoiceOver」の設定をカスタマ・イズできるツール。

Wi-Fiネットワークを管理

AirMacユーティリティ
Wi-Fiネットワークと、それに接続されているベースステーションおよびデバイスの状態がグラフィカルに表示される。

MacBookにデータを移行

移行アシスタント
別のMacやWindows PC、Time Machineバックアップ、ディスクから、このMacBookに各種データを転送するツール。

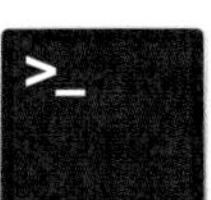

コマンド入力で操作する

ターミナル
WindowsにおけるPowerShellとほぼ同じで、コマンドを入力してMacBookの操作や設定を行うためのツール。

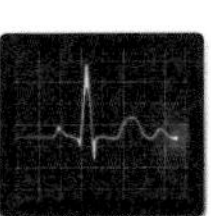

プロセスの稼働状況を確認

アクティビティモニタ
Windowsにおけるタスクマネージャとほぼ同じで、MacBookで現在起動中のプロセスやCPU使用率などを確認できる。

動作ログを確認する

コンソール
MacBookのさまざまな動作ログが収集され、不正アクセスの痕跡を探したり、クラッシュレポートを確認できる。

あらゆるログイン情報を管理

キーチェーンアクセス
さまざまなアプリやサービスのログイン情報を保管するアプリ。パスワードを確認したりログイン情報を追加できる。

MacBookのスペックを調べる

システム情報
MacBookのスペックやハードウェア構成、ネットワークやソフトウェア周りの詳細な情報を確認できるツール。

スクリプトで作業を効率化

スクリプトエディタ
macOSに昔から標準搭載されている、繰り返しの操作などを自動処理するスクリプトを作成するためのツール。

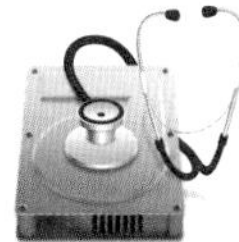

ストレージを管理する

ディスクユーティリティ
MacBookの内蔵ディスクや外部ストレージを管理するためのツール。フォーマットやパーティション作成が可能。

MacBookにWindowsを入れる

Boot Campアシスタント
MacBookのディスク内にWindows 10をインストールできる機能、「Boot Camp」を実行するためのアシスタントツール。

画面上の色の値を表示

Digital Color Meter
画面上にカーソルを置くと、そのピクセルの色の値を表示してくれる、カラーピッカーツール。Webデザインに役立つ。

カラープロファイルを調整

ColorSyncユーティリティ
他のディスプレイやプリンタなどでも同じ色で出力できるように、カラープロファイルを調整できるツール。

保存先などを変更できる

スクリーンショット
スクリーンショットの保存先を変更したりタイマーを設定できるツール。「shift」+「command」+「5」でも表示される。

近距離のデバイスと通信

Bluetoothファイル交換
近距離にあるAndroidスマートフォンなどのデバイスに、Bluetooth通信でファイルを送信できるアプリ。

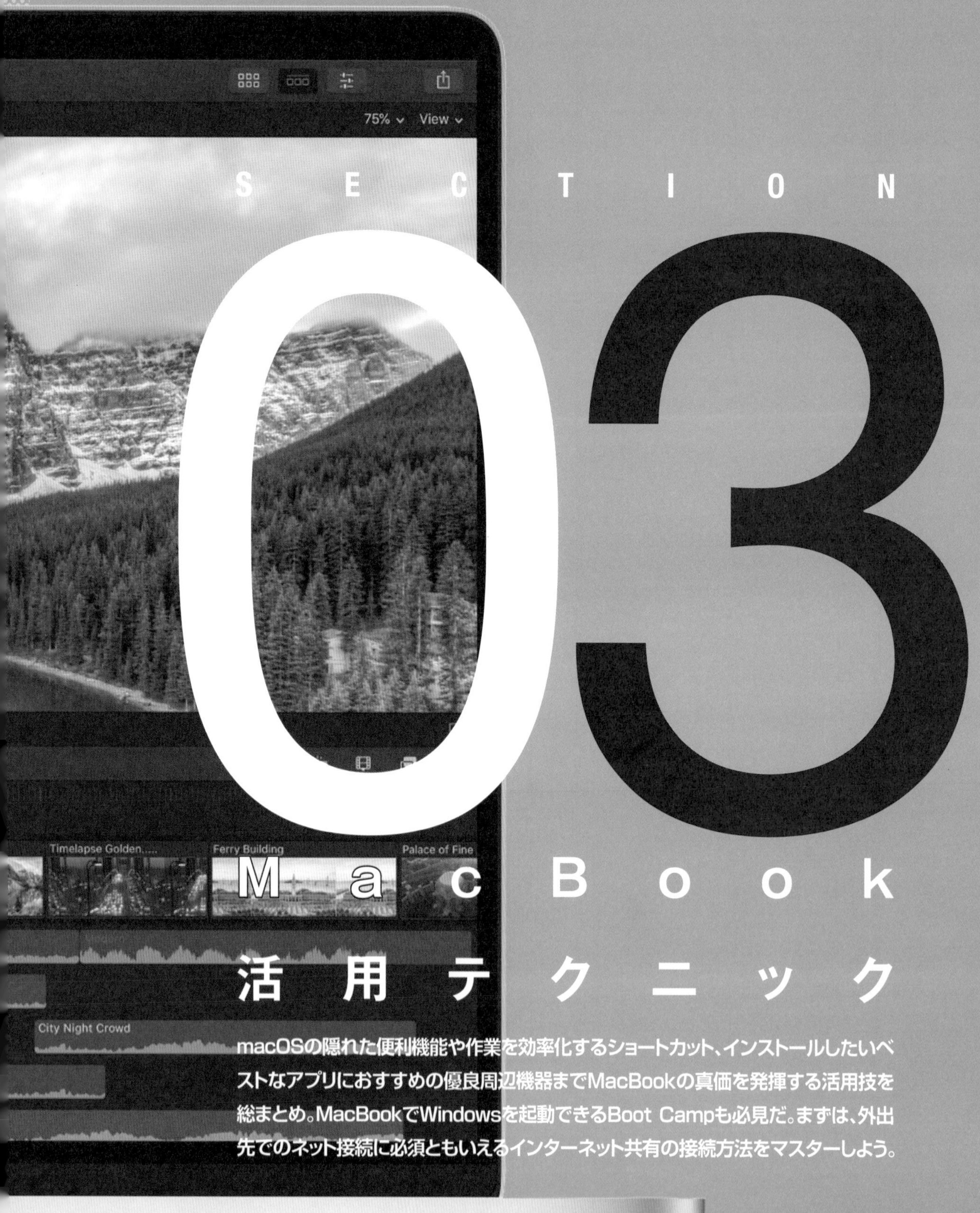

SECTION

03

MacBook 活用テクニック

macOSの隠れた便利機能や作業を効率化するショートカット、インストールしたいベストなアプリにおすすめの優良周辺機器までMacBookの真価を発揮する活用技を総まとめ。MacBookでWindowsを起動できるBoot Campも必見だ。まずは、外出先でのネット接続に必須ともいえるインターネット共有の接続方法をマスターしよう。

001

テザリング

Instant Hotspot機能でパスワードも不要

iPhoneのモバイルデータ通信でMacBookをインターネットに接続

外出先でWi-Fiが見つからない時は

外出先でMacBookを利用するとなったら、ネット接続はほぼ必須といっても過言ではない。近くに使えるWi-Fiスポットがない場合は、iPhoneのInstant Hotspot機能を使ってインターネット共有（テザリング）を実行しよう。これは、iPhoneのモバイル回線を使ってMacBookでもネット接続ができる便利な機能。パスワード入力なども必要なく、即座に利用開始できる。利用条件は、まずiPhoneの回線契約でテザリングオプションに加入していること。そして、iPhoneとMacBookが同じApple IDでサインインしており、両方のデバイスでBluetoothとWi-Fiがオンになっている必要がある。あとは右で解説している操作ですぐに接続可能だ。また、iPhoneではなくAndroidスマートフォンでもテザリングを利用可能だ。iPhoneよりは若干手順が多いが、かなり簡単に接続できる。

Instant Hotspotの接続方法

Instant Hotspot以外のテザリング接続方法

iPhone側の接続操作

別のApple IDを使っているiPhoneでは、Instant Hotspotを使わずにテザリング接続することもできる。

Androidスマホ側の接続操作

Androidスマートフォンでもテザリングは利用可能。iPhone同様、テザリングオプションに加入している必要がある。

MacBookの接続操作

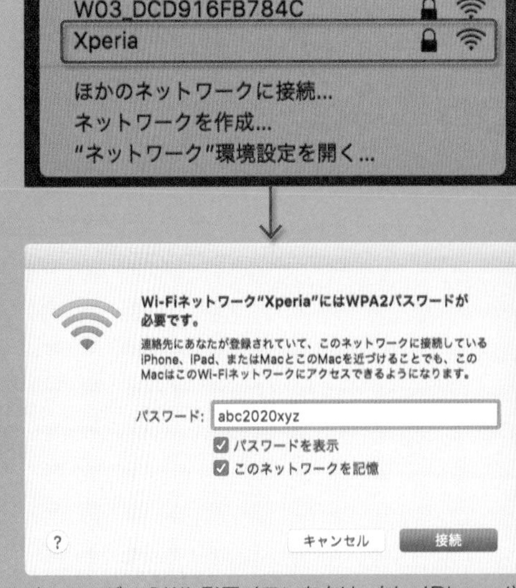

メニューバーのWi-Fiアイコンをクリックし、iPhoneやAndroidスマホの名前を選択。パスワード入力画面で、iPhoneやAndroidスマホで確認、設定したパスワードを入力し、「接続」をクリックすればよい。

002

フリーWi-Fi

万が一のときに役立つWi-Fi接続サービス

外で仕事する際に使いたい フリーWi-Fiスポット

大手カフェやコンビニなら無料でWi-Fi接続できる

外出先でMacBookをインターネット接続するなら、iPhoneやAndroidスマホのテザリング機能が手軽でよい(P091で解説)。ただし、モバイルデータ通信を利用するので、月の利用可能通信量が残り少ないとかなり心許ない。そんなときに役立つのがフリーWi-Fiスポットだ。全国の大手カフェやコンビニチェーンなどが提供しているので、ぜひ利用してみよう。

カフェやコンビニで利用できるおもなフリーWi-Fiサービス

サービス名	ネットワーク名(SSID)	概要	接続制限
at_STARBUCKS_Wi2 http://starbucks.wi2.co.jp/pc/index_jp.html	at_STARBUCKS_Wi2	スターバックスコーヒー店内で接続可能。接続後、ブラウザで新規ページを開いて利用規約に同意すると利用できる。	1回の接続につき1時間まで
DOUTOR FREE Wi-Fi https://www.doutor.co.jp/dcs/service/dtr-wifi.html	DOUTOR_FREE_Wi-Fi	ドトールコーヒー店内で接続可能。接続後、ブラウザで新規ページを開いて利用規約に同意すると利用できる。	1回の接続につき1時間まで
Tully's Wi-Fi https://www.tullys.co.jp/wifi/	tullys_Wi-Fi	Tully's店内で接続可能。接続後、ブラウザで新規ページを開いて利用規約に同意すると利用できる。	1回の接続につき1時間まで
マクドナルド FREE Wi-Fi https://www.mcdonalds.co.jp/shop/mcdwifi/	00_MCD-FREE-WIFI	マクドナルド店内で接続可能。接続後、ブラウザで新規ページを開いて利用規約に同意したら、会員登録を済ませることで利用できる。	1回の接続につき1時間まで
セブンスポット http://webapp.7spot.jp/	7SPOT	セブンイレブンやイトーヨーカドー、デニーズなどの店内で接続可能。接続後、ブラウザで新規ページを開いて利用規約に同意したら、会員登録を済ませることで利用できる。	1回の接続につき1時間まで(1日3回まで)
ファミリーマートWi-Fi https://www.family.co.jp/services/smartphone/famimawi-fi.html	Famima_Wi-Fi	ファミリーマート店内で接続可能。接続後、ブラウザで新規ページを開いて利用規約に同意したら、会員登録を済ませることで利用できる。	1回の接続につき20分まで※(1日3回まで)
LAWSON Free Wi-Fi https://www.lawson.co.jp/service/others/wifi/	LAWSON_Free_Wi-Fi	ローソン店内で接続可能。接続後、ブラウザで新規ページを開いて利用規約に同意したら、会員登録を済ませることで利用できる。	1回の接続につき1時間まで(1日5回まで)

※専用アプリの使用で1回1時間まで利用できる

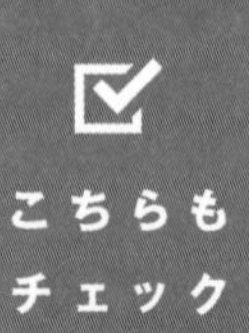

こちらもチェック

公共交通機関や地方自治体もWi-Fiスポットを提供している

カフェやコンビニといった商業施設だけでなく、電車の駅構内やバス車内、空港内といった公共交通機関でもWi-Fiスポットが提供されている。また、全国の地方自治体で、独自にWi-Fiスポットを提供しているところも多い。よく利用する交通機関や地方自治体の公式サイトで調べてみよう。

東京都が提供している無料Wi-Fiスポット「TOKYO FREE Wi-Fi」。SSID「FREE_Wi-Fi_and_TOKYO」に接続して、会員登録すれば誰でも利用できる。

TOKYO FREE Wi-Fi
https://www.wifi-tokyo.jp/ja/

マウス

マウス操作ならもっと効率的に操作できる

MacBookの操作にマウスを使ってみよう

細かい操作はトラックパッドよりもマウスがやりやすい

MacBookのトラックパッドは精度が高く、非常に優れたイターフェイスだが、どうしても慣れない人はマウスを使う手もある。また、フォトレタッチやグラフィックなどデザイン関連アプリで細かな作業をする際など、マウス操作が向いている場合もある。MacBookで使えるマウスで最もおすすめなのは、Appleの「Magic Mouse 2」だ。その他、廉価な他社製マウスと共にチェックしよう。

Apple公式のマウス「Magic Mouse 2」

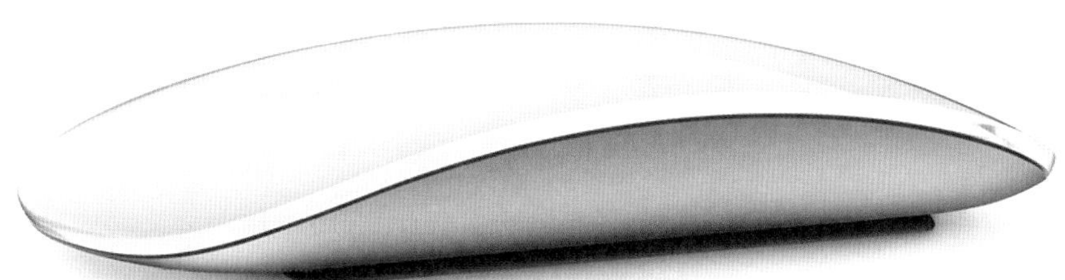

Magic Mouse 2
メーカー／Apple
実勢価格／7,800円(税別)

マルチタッチでのジェスチャ操作に対応したマウス

Appleが開発したスタイリッシュなワイヤレスマウス。上面部分はマルチタッチに対応しており、1本指で上下に動かしてスクロールしたり、2本指で左右にスワイプしてアプリを切り替えたりなどが行える。電池交換不要の充電式で、充電はマウス底面にある端子にケーブルを差し込む必要がある。そのため、充電中はマウスが使えないので注意が必要だ。とはいえ、1度フル充電をすれば、3ヶ月は使えるのでそれほど不便ではない。。

ジェスチャ操作の確認はシステム環境設定で

Magic Mouse 2をMacBookに接続したら、「システム環境設定」の「マウス」で設定を行っておこう。ここで各ジェスチャ操作の方法も確認可能だ。なお、初期設定の場合、一般的なホイール付きマウスとスクロールの方向が違うので、気になる人は「ポイントとクリック」の「スクロールの方向:ナチュラル」のチェックを外しておくといい。また、右クリックを使いたい場合は「副ボタンのクリック」も有効にしておこう。

そのほかのオススメマウス

モダンモバイルマウス KTF-00007
メーカー／マイクロソフト
実勢価格／3,609円(税込)

コスパ最強のマイクロソフト製ワイヤレスマウス

マイクロソフトのBluetooth接続ワイヤレスマウス。Windows用ではあるが、MacBookでも使うことが可能だ。単4電池2本使用で、最大12ヶ月利用できるという省電力な作りもポイント。デザインもよい。

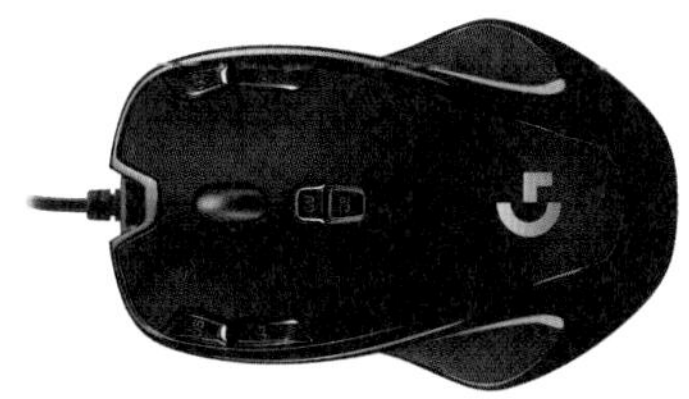

ゲーミングマウス G300Sr
メーカー／Logicool G
実勢価格／2,618円(税込)

9個のボタンを自由にカスタマイズできるゲーミングマウス

ゲームを遊ぶなら、上のようなゲーミングマウスがオススメ。専用のドライバを入れることで各ボタンの機能を自由にカスタマイズ可能だ。なお、USB-Aの有線接続なのでUSB-Cへの変換が必要となる。

気になるポイント

モバイル環境ならBluetoothの無線マウスがオススメ

無線マウスの通信方式には、Bluetooth方式とUSBレシーバーを介して通信する2.4GHz方式の2つが存在する。どちらもMacBookで使えるのだが、2.4GHz方式には1つ問題がある。それは、2.4GHz方式のUSBレシーバーの多くがUSB-A端子となっている点だ。USB-C端子しかないMacBookで利用するには、変換アダプタやUSBハブが必要となり、ちょっと接続が面倒くさい。MacBook用に購入するなら、シンプルに接続できるBluetooth方式の無線マウスを選ぼう。

004

便利機能

意外と知られていない機能を一挙に紹介!

macOSの隠れた便利機能を利用する

「Split View」でウインドウをタイル表示にする

2つのウインドウを画面分割して表示してみよう

macOSでは、「Split View」という機能で、2つのウインドウを画面中央で分割して同時に表示させることが可能だ(これを「タイル表示」と呼ぶ)。ウインドウの左上にある緑色のフルスクリーンボタンにマウスポインタを合わせ、表示されたメニューからタイル表示の項目を選んでみよう。そのウインドウがタイル表示になり、もう片方のウインドウを選べば分割表示になる。

1 ウインドウのフルスクリーンボタンからタイル表示を選ぶ

分割表示したいウインドウを表示しておき、フルスクリーンボタン(緑色)にマウスポインタを合わせる。メニューから「ウインドウを～にタイル表示」を実行しよう。

2 2つのウインドウがSplit Viewでタイル表示された

すると、そのウインドウがタイル表示になるので、もう片方のエリアでタイル表示するウインドウを選ぼう。これで2つのウインドウが画面中央で分割される。

「ホットコーナー」でデスクトップなどをすぐ呼び出す

画面の四隅から各種機能を呼び出してみよう

デスクトップやMission Controlをすぐに呼び出したい人は「ホットコーナー」を設定しておこう。ホットコーナーを使えば、マウスポインタを画面の各コーナー(四隅)に移動することで、割り当てた機能を即座に呼び出せる。割り当てられる機能は、「Mission Control」、「アプリケーションウインドウ」、「デスクトップ」、「Launchpad」、「ディスプレイをスリープする」などだ。

1 「システム環境設定」の「Mission Control」から設定する

Appleメニュー→「システム環境設定」→「Mission Control」の左下にある「ホットコーナー」をクリック。それぞれのコーナーに機能を割り当てよう。

2 各コーナーにマウスポインタを移動すると機能が呼び出せる

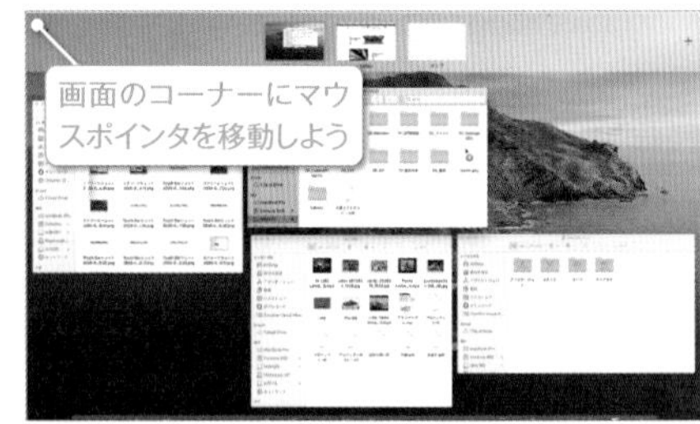

画面の各コーナーにマウスポインタを移動してみよう。すると、「Mission Control」や「デスクトップ」など、割り当てた機能をすぐに呼び出すことができる。

Finderでファイルの一括リネームを行う

ファイル名の検索置換や連番リネームなどができる

複数のファイルを一括リネームしたい場合は、Finderの標準機能を使ってみよう。複数ファイルを選択して「○項目の名前を変更」を実行すると、リネーム用のダイアログが表示される。ここからリネームの内容を設定して「名前を変更」をクリックすればOKだ。ファイル名を検索置換したり、文字列を追加したり、連番ファイルにしたりなど、いろいろなリネーム処理に対応している。

1 複数のファイルを選択して右クリックする

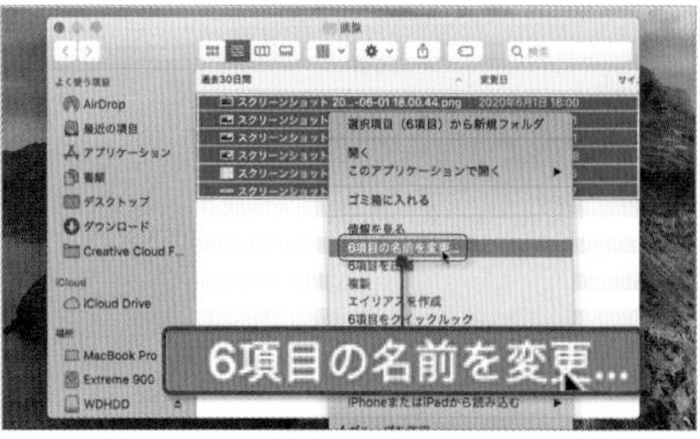

まずは、Finderウインドウでリネームしたいファイルを複数選択する。右クリックして「○項目の名前を変更」を選択しよう。

2 リネームの内容を設定する

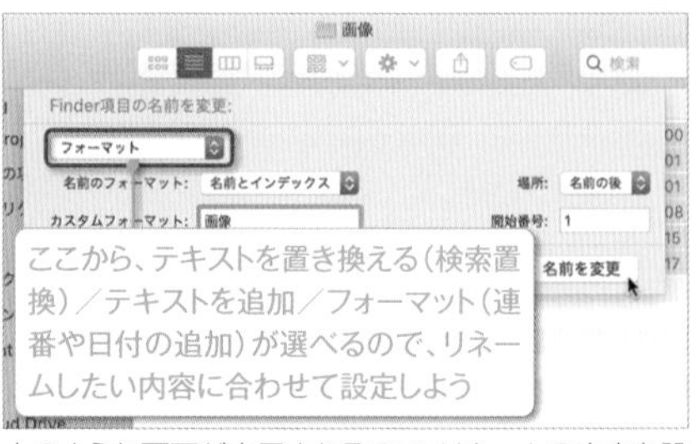

上のような画面が表示されるので、リネームの内容を設定する。「名前を変更」で一括リネームだ。なお、「command」+「Z」でリネームを取り消すことができる。

ファイルにロックをかける

変更／削除したくない 大事なファイルをロックする

間違えて書類の内容が変更されたり、ファイル自体を削除されたりしないように、ファイルにロックをかけることが可能だ。ロックを有効にしたい場合は、ファイルを選択して右クリック→「情報を見る」から「一般情報」の「ロック」をオンにしよう。ロックしたファイルは、内容を変更したときやゴミ箱に入れたときに確認が表示されるようになる。なお、フォルダもロックが可能で、中のファイルの移動も禁止される。

1 ファイルを選択して「情報を見る」からロックする

ロックしたいファイルを選択したら、右クリック→「情報を見る」を選択（または「command」+「I」）。「一般情報」の「ロック」にチェックマークを入れよう。

2 ファイルの変更／削除時に確認画面が表示される

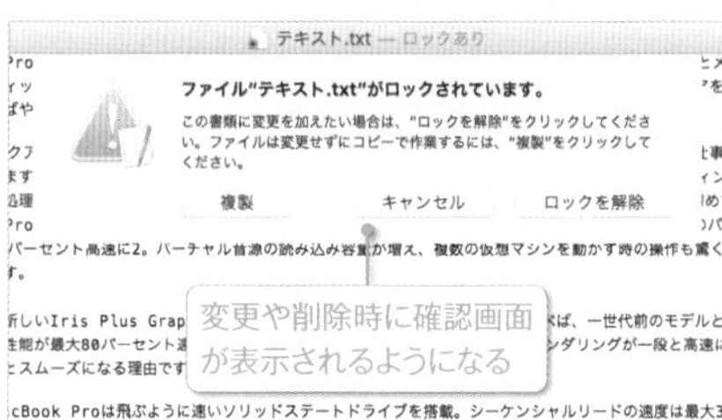

ロックしたファイルの内容を変更しようとすると上のような確認画面が表示される。また、ゴミ箱に入れようとしても確認画面が表示されるので安心だ。

Macの画面をムービーで収録する

デスクトップの様子を 動画ファイルで保存しよう

macOSは、デスクトップやウインドウの様子を画像や動画として保存できるキャプチャ機能が搭載されている（スクリーンショットについてはP053で詳しく解説）。ここでは、MacBookのデスクトップを動画で録画して、movファイルとして保存する方法を紹介しておこう。まずは、「shift」+「command」+「5」を押したら、「画面全体を収録」か「選択部分を収録」ボタンを押す。そのまま「収録」ボタンを押せば録画が開始され、ステータスメニューの停止ボタンを押すと終了する。アプリのチュートリアル動画を作りたいときや、ゲームのプレイ動画を撮影したいときなどに利用してみよう。

1 「shift」+「command」+「5」から録画をスタートさせる

「shift」+「command」+「5」を押したら、まず画面下のボタンで「画面全体を収録」か「選択部分を収録」かを選び、「収録」で録画をスタートさせる。

2 ステータスメニューのボタンで録画を停止

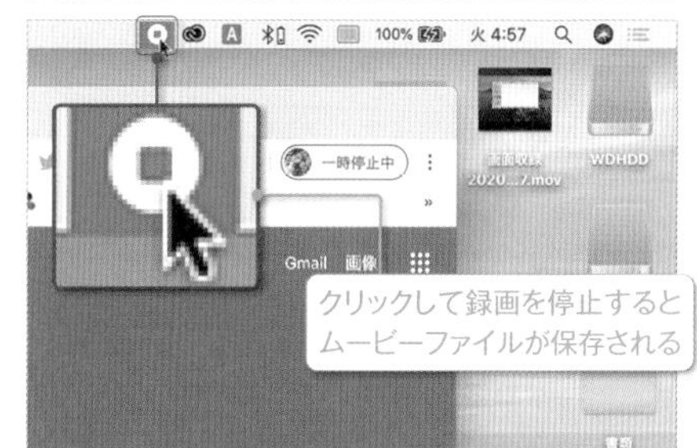

収録がひと通り終わったら、ステータスメニューの停止ボタンをクリック。動画がmovファイルとして保存される。保存先は「オプション」で設定可能だ。

こちらもチェック

iPhoneの画面をMacBookで収録する

iPhoneの画面を録画することもできる。MacにiPhoneを接続した状態で「QuickTime Player」を起動したら、「ファイル」→「新規ムービー収録」を選択。録画ボタン横の「V」ボタンをクリックして、カメラとマイクにiPhoneを選び、録画を開始すればいい。

定期的に時報をアナウンスさせる

定期的に現在時刻を 音声でお知らせしてくれる

macOSでは、システム音声に「5時30分です」といったような時報をアナウンスさせることができる。「システム環境設定」の「日付と時刻」にある「時計」画面から設定可能だ。音声アナウンスによって、今何時なのかが定期的にわかるようになるので、時間を忘れて仕事に没頭してしまったり、YouTubeなどを見続けてしまうといった人は設定しておくといい。

1 システム環境設定から「日付と時計」を選択

まずは、Appleメニュー→「システム環境設定」→「日付と時刻」を選択しよう。

2 「時計」画面で「時報をアナウンス」を有効にする

「時計」画面を表示したら、「時報をアナウンス」にチェック。あとは、時間を1時間／30分／15分から選べばOK。これで設定時間ごとに時報がアナウンスされる。

005

Mission Control

同時に複数のアプリを使いたい人にオススメ

複数のデスクトップを利用する

Mission Controlで仮想デスクトップを使う

「Mission Control(P053参照)」には、複数の操作スペースを切り替えながら使うことができる、いわゆる仮想デスクトップ機能が搭載されている。MacBookの1画面だけだと、複数のウインドウやアプリを同時に表示するには限界がある。しかし、仮想デスクトップ機能を使えば、複数の操作スペースを追加して、ウインドウを分散表示させることが可能だ。たとえば、デスクトップ1の操作スペースには仕事の作業に必要なウインドウを表示しておき、デスクトップ2にはミュージックアプリを表示してBGMを再生、デスクトップ3にはメールやメッセージ系のアプリを起動しておく、といった使い方ができる。ほかの操作スペースに切り替えたいときは、Mission Controlの画面から選択できるほか、各種ショートカット操作(下記参照)で瞬時に切り替えも行えるので覚えておこう。

操作スペース切り替えのおもな操作方法

◉トラックパッドを使い、3本指または4本指で左右にスワイプする

◉Apple製のMagic Mouseを使い、2本指で左右にスワイプする

◉キーボードを使い、「control」+カーソルキーの左または右を押す

そもそも仮想デスクトップ機能とは?

Mission Controlでは、複数のデスクトップを作成して切り替えながら使うことができる。各デスクトップには、好きなウインドウを配置することが可能だ。デスクトップの切り替えは「control」+カーソルキー左右で行える。

Mission Controlでデスクトップを追加する

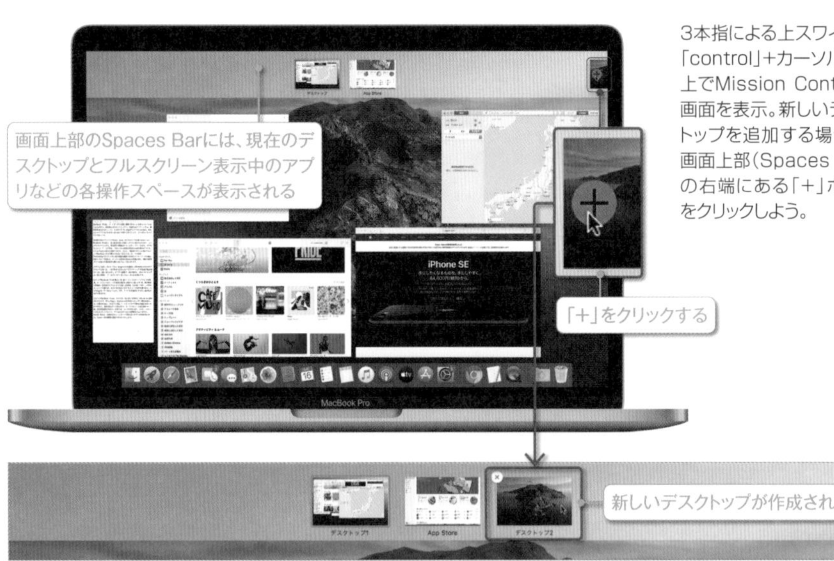

3本指による上スワイプや「control」+カーソルキー上でMission Controlの画面を表示。新しいデスクトップを追加する場合は、画面上部(Spaces Bar)の右端にある「+」ボタンをクリックしよう。

すると、画面上部のSpaces Barに新しいデスクトップ「デスクトップ2」が作成される。クリックすることでデスクトップの切り替えが可能だ。なお、不要なデスクトップを削除したい場合は、ポインタを合わせて「×」ボタン押す。

Mission Controlでデスクトップやウインドウを管理する

1 ウインドウはほかのデスクトップにドラッグ&ドロップで移動できる

Mission Controlでウインドウをドラッグし、Spaces Bar上のデスクトップにドロップすると、そのデスクトップにウインドウを移動することが可能だ。

2 アプリウインドウをフルスクリーン表示の画面として追加する

アプリウインドウをSpaces Barの空いたスペースにドラッグ&ドロップすると、そのアプリのフルスクリーン表示画面を作ることができる。

3 フルスクリーン表示の画面にウインドウを重ねてSplit Viewにする

Split Viewに対応しているアプリのウインドウをフルスクリーン表示中の操作スペースにドラッグすると、その画面をSplit Viewに変更することができる。

ファイル管理

スマートフォルダやタグ機能を使いこなそう ファイル管理の上級技

目的のファイルをもっと見つけやすくする

ファイル管理を極めたいなら、Finderの「スマートフォルダ」と「タグ」機能をマスターしておこう。スマートフォルダとは、Finderにおけるファイル検索の結果をフォルダ化したような機能だ。スマートフォルダに検索条件を設定すれば、その条件に合致するファイルを自動的に集めてくれるようになる。たとえば、【ファイル名に「スクリーンショット」の文字が含まれるPNG形式の画像】だけを集めたい、といったケースで使うと便利。もうひとつのタグ機能とは、ファイルやフォルダに特定のタグを付けて、分類できるようになる機能だ。たとえば、削除してはいけない重要な書類に「重要」タグを付けておくと、ファイルがどこにあってもサイドバーの「重要」タグから見つけることができる。なお、タグの名前や色などは、自分で変更できるので、使いやすいようにカスタマイズしておこう。

検索した条件で項目を自動で集める「スマートフォルダ」

1 新規スマートフォルダを作成する

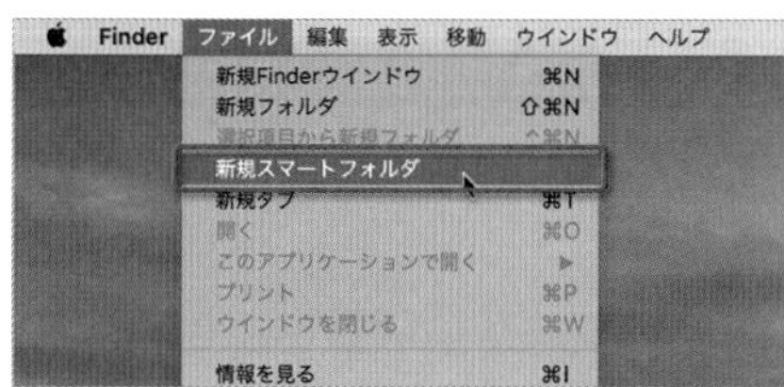

スマートフォルダを作りたい場合は、まずFinderの「ファイル」→「新規スマートフォルダ」を実行しよう。すると、新規スマートフォルダのウインドウが開く。

2 検索条件を設定して「保存」をクリック

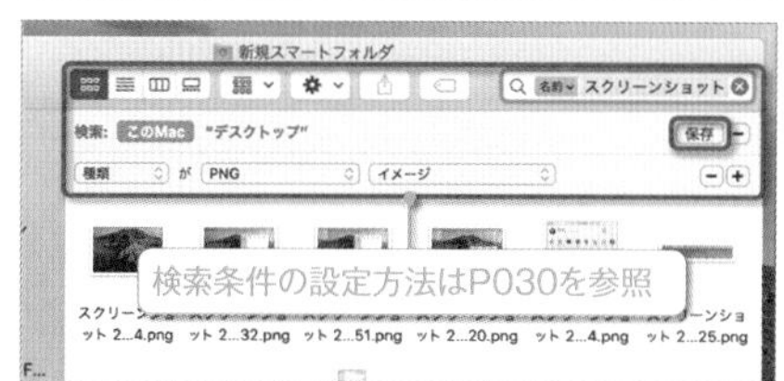

スマートフォルダに集めるファイルの条件を設定しよう。検索欄でキーワードを入力したり、「+」ボタンで検索条件を設定したら「保存」をクリックする。

3 スマートフォルダの名前と場所を指定して保存

スマートフォルダの名前と保存場所を設定して「保存」をクリックする。「サイドバーに追加」にチェックを入れておくと、Finderのサイドバーに追加できる。

4 あとでスマートフォルダの検索条件を変更する

あとでスマートフォルダの条件を変えたい場合は、スマートフォルダを開き、ツールバーの歯車アイコンから「検索条件を表示」を選択。検索条件を変更しよう。

タグ機能でファイルを管理する

1 Finder環境設定でタグの設定を行う

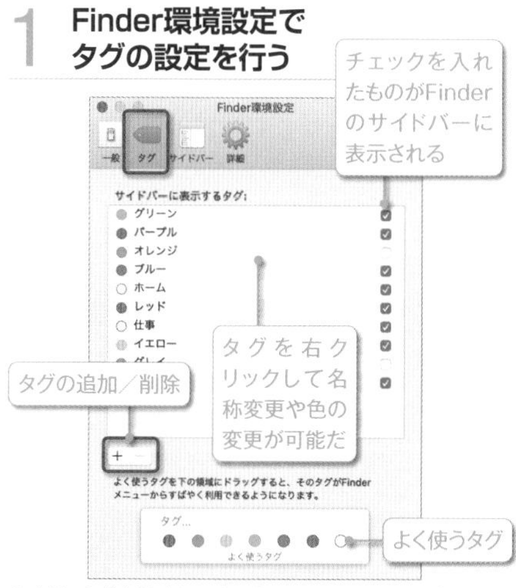

まずは、タグを設定しておこう。Finderメニューバーから「Finder」→「環境設定」を選択。「タグ」画面で各種タグの名称や色の変更、Finderのサイドバーに表示するタグの設定、タグの追加/削除などが可能だ。また、よく使うタグ(7つまで設定できる)も設定しておこう。

2 ファイルにタグを付ける

ファイルにタグを付ける場合は、ファイルを右クリックしてタグを選択すればいい。なお、タグは1つのファイルに対して複数を付けることが可能だ。また、タグの付いたファイルは、タグの色マークが付くようになる。

3 Finderのサイドバーからタグの付いたファイルを表示

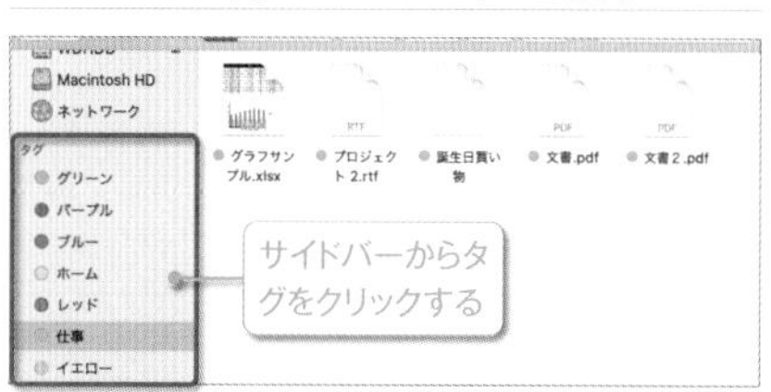

Finderウインドウのサイドバーからタグを選ぶと、そのタグが付いた項目が一覧表示される。これで特定のタグの付いたファイルを素早く見つけることが可能だ。

スマートフォルダとタグを組み合わせる

スマートフォルダの検索条件にタグを設定することで、2つの機能を組み合わせることが可能だ。なお、初期設定の状態だと、検索条件として「タグ」を選ぶことができない。その場合は、検索条件のドロップダウンメニューから「その他」を選び、「タグ」をメニューに表示しておこう。

007

日本語入力

Google日本語入力とATOK for Macを試してみよう

macOSの標準日本語入力が使いにくい場合は

他社製の日本語入力システムを使ってみよう

macOS標準の日本語入力システムが使いにくいと感じたら、他社製の日本語入力システムを試してみよう。代表的なものは「Google日本語入力」と「ATOK for Mac(ATOK Passport)」の2つだ。Google日本語入力は無料ながら変換精度が高いのが特徴。ATOKはプロの記者などにも使われる信頼性の高い日本語入力システムだ(月額課金制だが初回は30日間の試用が可能)。ここでは、それぞれの日本語入力システムのおもな特徴を紹介しておくので、参考にしてほしい。

Google日本語入力
作者/Google
価格/無料
入手先/https://www.google.co.jp/ime/

ATOK for Mac (ATOK Passport)
作者/ジャストシステム
価格/月額300円(税抜)〜
入手先/https://www.justsystems.com/jp/products/atokmac/

他社製日本語入力システムに切り替える方法

1 他社製日本語入力システムをインストールする

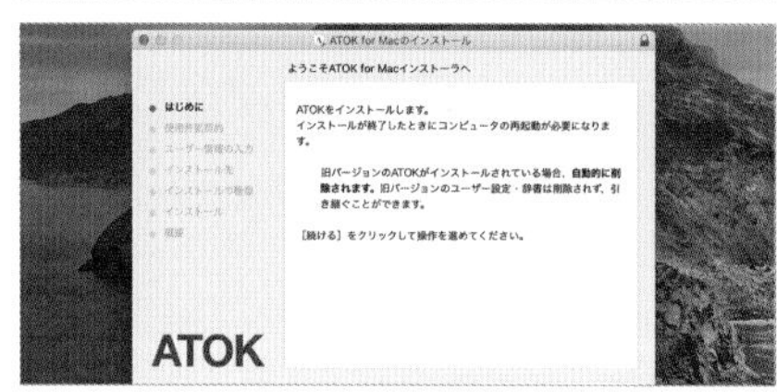

まずは、Google日本語入力やATOKといった他社製日本語入力システムをインストールしておこう。

2 日本語入力システムを切り替える

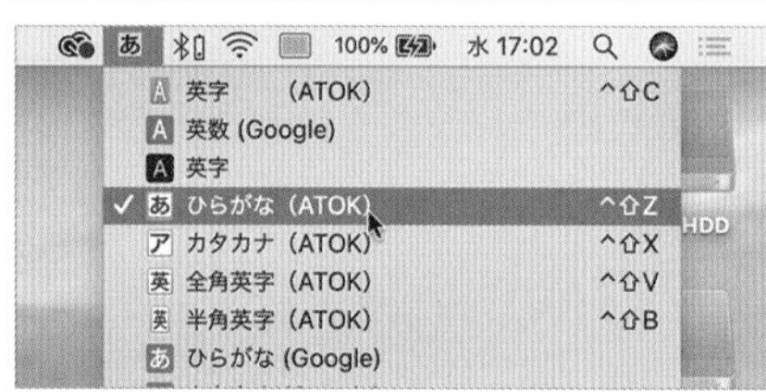

インストールが終わったら、ステータスメニューの日本語入力アイコンをクリック。使いたい日本語入力システムに切り替えてみよう。

標準の日本語入力システムを削除するには?

他社製日本語入力システムをメインに使うのであれば、標準の日本語入力システムを削除してステータスメニューの項目をすっきりさせておこう。削除する場合は「システム環境設定」→「キーボード」→「入力ソース」の画面を表示したら、標準の日本語入力システムを選択して「ー」ボタンをクリックすればいい。

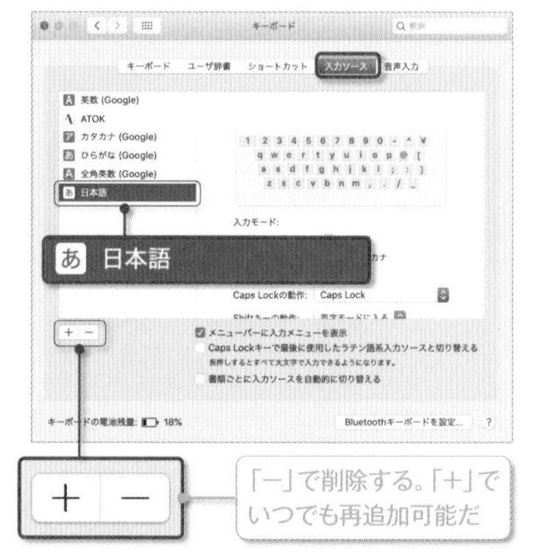

「Google日本語入力」の特徴

流行の言葉が変換しやすい

Webサイトなどで使われる膨大な語彙から辞書を作成しているので、珍しい人名や流行っている店名、ネットスラングなどをスムーズに変換できるのが特徴。入力ミスを正しい文字に補完してくれる機能に関しても、Mac標準の日本語入力システムより優秀だ。

流行の言葉をすぐに変換できる

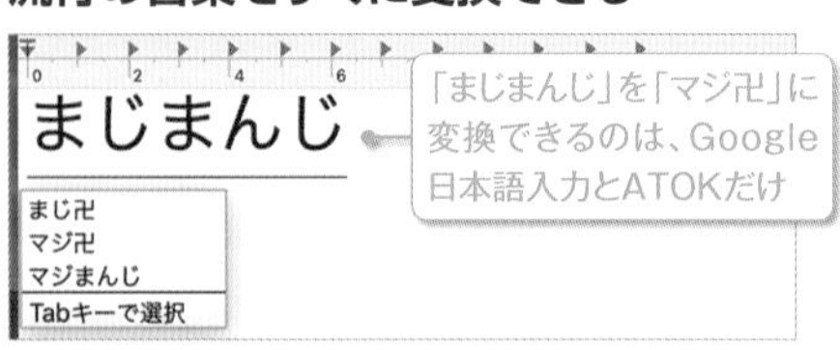

Google日本語入力は、最新の用語にも素早く対応してくれるため、若者の間で流行っているネットスラングなどもかなりの精度で変換できる。

使えば使うほど入力効率が上がる

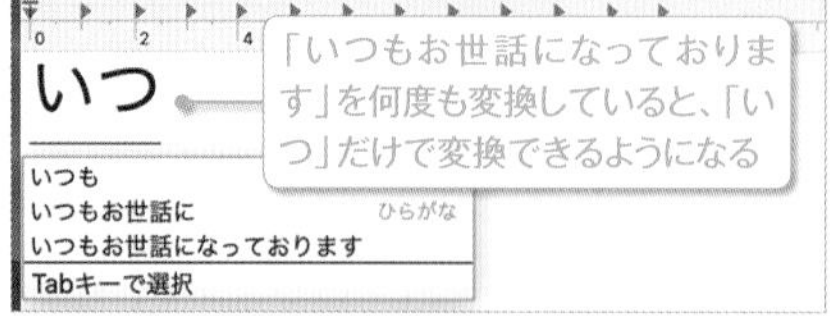

何度も同じ文章を入力していると、補完機能により変換候補にその文章が表示されるようになる。macOSの日本語入力システムと同じような機能だ。

入力ミスもある程度補完してくれる

Mac標準の日本語入力システムでは補完できなかった入力ミスも、しっかり変換してくれる。こういった補完機能があるだけでも、入力の時短につながるのだ。

使いこなしヒント

ユーザ辞書はそれぞれの日本語入力システムで登録する

ユーザ辞書は、日本語入力システムごとに独立しているので、それぞれ個別に登録していくか、他のユーザ辞書をインポートする必要がある。辞書の単語を登録するには、登録したい日本語入力システムに切り替えてからステータスメニューの「単語登録」を選ぼう。

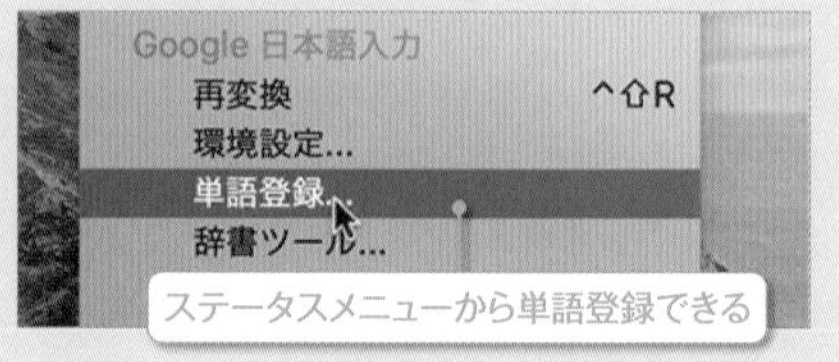

「ATOK for Mac」の特徴

正しい日本語を教えてくれるプロ仕様

ATOKは、現時点で最も優れた日本語入力システムだ。ただ言葉を変換してくれるだけでなく、日本語表現の間違いを指摘してくれたり、言葉の別の表現を提案してくれたりなど、使うだけで自分の文章力がアップするような機能が魅力となっている。

クラウド対応の辞書と変換機能で最新のキーワードも即変換

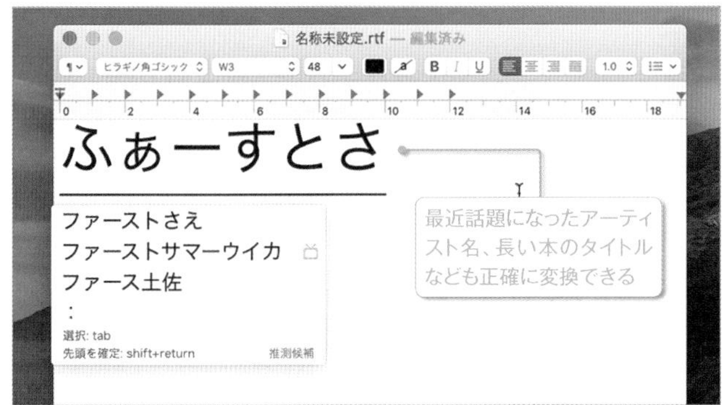

ATOKの辞書はクラウドに対応しており、最新のキーワードが随時追加されるため、最新の映画やアーティスト名なども数文字の入力で変換可能だ。また、よく使う言葉のジャンルを優先して候補を表示してくれるので、使い込むほど変換しやすくなる。

変換中の言葉の意味を広辞苑などのクラウド辞典で調べられる

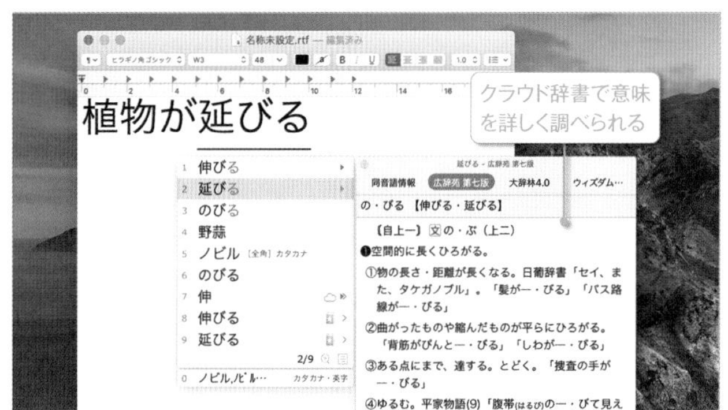

言葉によっては、変換中に意味を調べることができる。他の日本語入力システムでも言葉の意味は確認できるが、かなり限定的だ。ATOKでは広辞苑や大辞林などがクラウド辞書として提供されているため、対応する言葉の数が多い。

言葉の間違った使い方を指摘してくれる

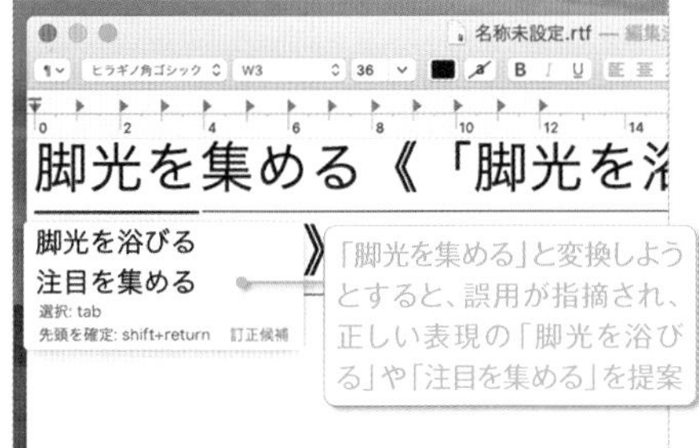

読み方や慣用句などを間違えて入力しても、ATOKがミスを指摘し、訂正することができる。これなら、使っているだけで正しい日本語が身についていく。

言葉の別の表現を提案してくれる連想変換機能

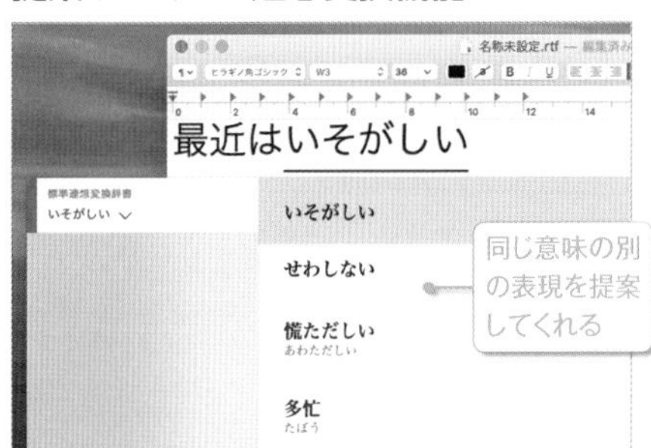

文章の途中で「いそがしい」を入力して連想変換すると、「せわしない」や「慌ただしい」など、別の表現を提案してくれる。表現の幅が広げられるので便利だ。

ミスタッチの補完もかなり優秀

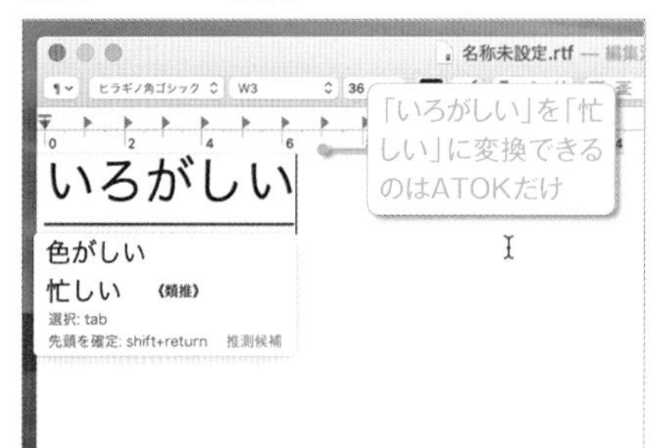

たとえば、「いそがしい」と入力しようとして「いろがしい」とキータイプをミスしてしまっても、ATOKなら正しい日本語を推測して変換してくれるのだ。

入力した文字を翻訳してくれる8カ国語クラウド翻訳変換

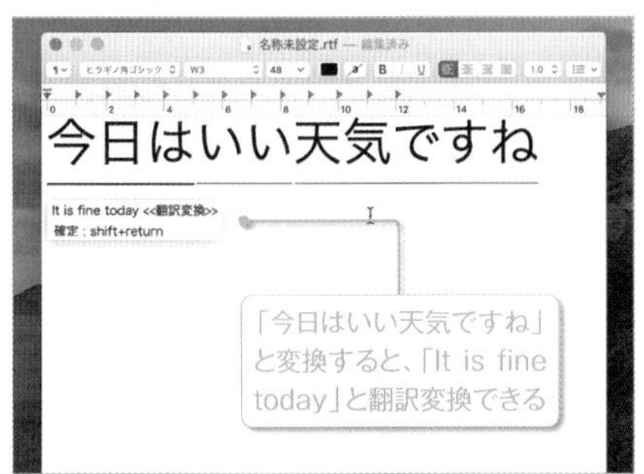

クラウド翻訳変換をオンにしておくと、入力した日本語を英語や中国語、韓国語などに翻訳することができる。いちいち翻訳サイトを使わずに済むので、海外とメールやチャットでやりとりするときに便利だ。

文章の間違いを指摘してくれるクラウド文章校正

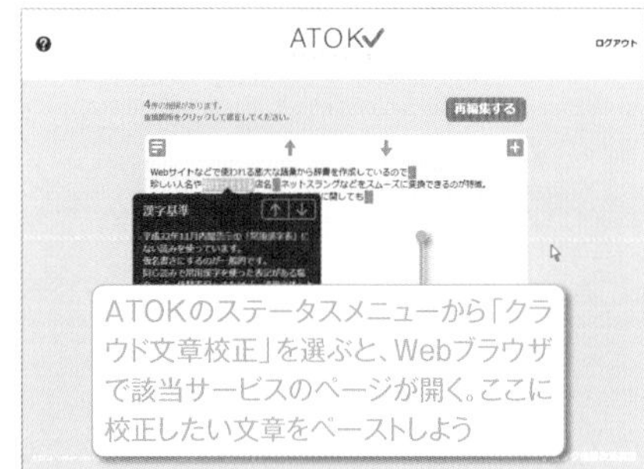

ATOKユーザーは、クラウド文章校正サービスを自由に使うことができる。文章の間違いや表記ゆれなどを指摘してくれるので利用してみよう。ただし、単純な入力ミスなどはチェックできないことが多いので注意だ。

気になるポイント

ATOK Passportの料金プラン

ATOK Passportには右表のような3つのプランがある。フル機能が使えるプレミアムと基本機能が使えるベーシックに分かれており、プレミアムの場合は月間のほか年間プランも選ぶことが可能だ。試用版で気に入ったら購入を考えてみよう。

プラン	価格
ATOK Passport プレミアム [年間プラン]	6,000円/年(税別)
ATOK Passport プレミアム [月間プラン]	500円/月(税別)
ATOK Passport ベーシック [月間プラン]	300円/月(税別)

ATOK Passportは、Mac版だけでなく、Windows版やAndroid版もすべて含まれた料金だ。また、ATOKを最大10台の端末にインストールすることができる。

008

音声入力

キーボードを使わずにテキストを入力する

音声入力を使って テキストを入力してみよう

MacBookに話しかけて テキストを作成できる

macOSには、音声認識によるテキスト入力機能が搭載されている。この機能を使いたい場合は、「システム環境設定」の「キーボード」→「音声入力」から、音声入力を「オン」にしておこう。あとは、テキストが入力できる状態で「fn」キーを2回連続で押せばいい。マイクマークが表示されたら、MacBookに話しかけてみよう。話した内容がそのままテキストとして入力され、リアルタイムに変換されていく。音声入力に慣れると、キーボードを使った入力よりもスピーディに文章を作成することも可能だ。

システム環境設定で音声入力を有効にする

1 「システム環境設定」の「キーボード」から音声入力を有効にする

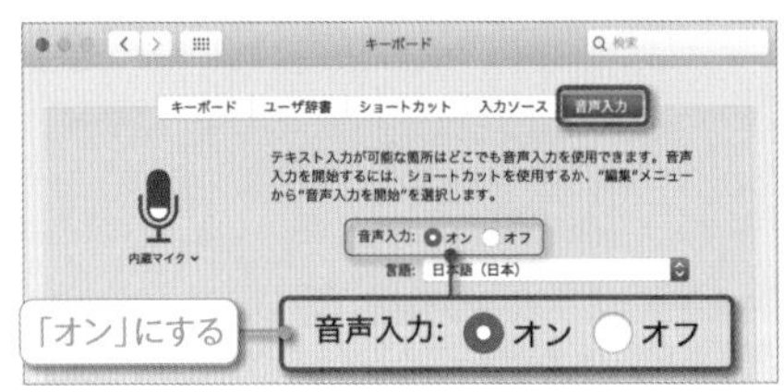

まずは、Appleメニューから「システム環境設定」を開き、「キーボード」→「音声入力」をクリック。音声入力を「オン」にしておこう。

2 「音声入力を有効にする」をクリック

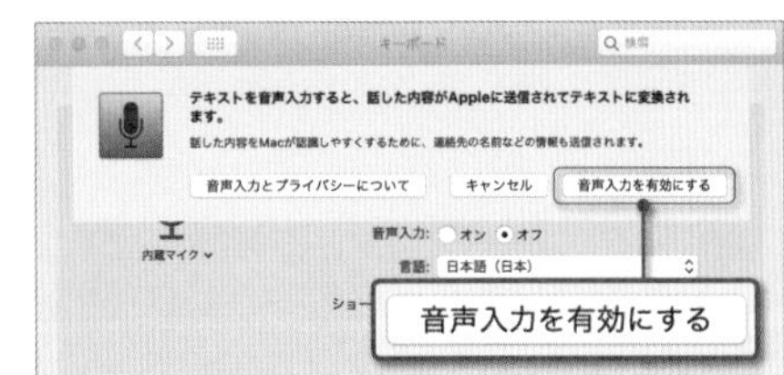

確認画面が表示される。音声入力で話した内容がAppleに送信され、テキスト変換されることに了承するなら「音声入力を有効にする」をクリックしよう。

音声入力でテキストを入力してこう

1 「fn」キーを2回押すと音声入力が有効になる

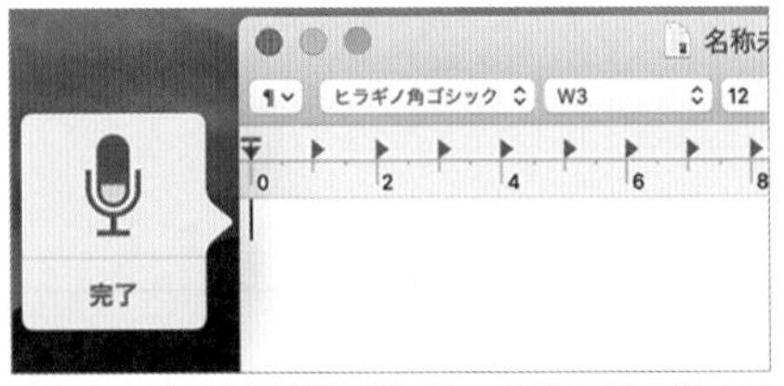

文字入力が可能な状態で「fn」キーを2回押してみよう。マイクマークが表示されれば、音声入力が有効になった状態だ。MacBookに話しかけてみよう。

2 音声入力でテキスト入力していこう

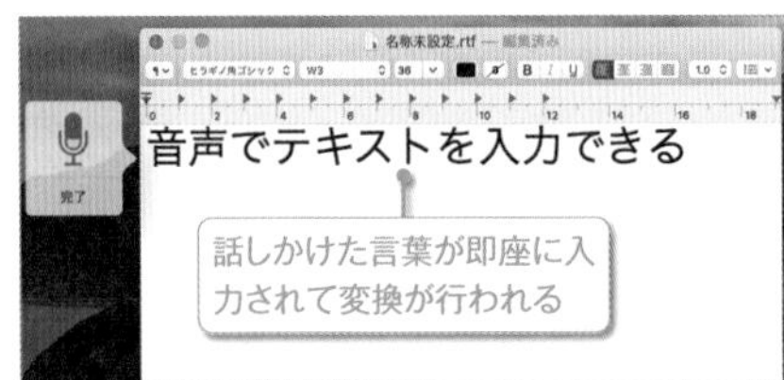

MacBookに話しかけた内容が音声認識され、テキストとして入力される。テキストは自動的に変換されていくので、そのまま話し続けていくだけでOKだ。

3 句読点や記号は音声コマンドで入力する

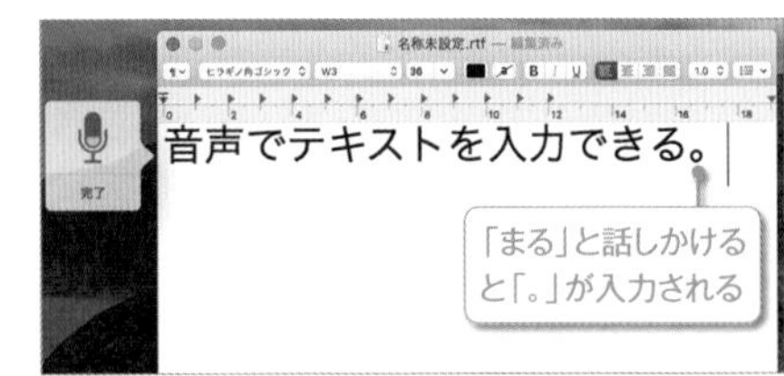

句読点や記号を入力したい場合は、下表でまとめたような音声コマンドで入力しよう。音声入力を終了したい場合は、returnキーなどを押せばOKだ。

4 改行は「かいぎょう」と話しかければOK

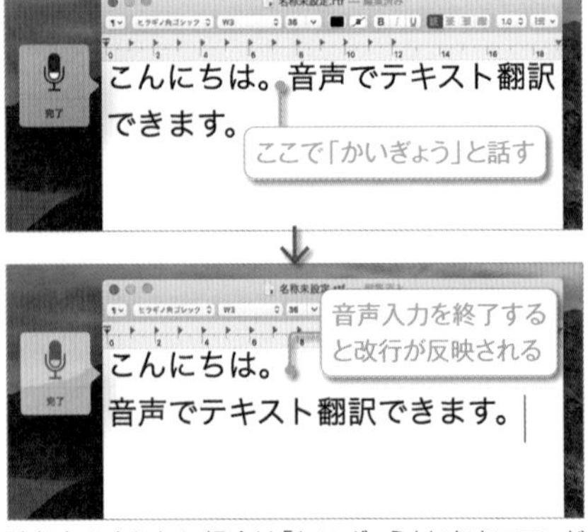

改行を入力したい場合は「かいぎょう」と音声コマンドを入力しよう。音声入力時点では改行が入ったように見えないが、入力が終わると改行が反映される。

おもな音声コマンド

音声コマンド	結果
まる	。
てん	、
かっこ	(
かっことじ	)
かぎかっこ	「
かぎかっことじ	」
びっくりマーク	!
はてな	?
さんてんリーダー	…
なかぐろ	・

音声コマンド	結果
アットマーク	@
かいぎょう	改行を入れる
スラッシュ	/
アンド	&
パーセント	%
アンダーバー	_
シャープ	#
こめじるし	※
コロン	:
セミコロン	;

009 ショートカット

キーボードショートカットでスピーディに操作しよう

上級者が使っている超効率化ショートカット

Finderの操作をショートカットで効率化

macOSの基本的なキーボードショートカットについてはP036でも紹介しているが、ここではFinderの操作を中心としたそのほかのショートカットをいくつか紹介しておこう。いちいちメニューやボタンを操作する必要がなくなるので、Finderをもっと効率よく操作できるようになる。

覚えておくと便利なキーボードショートカット

Finder App

印刷する

command + P

Finderで選択したファイル、またはアプリで開いているファイルをを印刷する。

Finder

アプリウインドウを非表示に

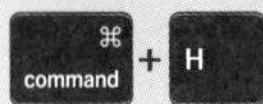

command + H

最前面のアプリウインドウを非表示にする。再表示するには、Dockからアプリのアイコンをクリックすればいい。

Finder

他のウインドウを非表示に

option + command + H

最前面のアプリウインドウだけを表示し、その他のすべてのウインドウを非表示にする。

Finder

新規タブを開く

command + T

Finderウインドウで新規タブを開く。Finderウインドウが開いていない場合は、新規ウインドウが開かれる。

Finder

画面をロックする

control + command + Q

すぐに画面をロックして、ロック画面を表示する。オフィスなどで一時的に退席するときに使うと便利。

Finder

ログアウトする

shift + command + Q

macOSユーザーアカウントからログアウトする。

Finder

ディスクを取り出す

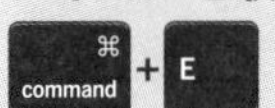

command + E

選択したディスクまたはボリュームを取り出す。

Finder

最近使った項目を開く

shift + command + F

Finderウインドウで「最近使った項目」を開く。

Finder

iCloud Driveを開く

shift + command + I

Finderウインドウで「iCloud Drive」を開く。

Finder

ホームフォルダを開く

shift + command + H

現在のmacOSユーザアカウントのホームフォルダを開く。

Finder

ダウンロードフォルダを開く

option + command + L

Finderウインドウで「ダウンロード」フォルダを開く。

Finder

ネットワークを開く

shift + command + K

Finderウインドウで「ネットワーク」を開く。

Finder

AirDropを開く

shift + command + R

Finderウインドウで「AirDrop」を開く。

Finder

アプリケーションを開く

shift + command + A

Finderウインドウで「アプリケーション」フォルダを開く。

Finder

ユーティリティを開く

shift + command + U

Finderウインドウで「ユーティリティ」フォルダを開く。

Finder

上のフォルダに移動

command + ▲

Finderウインドウで表示している現在のフォルダからひとつ上のフォルダを開く。

Finder

表示形式を変更する

command + 1 〜 4

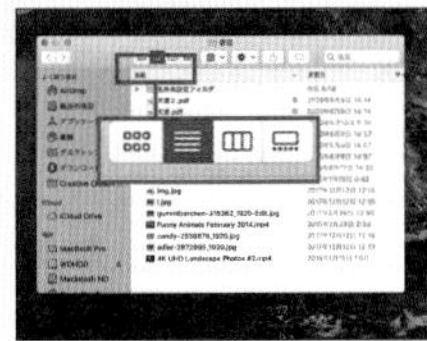

Finderウインドウの表示形式を、アイコン／リスト／カラム／ギャラリー表示に切り替える。

Finder

Dockに追加する

shift + control + command + T

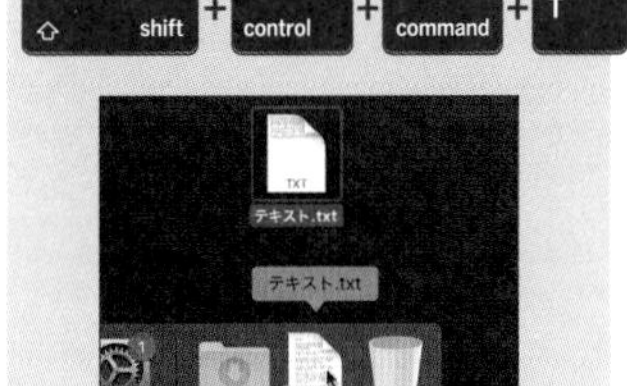

Finderで選択したファイルやフォルダなどの項目をDockに追加する。

Finder

内包するフォルダを表示

command + クリック

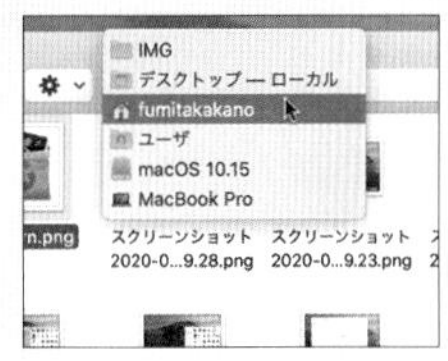

Finderウインドウのタイトルを「command」+クリックすると、内包するフォルダを表示できる。右クリックでもOKだ。

Finder App

メニューを拡張する

option

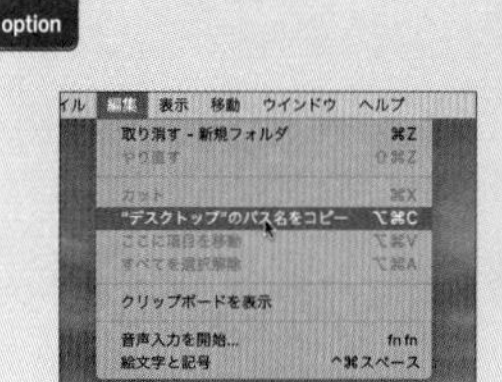

「option」キーを押しながらメニューを表示すると、通常表示されていなかったメニュー項目が表示される。

010

Time Machine

macOSのバックアップシステムを使いこなす

Time Machineでバックアップを行おう

macOSの全ファイルを手軽にバックアップできる

「Time Machine」は、macOS標準のバックアップシステムだ。外付けドライブやNAS(ネットワーク接続ハードディスク)をバックアップ用ドライブとして設定しておくと、macOSのすべてのファイルを自動的にバックアップしてくれる。ここでは、空の外付けドライブを用意し、Time Machineでバックアップする方法を紹介しよう。

外付けドライブをフォーマットしておこう

1 外付けドライブを用意する

外付けドライブをMacに接続した場合、上のようにTime Machineでバックアップを作成するか聞かれることがある。ここではバックアップの設定は開始せず、「後で決める」をクリックしておこう。

2 ディスクユーティリティを起動する

Time Machineのために用意した外付けドライブは、最初にフォーマットして内容をすべて消しておくとトラブルが少ない。フォーマットするには、Launchpadの「その他」→「ディスクユーティリティ」を開く。

3 外付けドライブを消去する

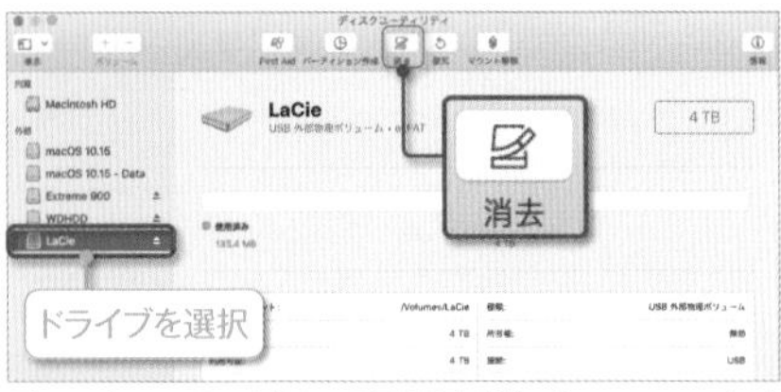

ディスクユーティリティの画面左側からフォーマットする外付けドライブを選び、「消去」をクリック。なお、フォーマットするとドライブの内容はすべて消える。

4 フォーマットの形式を決める

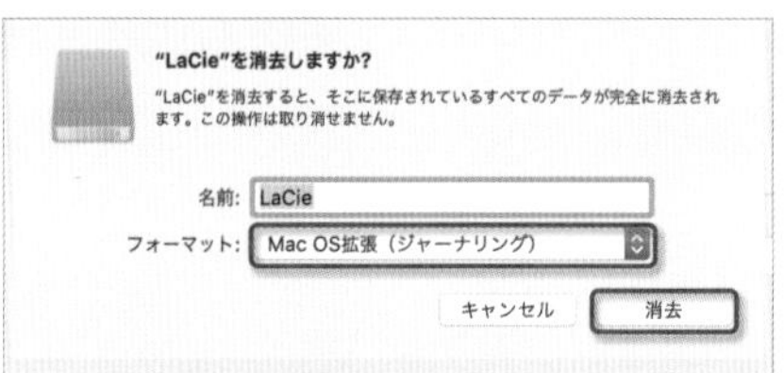

ドライブの名前とフォーマットを決める。フォーマットは「Mac OS拡張(ジャーナリング)」にしておこう。「消去」でフォーマット開始だ。

5 フォーマットが完了する

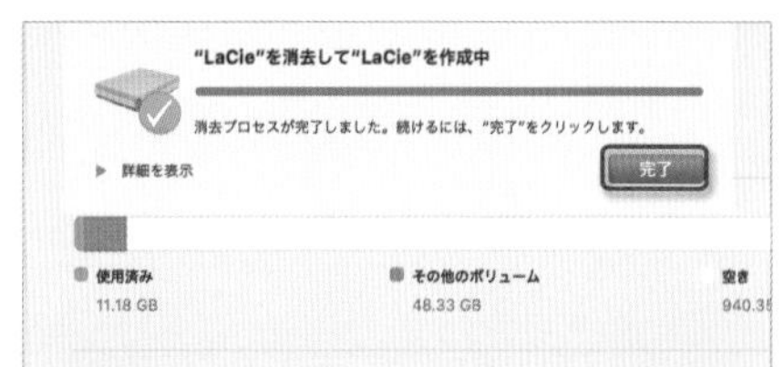

フォーマットが終わると上のような画面になる。「完了」で画面を閉じ、ディスクユーティリティを終了しよう。

Time Machineを設定する

1 Time Machineの設定を行う

Appleメニューから「システム環境設定」を開き、「Time Machine」を選んだら、「バックアップディスクを選択」をクリックする。

2 バックアップディスクを選択する

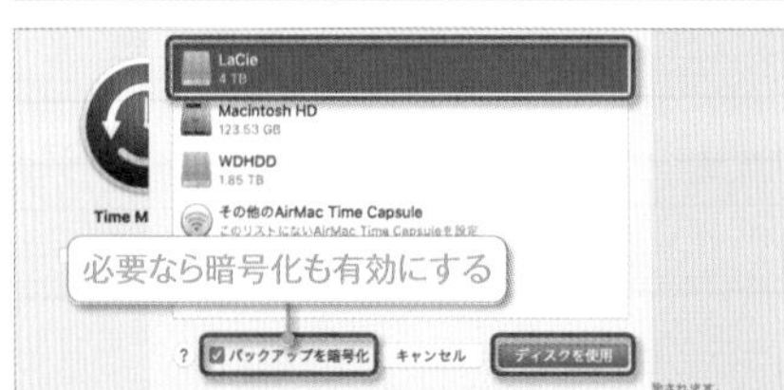

バックアップ先となるディスクを選択して「ディスクを使用」をクリック。なお、互換性のないファイルシステムを使ったディスクの場合は、フォーマットが必要だ。

3 バックアップが自動的に開始される

しばらく待っているとディスクが設定され、バックアップが開始される。あとは定期的に自動でバックアップが行われるので、特に操作する必要はない。

気になるポイント

バックアップを暗号化する

Time Machineのディスク選択時に、「バックアップを暗号化」にチェックを入れ、パスワードを設定するとバックアップデータが暗号化される。暗号化していないと、バックアップデータが丸見えになるので、安全性を高めるなら暗号化しておこう。

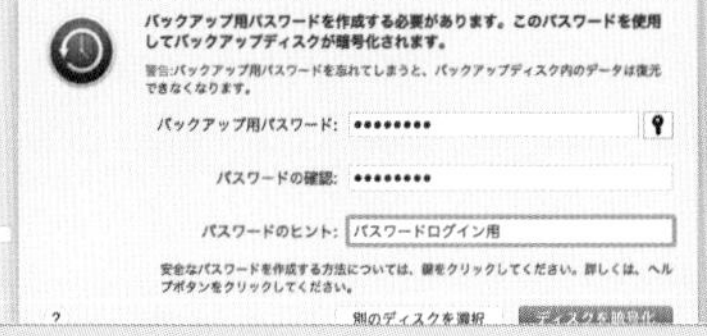

暗号化を有効にすると、パスワードの設定画面になる。このパスワードを忘れるとバックアップデータから復元できなくなるので注意しよう。

バックアップしたデータを復元する

Time Machineなら簡単にデータを復元可能

Time Machineでの復元方法は、「特定のファイルを復元する」、「ファイルをすべて復元する」、「macOS全体を復元する」の3種類ある。使いこなせば、削除してしまったファイルを復活させたり、アップデートしたmacOSを元に戻したりも簡単に行えるのだ。

特定のファイルを復元する方法

1 「Time Machineをメニューバーに表示」をオンにする

まずは「システム環境設定」→「Time Machine」を開き、「Time Machineをメニューバーに表示」のチェックマークをオンにしておこう。

2 「Time Machineに入る」を実行

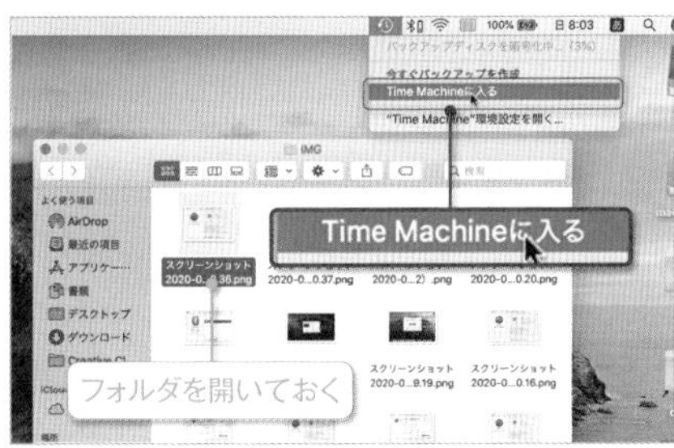

復元したいファイルがある、または削除してしまったファイルが元々あったフォルダを開いたら、ステータスメニューから「Time Machineに入る」を選択する。

3 日時を選んでファイルを復元する

上のような画面になるので、復元したいバックアップの日時を選び、復元したいファイルを選択して「復元」を選ぼう。これでファイルが復元される。

ファイルをすべて復元する方法

1 「移行アシスタント」を起動する

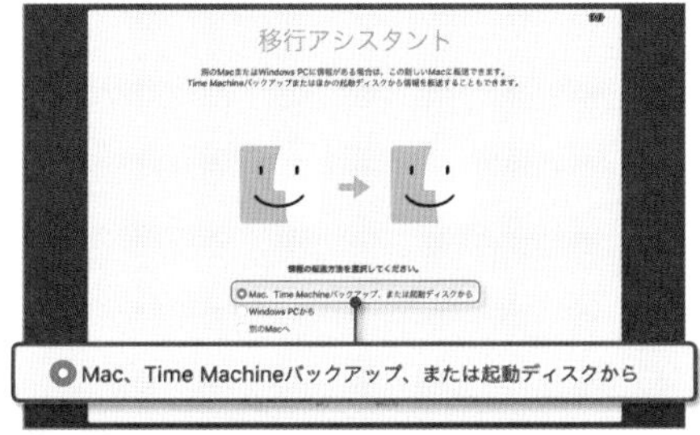

Launchpadを開いて「その他」→「移行アシスタント」を起動。「続ける」をクリックしたら、Time Machineバックアップを選択して「続ける」をクリックする。

2 Time Machineバックアップを選択

Time Machineのバックアップデータが入ったディスクを選択して「続ける」をクリック。さらに、日時別のバックアップリストから、復元するものを選択しよう。

3 転送する情報を選択して復元開始

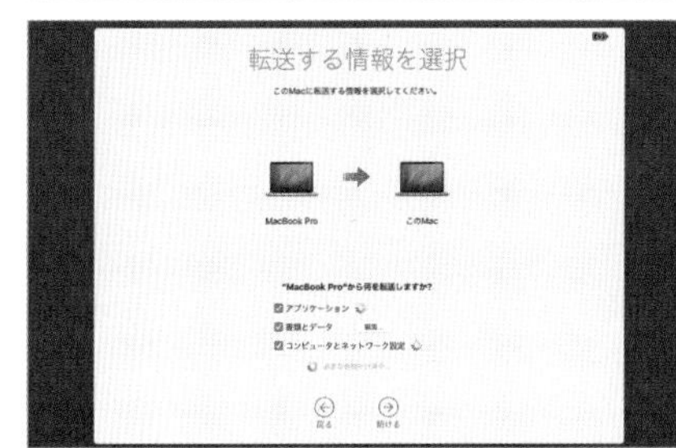

元のバックアップデータから何を転送するかを選択し、「続ける」をクリックすると転送が始まる。転送には数時間かかることもあるのでしばらく待とう。

システム全体を復元する方法

1 「macOSユーティリティ」を起動する

MacBookの電源を一旦オフにし、再びオンにしたらすぐに「command」+「R」を押し続け、Appleマークが表示されたら離す。macOSユーティリティが起動するので、「Time Machineバックアップから復元」を選択。

2 Time Machineバックアップを選択

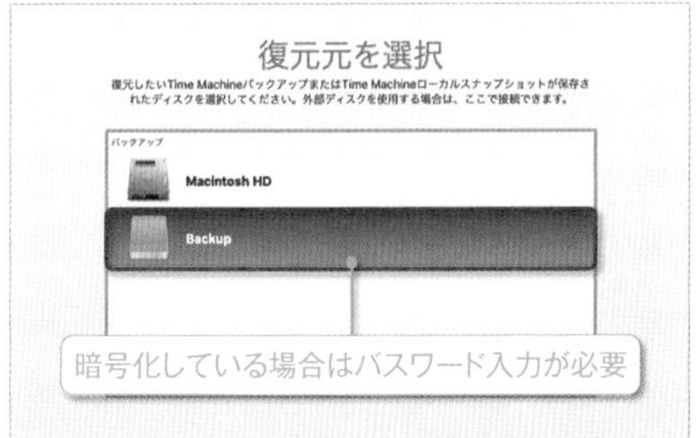

Time Machineのバックアップデータが入ったディスクを選択して「続ける」をクリック。さらに、日時別のバックアップリストから、復元するものを選択しよう。

3 復元先のディスクを選択して復元開始

復元先のディスクを選択する。「復元」をクリックすれば、このディスク内の内容がすべて削除され、バックアップされたシステム全体が復元される。

011

Boot Camp

MacBookでWindows 10を起動しよう
Boot CampでWindowsをインストールする

1台でmacOSもWindowsも使える

macOSには、MacでWindowsを使えるようにする「Boot Camp」と呼ばれる機能がある。「Boot Campアシスタント」というアプリを使えば、MacBook本体の内蔵ディスクにWindows用のパーティションを作り、Windowsをインストールして起動させることが可能だ。ただし、Windows 10のライセンスは別途必要なので、あらかじめ購入しておくこと。Boot Camp導入後は、macOSとWindowsの切り替えが簡単に行えるようになる。また、Windowsが不要になったときは、Boot Campアシスタントから元の状態に戻すことができるので、気軽に試してみよう。

Windows10のディスクイメージ(ISOファイル)のダウンロード
https://www.microsoft.com/ja-jp/software-download/windows10

Windows 10のISOファイルを入手する

1 Windows 10のダウンロードサイトにアクセスする

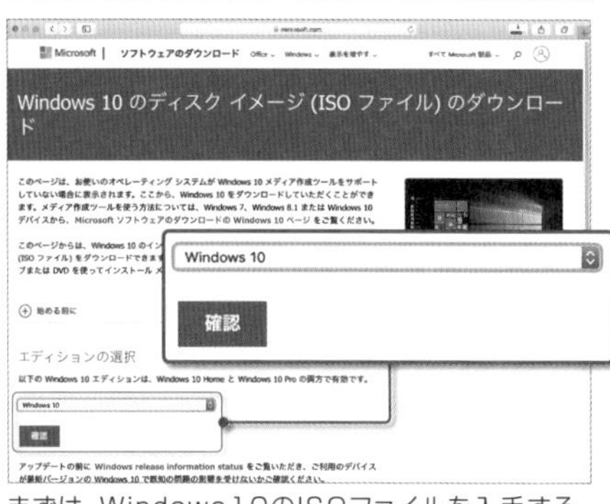

まずは、Windows10のISOファイルを入手する。Safariで上記のサイトにアクセスしたら、エディションの選択で「Windows10」を選んで「確認」をクリック。

2 言語などを選んでISOファイルをダウンロードする

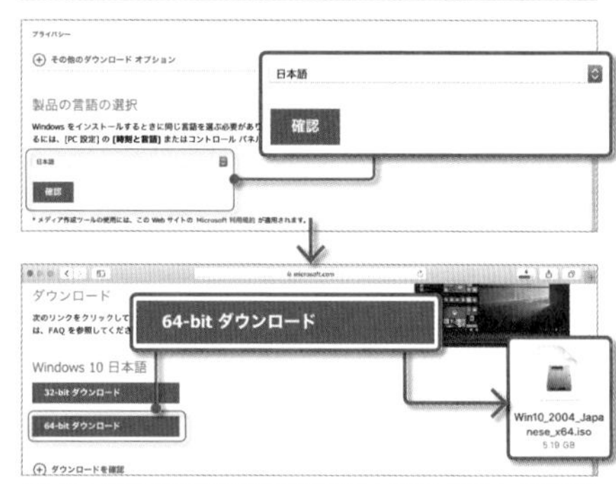

続けて、製品の言語の選択で「日本語」を選んで「確認」をクリック。さらに「64bitダウンロード」ボタンを押せば、ISOファイルがダウンロードできる。

Boot Campアシスタントで設定を行う

1 Boot Campアシスタントを起動

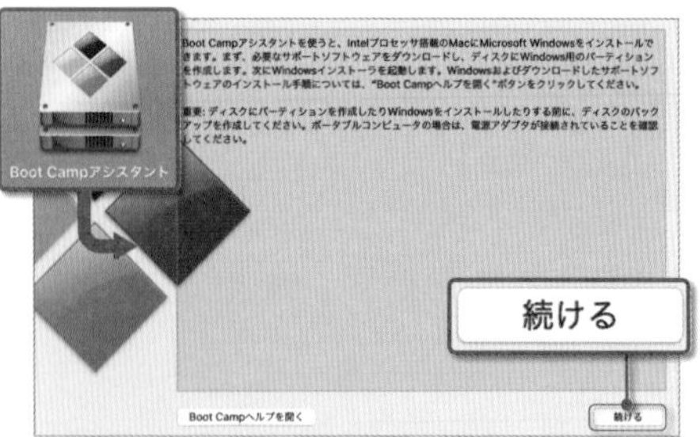

Launchpadを起動して「その他」→「Boot Campアシスタント」を起動しよう。上のような確認画面になるので「続ける」をクリック。

2 ISOファイルを選択してパーティションサイズを決める

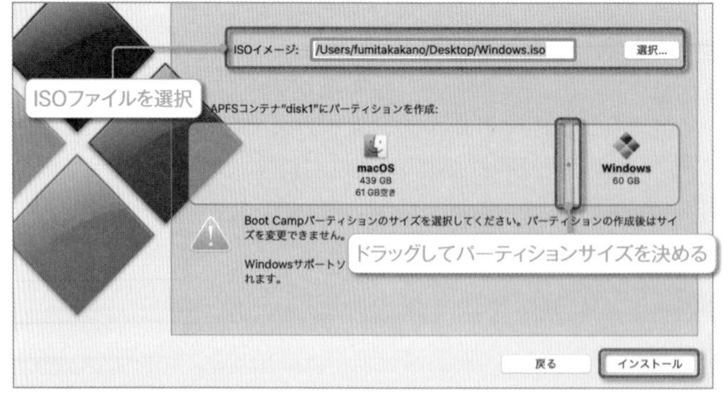

この画面になったら、「選択」で先ほどダウンロードしたWindows 10のISOファイルを選択しておこう。また、Boot Campアシスタントでは、1つのディスクにWindows用のパーティションを別に作成してインストールする仕組みとなっている。パーティションの境界部分をドラッグし、パーティションサイズを決めておこう。設定が終わったら「インストール」をクリック。

インストール中は外付けドライブをすべて外す

Boot CampアシスタントでWindows 10をインストールする場合は、MacBookに接続している外付けドライブをすべて外しておかなければならない。すなわち、外付けドライブでmacOSを起動している場合は、Boot Campのインストール作業が行えないので注意。そもそも、Boot Campアシスタントでは、Macの内蔵ストレージにしかWindowsをインストールできない仕様となっている。BootCampアシスタントを使わず、外付けディスクにWindowsをインストールする方法もあるが、本記事では解説しない。

3 設定後に再起動してWindowsのセットアップが開始される

必要なファイルがダウンロードされ、パーティションの作成などが行われる。しばらく待っていると、途中でユーザアカウントの認証が求められるので認証。その後再起動するとWindowsのセットアップ画面に切り替わる。

Windows 10のセットアップを行う

通常通りWindowsをインストールする

続けてWindows 10のセットアップを行おう。基本的には表示される指示に従って設定していけばいい。セットアップが終わると「Boot Camp インストーラ」が起動し、MacBookでWindowsを使うために必要なソフトなどがインストールされる。これでMacでWindowsが使えるようになる。

1 Windows 10のセットアップを開始する

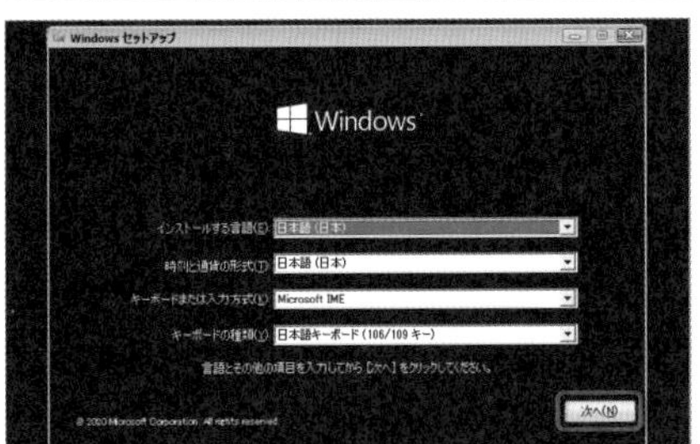

Windows 10のセットアップ画面になったら、インストールする言語やキーボードの種類などを選ぶ。基本的には設定を変えずに「次へ」をクリックすればOKだ。

2 ライセンス認証を行う

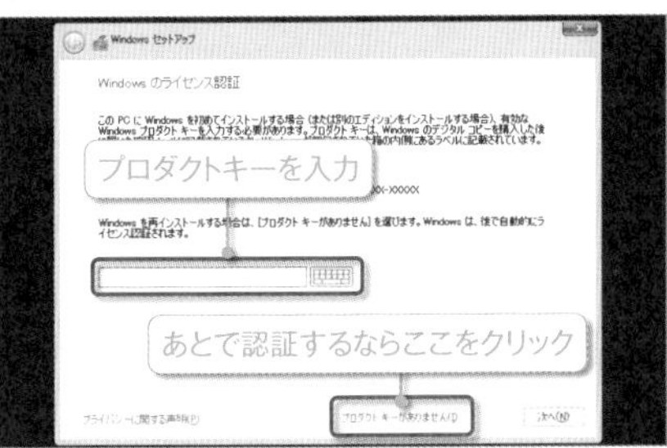

Windows 10のプロダクトキーを持っているなら入力しておこう。あとでライセンスを購入するなら「プロダクトキーがありません」で手順を進めてもいい。

3 インストールするWindows 10の種類を選択する

上の画面になった場合は、インストールしたいWindows 10の種類を選ぶ。あとでライセンスを購入するのであれば、ここで種類を合わせておくこと。

4 ライセンス条約に同意してインストールを開始する

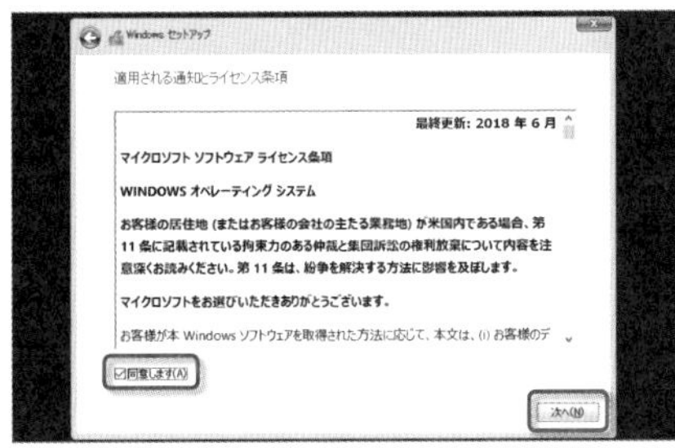

ライセンス条項の画面になったら、「同意します」にチェック入れて「次へ」をクリック。これでWindows 10のインストールが行われる。

5 Windows 10の初期設定を行う

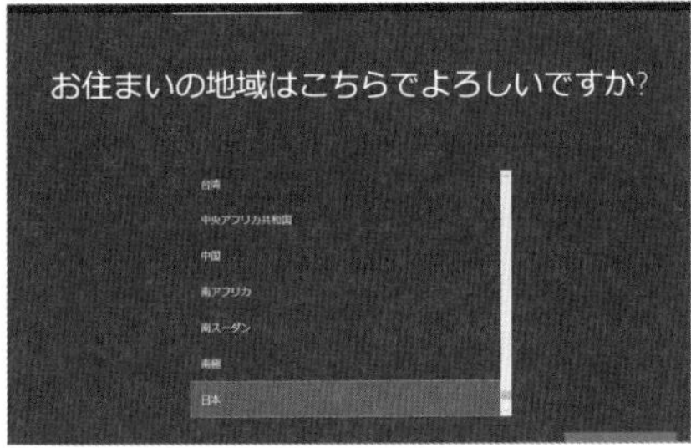

初期設定画面が表示されたら、表示される内容に従って設定を進めていこう。なお、途中でマイクロソフトアカウントが必要になるので用意しておくこと。

6 「Boot Camp インストーラ」でインストールする

初期設定が終わるとWindows 10が起動する。続けて「Boot Camp インストーラ」が起動するので、インストール作業を行っておこう。

7 MacでWindowsがセットアップできた

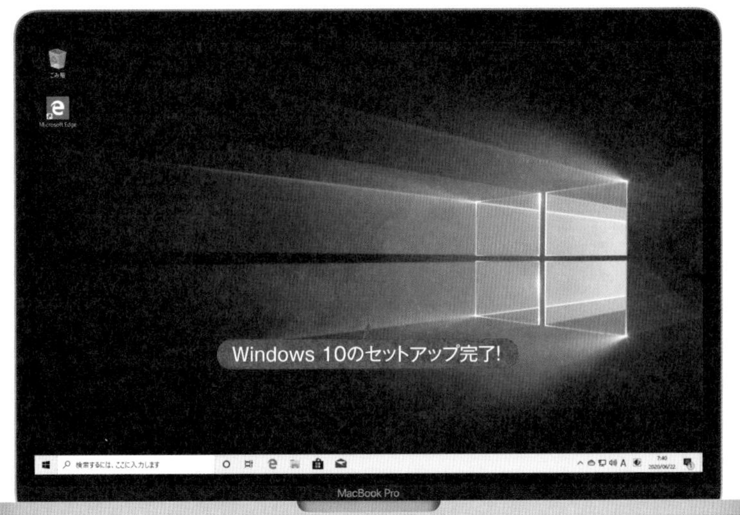

すべての設定が終われば、Macを普通のWindows 10として使える。なお、ライセンス認証をまだ行ってない人は、画面左下の検索欄に「ライセンス認証の設定」と入力して、表示されたシステム設定を起動。「プロダクトキーの変更」でプロダクトキーを入力して認証しておこう。

8 WindowsとmacOSの切り替え

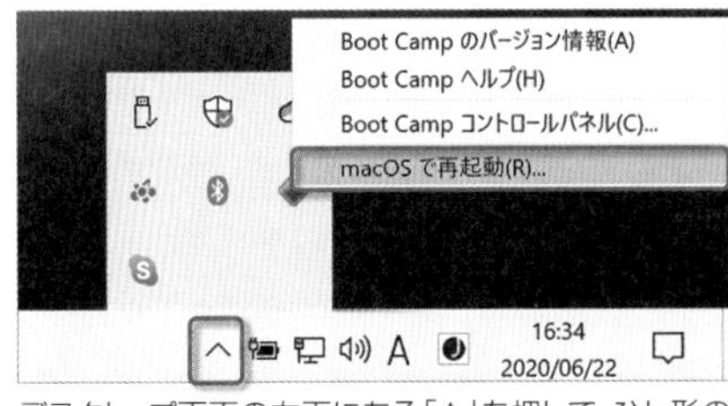

デスクトップ画面の右下にある「^」を押して、ひし形の黒いアイコンをクリック。ここからBoot Campの設定やmacOSの再起動が行える。また、再起動中に「option」キーを押し続けることでもWindowsとmacOSを切り替え可能だ。

日本語入力の切り替えは「caps」キーで行う

Windowsを起動しているとき、MacBookのキーボードで「caps」キーを押すと、日本語入力／半角英数の切り替えが行える。また、MacBookの「command」キーは、Windowsでの「Windows」キーに割り当てられているので覚えておこう。

012

クラムシェルモード

MacBookを大きな画面に接続して快適な作業空間を

外部ディスプレイを接続してクラムシェルモードで使おう

MacBookをデスクトップパソコン感覚で扱える

「クラムシェルモード」とは、MacBookを閉じた状態にして、外付けのディスプレイと接続して使用する形態のこと。MacBookを縦置きスタンドなどに収納すれば、超省スペースなデスクトップパソコンのように扱うことができる。また、大画面のディスプレイにつなぐことで、通常より作業効率がアップするというメリットも。このクラムシェルモードを使うには、以下でまとめたようなアイテムが必要になるので用意しておこう。

自宅や会社で最適な利用スタイル

MacBookを外部ディスプレイと接続し、クラムシェルモードで利用している図。大きな画面で作業がしやすい。

クラムシェルモードを使うのに必要なもの

1 外付けディスプレイ

UltraFine 4K Display
メーカー／LG
実勢価格／77,800円(税別)

クラムシェルモードにまず必須なのは外部ディスプレイだ。LGのUltraFine 4K Displayであれば、Thunderbolt 3ケーブル1本で接続できる。

2 外付けキーボードとマウス

Magic Keyboard
メーカー／Apple
実勢価格／9,800円(税別)

Magic Mouse 2
メーカー／Apple
実勢価格／7,800円(税別)

外付けのキーボードとマウスも必須。できれば有線よりも無線の方が使いやすい。Appleの純正Magic KeyboardとMagic Mouse 2があればベストだ。

3 MacBook用スタンド

MacBookを閉じたまま縦置きできるスタンド。クラムシェルモードでMacBookを使うときに、省スペースで収納できるので便利だ。

BookArc Stand for MacBook
メーカー／Twelve South
実勢価格／5,800円(税別)

設置スペースがある場合は、こういった浮遊型スタンドもオススメ。外部ディスプレイとの接続がうまくいかなかったときなどに、すぐ本体を開いて操作できる。

Curve Stand for MacBook
メーカー／Twelve South
実勢価格／6,800円(税別)

HDMI接続の場合はHDMI端子付きのUSB-Cハブも用意しよう

PowerExpand+ 5-in-1
メーカー／Anker
実勢価格／3,999円(税込)

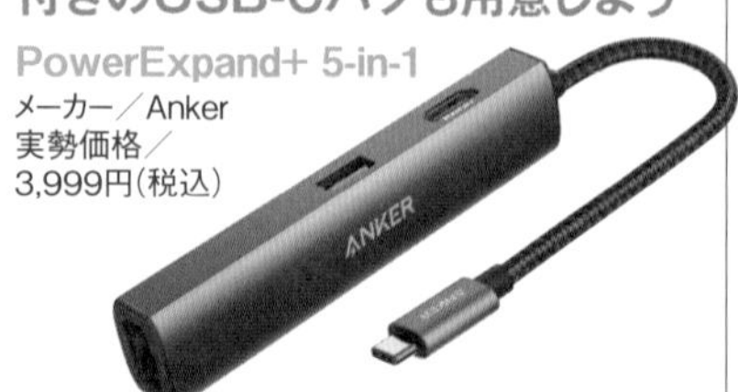

最近のMacBookはUSB-C端子しか搭載していないため、ディスプレイとの接続には注意が必要だ。もし、MacBookと外付けディスプレイをHDMIケーブルで接続したい場合は、HDMI端子付きのUSB-Cハブも別途用意しておこう。

クラムシェルモードを使ってみよう

必要なデバイスを接続してMacBookを閉じよう

クラムシェルモードに移行するには、まず、電源アダプタをMacBookに直接接続し、外付けキーボードやマウス、ディスプレイも接続しておこう。あとは、MacBookを閉じれば自動でクラムシェルモードになる。もちろん、MacBookを開いたまま使ってもいい。

1 MacBookのUSB-C端子に電源アダプタを直接接続する

MacBook付属の電源アダプタをMacBook本体のUSB-C端子に直接接続しよう。USB-Cハブの電源端子につなぐと、十分に充電されなくなる恐れがある。

2 外付けのキーボードとマウスを接続する

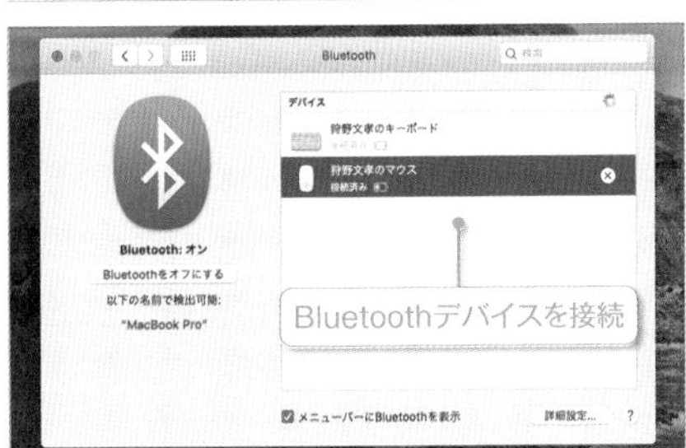

外付けキーボードとマウスを使えるようにしておこう。Bluetooth接続のデバイスを使う場合は、「システム環境設定」の「Bluetooth」から接続しておく。

3 外付けディスプレイを接続する

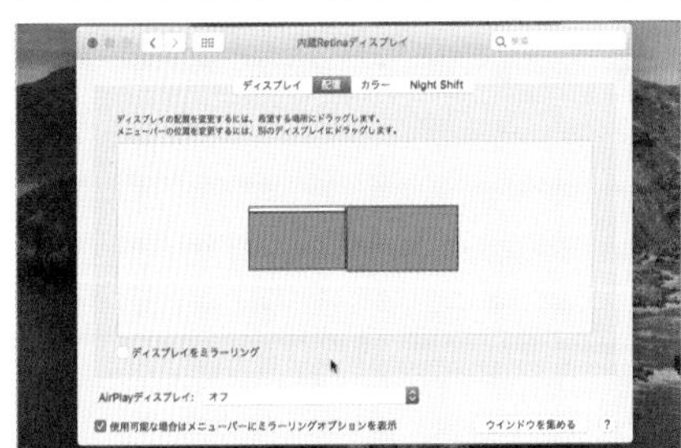

次に外付けディスプレイを接続しよう。接続したら、「システム環境設定」の「ディスプレイ」から解像度や配置などを使いやすいように設定しておく。

4 MacBookを閉じればクラムシェルモードになる

MacBookを閉じれば、自動でクラムシェルモードに切り替わる。外部キーボードとマウス、ディスプレイで操作しよう。

MacBookのスタンドは冷却にも役に立つ

MacBookを外部ディスプレイと接続した場合、通常よりも処理に負荷がかかりやすく、本体の温度が上がりやすい。特に夏場は、机に置いたまま使うと本体に熱がこもって不具合が発生する可能性もある。MacBook用のスタンドを使うと本体の熱を効率よく冷却できるので、安定した動作が可能だ。

気になるポイント

クラムシェルモードを利用する際に覚えておきたいこと

クラムシェルモードは、「AirPlay」や「Sidecar」を利用してるときでも使うことができる。また、Chromecastで映像出力しているときでも使用可能だ(ただし、映像に遅延があるので使いづらい)。なお、MacBookには複数の外部ディスプレイを接続できるが、本体のUSB-C端子1つにつき、1つの映像しか出力できない仕様になっている。

AirPlayやSidecarでもクラムシェルモードが使える

「AirPlay」や「Sidecar」で接続したディスプレイでもクラムシェルモードが利用可能だ。なお、iPadでロック画面が表示された場合は、キーボードやマウスを触ればMacBookの画面が表示される。

Chromecastなどでもクラムシェルモードが使えるが……

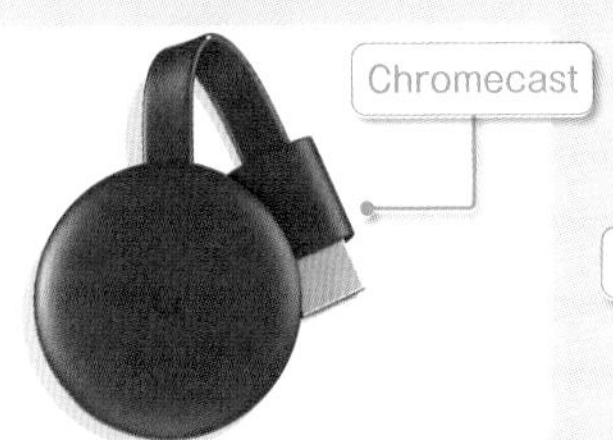

Wi-Fi接続でパソコンの映像をテレビに出力できる「Chromecast」。これもクラムシェルモードが使える。ただし、映像にかなり遅延があるので、MacBookを操作するには適していない。

HDMI端子付きのUSB-Cハブを選ぶときの注意点

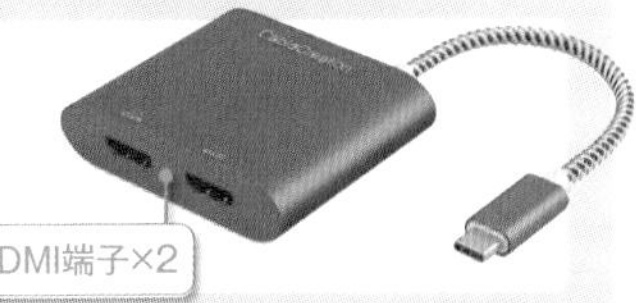

上の製品のようにHDMI端子が2つ以上あるアダプタには要注意。MacBookでは、本体のUSB-C端子1つにつき、1つの映像しか出力することができない。そのため、上のアダプタでディスプレイを2台つないだとしても、別々の映像を映すことができず、同じ映像のミラーリングしか行えないのだ。

013

Officeソフト

Windowsユーザーと Officeファイルをやりとりする人に

MacBookでOfficeファイルを扱う際の基礎知識

Officeファイルの編集をMacで行いたい人は

Mac環境でMicrosoft Office形式のファイル(以下、Officeファイル)を受け取った場合、プレビューアプリを使えば閲覧のみ行える。ただし、編集はできない。編集も行いたいのであれば別途アプリが必要だ。最もオススメなのは、マイクロソフト公式のOfficeアプリ「Microsoft 365」。WindowsユーザーとOfficeファイルを頻繁にやりとりしている人ならこれ一択だろう。また、GoogleやAppleが提供している無料のオフィスアプリを使うのもアリだが、Officeファイルとの互換性は低い。とはいえ、簡易的にOfficeファイルを編集するのであれば利用することも可能だ。ここでは、それぞれのオフィスアプリの特徴やOfficeファイルを扱う際の注意点などを紹介しておこう。実際にMacBookでOfficeファイルを編集するときの参考にして欲しい。

Microsoft 365を使う

Officeファイルをよく使う人なら絶対入れておきたい

マイクロソフト公式の「Microsoft 365」は、WordやExcel、PowerPointなどの各種オフィスアプリを定額課金制(サブスクリプション)で利用できるサービスだ(買い切り版も別プランで用意されている)。Windows版との互換性もほぼ完璧で、Windowsユーザーから受け取ったOfficeファイルも問題なく開くことができる。仕事でOfficeファイルを扱う人なら必須だ。

Microsoft のオフィスアプリ

Microsoft 365
作者/Microsoft Corporation
価格/年額12,984円など(プランによる)
入手先/App Store

公式サイトでライセンスを購入しておこう

Microsoft 365
https://www.microsoft.com/ja-jp/microsoft-365/buy/compare-microsoft-365-products-for-mac

Microsoft 365を使うにはライセンスの購入が必要だ。なお、ライセンスがない場合でも、ファイルの閲覧に限定した読み取り専用モードで使うことができる。

アプリはApp Storeから導入できる

アプリ自体はApp Storeから導入可能だ。Microsoft 365は、WordやExcel、PowerPointなど複数アプリのバンドルとしてインストールされる。

Windows版との互換性もバッチリ

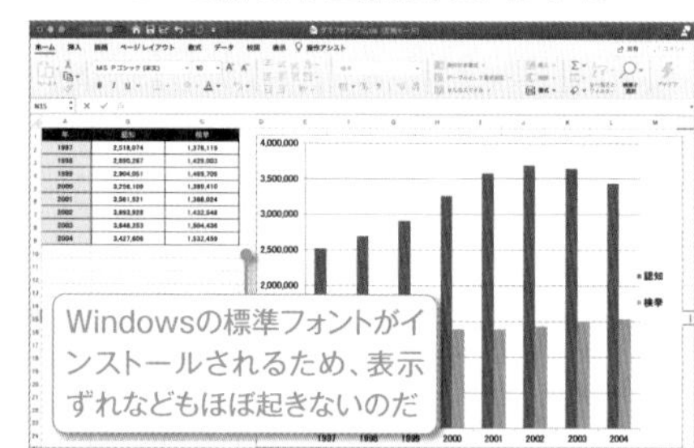

アプリの機能はWindows版とほぼ一緒で、Windowsで作ったファイルもそのまま開ける。ただし、一部の高度なマクロ機能には互換性がないので注意だ。

WebブラウザでもOfficeが使える

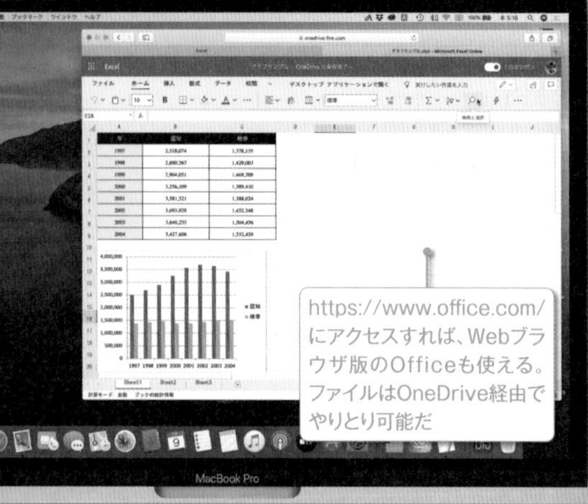

気になるポイント

Microsoft 365の各プランと料金について

Microsoft 365の個人ユーザー向けプラン(Mac用)は下表の3つ。「Microsoft 365 Personal」のみサブスクリプション版で、ほかは従来と同じく買い切り版だ。サブスクリプション版は、MacやWindows、iOS、Android端末で最大5台まで同時に使え、OneDriveの追加ストレージ1TB分も付属する。

プラン	価格(税込)	補足
Microsoft 365 Personal	12,984円/年 または1,284円/月	すべての最新アプリが使えるサブスクリプション版
Office Home & Student 2019 for Mac	26,184円 永続ライセンス	Word/Excel/PowerPointのみの買い切り版
Office Home & Business 2019	38,284円 永続ライセンス	Word/Excel/PowerPoint/Outlookのみの買い切り版

※各プランの詳細は、マイクロソフトの公式サイトを参照してください。

Googleのオフィスアプリを使う

シンプルな Officeファイルを 開くのであれば使える

Googleのオフィスアプリは、Webブラウザ上で使うことができる。GoogleドライブにOfficeファイルをアップロードすれば、そのまま開いて編集することが可能だ。なお、シンプルな内容のExcelファイル程度なら問題なく開くことができるので利用してみよう。ただし、マクロが使用されたExcelファイルや複雑なレイアウトのWordファイルは互換性を保てないことがあるので注意。

Googleの オフィス系 Webアプリ

Googleドキュメント
作者／Google　価格／無料
URL／https://docs.google.com/

Googleスプレッドシート
作者／Google　価格／無料
URL／https://docs.google.com/spreadsheets/

Googleスライド
作者／Google　価格／無料
URL／https://docs.google.com/presentation/

Googleドライブで ファイルを管理できる

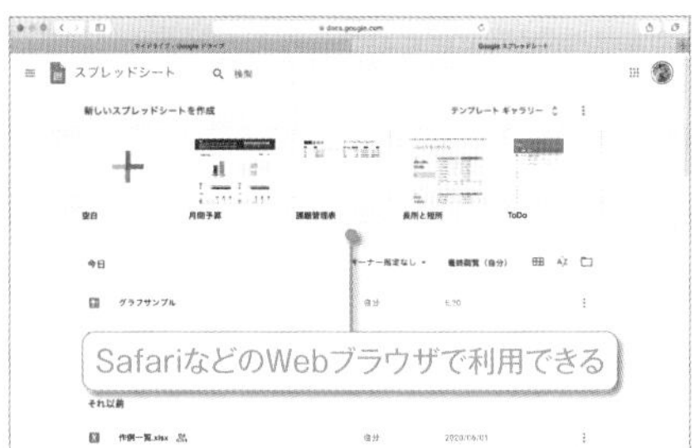

Webブラウザ上で利用するアプリのため、端末を選ばず編集できるのが特徴。まずは開きたいOfficeファイルをGoogleドライブにアップロードしておこう。

Excelファイルを そのまま開いて編集できる

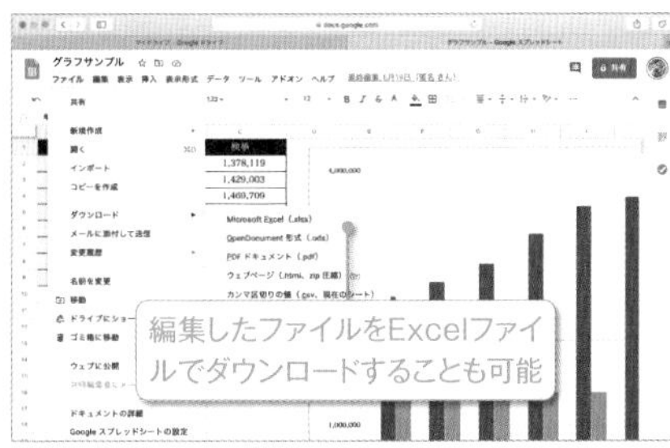

簡単なExcelファイルであれば開くことが可能だ。編集したものをExcelファイル形式でダウンロードしたい場合は、「ファイル」→「ダウンロード」から操作しよう。

複雑なレイアウトのOfficeファイルは 互換性を保てない傾向にあり

複雑なレイアウトのWordファイルを開くと、オブジェクトや画像が表示されないことも。また、マクロが使われたExcelファイルもマクロが無効化される。

Appleのオフィスアプリを使う

Macユーザーなら 無料で使えるのが メリット

Appleの各オフィスアプリでも、Officeファイルを開いて編集することが可能だ。Macユーザーなら以下のアプリが無料で使えるので試してみよう。ただし、保存時は各アプリの独自形式で保存されてしまうので、Office形式で保存したい場合は別途書き出しが必要となる。なお、Officeとの互換性は低く、シンプルな内容のファイルであればそれほど問題は起きないが、複雑なWordやExcelファイルだと、レイアウト崩れや計算のエラーなどが発生するので注意。

Appleの オフィス アプリ

Pages
作者／Apple
価格／無料
入手先／App Store

Numbers
作者／Apple
価格／無料
入手先／App Store

Keynote
作者／Apple
価格／無料
入手先／App Store

Macユーザーなら 無料で使える

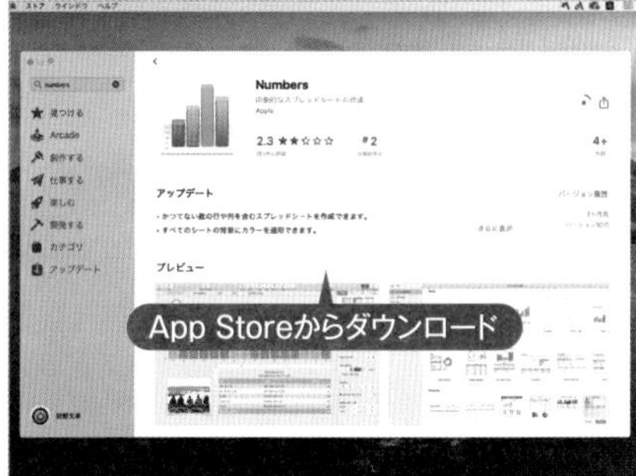

アプリはすべてApp Storeから導入可能だ。Macユーザーであれば無料で使うことができる。なお、iPhoneやiPad版も無料で配布されており、Apple製の端末同士ならiCloudを介して書類をやりとりできる。

Officeのファイルも一応は 開けるが互換性は低い

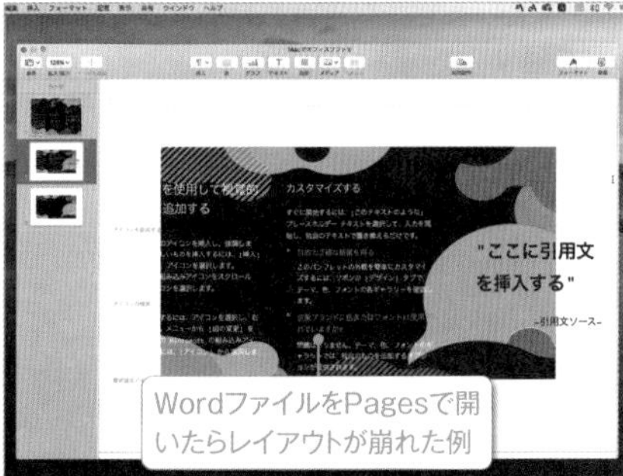

WindowsのOfficeファイルは一応開ける。ただし、レイアウトが崩れたりすることが多く、互換性は低い。Windowsで使われていたフォントを別のフォントに差し替える機能もあるが、見た目は変わってしまう。

Office形式でファイルを 書き出すのは注意が必要

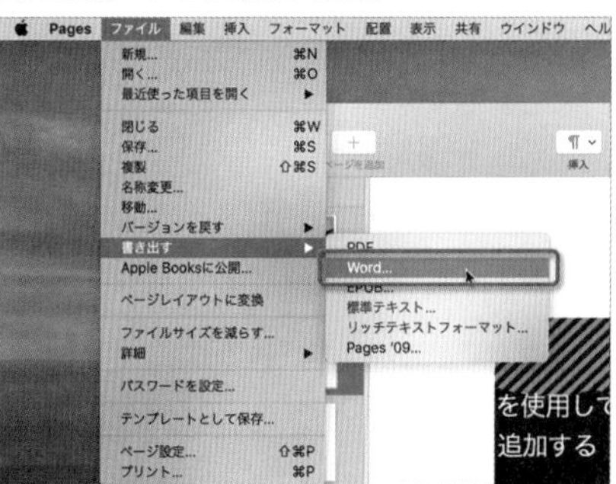

Office形式でファイルを書き出すには、「ファイル」→「書き出す」を実行しよう。ファイルによってはうまく書き出されないことがあるので、書き出し後のファイルはプレビューで開いて確認した方がいい。

014 アプリ

Macユーザーなら必須の定番アプリを試してみよう

MacBookにまずインストールしたいアプリ集

PDFにも書き込める手書きノートアプリの決定版

手書きした文字をあとから検索することも可能

「GoodNotes 5」は、テキストや手書き、写真などを自在に混在させてアイデアや記録を書き込めるノートアプリ。元々iOS版が人気の定番アプリで、iPhone、iPad、MacBookで同期して使えば真価を発揮できる。iPhoneで記録したちょっとしたメモや写真と、iPadとApple Pencilで作成した手書きのアイデアをMacBookでテキスト入力しながらしっかりまとめる、といった使い方が考えられる。それぞれのデバイスのアプリ上で、あらかじめiCloudを有効化しておけば、同じノートを開くことができ、編集内容も(数秒のラグはあるが)リアルタイムで同期される。ちなみに、手書きで書き込んだ文字を、あとからキーワード検索できるのも特徴だ。また、PDFの読み込みにも対応しており、ページの入れ替えや注釈の書き込みを行える。メールで送られてきたPDFの資料に、ササッと指示を加えて返信する際にも使いたい。

GoodNotes 5
作者／Time Base Technology Limited
価格／980円
入手先／App Store

手書きノート機能を使ってみよう

1 ノートを新規作成しよう

アプリを起動したら「+」ボタンをタップして、「ノート」を新規作成しよう。「フォルダ」を作成してノートを整理することもできる。

2 手書きメモを描いたり画像などを貼り付けよう

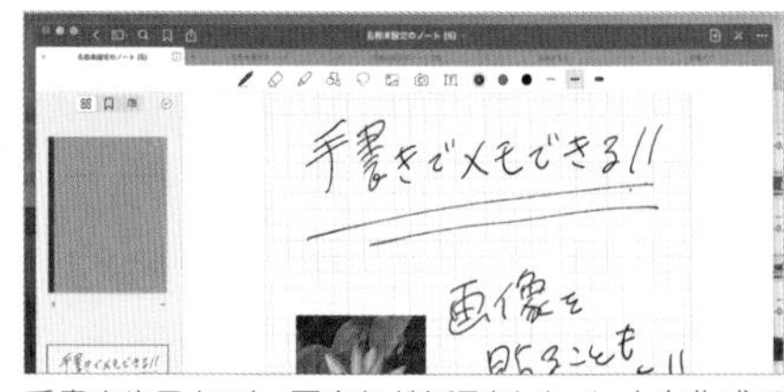

手書きやテキスト、写真などを混在したノートを作成できる。ツールの使い方をしっかり覚えておこう。

3 手書きでメモした部分はキーワード検索できる

手書きでメモした文字は、キーワード検索が可能だ。画面左上の虫眼鏡アイコンマークをクリックして、キーワード検索してみよう。

4 ノートは自動保存されiCloud経由で他端末と同期できる

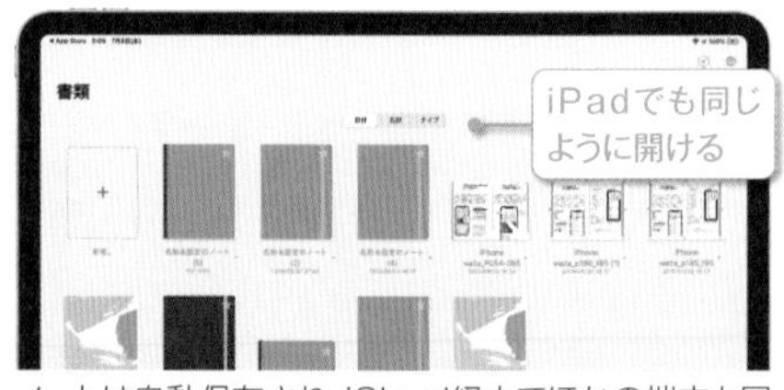

ノートは自動保存され、iCloud経由でほかの端末と同期される。iPadやiPhoneに同アプリを導入すれば、各端末で閲覧および編集が可能だ。

PDFに書き込みをしてみよう

1 PDFを取り込んで開く

アプリの「書類」画面を開いたら、PDFをドラッグ&ドロップする。PDFが取り込まれるので、そのままダブルクリックして開こう。

2 PDFに手書きメモを書き込んでみよう

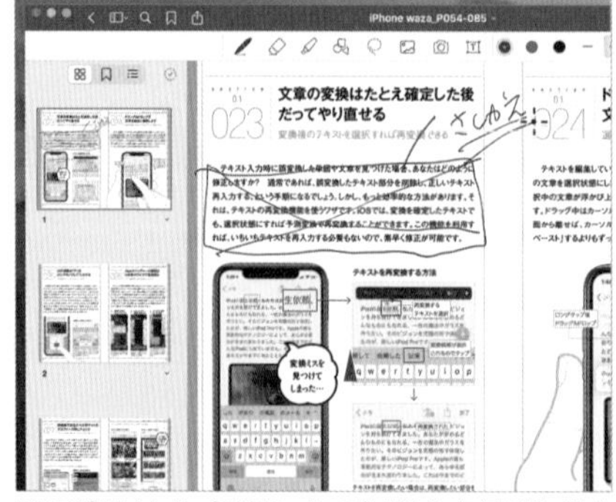

PDFが開いたら、各種ツールで書き込みを行おう。書き込んだ内容はPDFに上書き保存され、ほかの環境でも確認することができる。

気になるポイント

コンタクトシートでノートのページを入れ替える

画面左上のサイドバーボタンをクリックして「コンタクトシート」を選ぶと、現在開いているノートやPDFの全ページ一覧が表示される。ここから各ページをドラッグ&ドロップで入れ替えたり、ページごとに削除したりが可能だ。

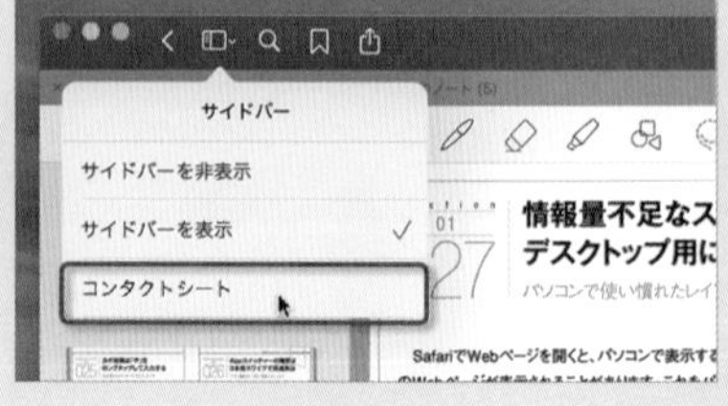

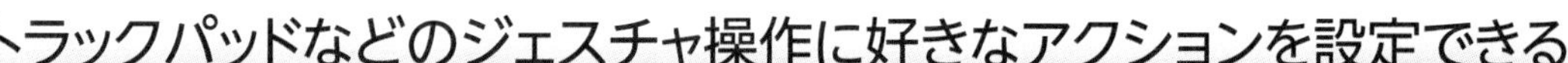

トラックパッドなどのジェスチャ操作に好きなアクションを設定できる

よく使う操作をジェスチャで即座に実行できる

「BetterTouchTool」は、トラックパッドやキーボード、Touch Barなどを使った特定の操作(トリガー)に、好きなアクションを割り当てられるアプリだ。たとえば、「トラックパッドを3本指で下にスワイプしたら、command+W(ウインドウを閉じる)を実行する」といった内容を登録できる。使いこなせれば、よく使うショートカット操作をジェスチャ操作で即座に実行させることが可能だ。なお、各トリガーは特定のアプリごとに個別に指定することができる。そのため、同じ操作内容でもアプリによってアクションを使い分けられるので便利だ。MacBookでの作業をもっと効率化させたい人は、ぜひ使いこなしてみよう。

BetterTouchTool
作者／folivora.AI GmbH.
価格／7.5ドル〜(45日間無料試用可)
入手先／https://folivora.ai/

1 対象アプリを選択する

アプリを起動したら、まず画面左端で操作対象のアプリを選択する。特定のアプリを指定するのであれば、画面左下の「+」から追加しておこう。

2 入力デバイスを選択する

操作を入力するデバイスを選択する。「キーボードショートカット」、「Magic Mouse」、「タッチバー」などを選択可能だ。ここでは「トラックパッド」を選択する。

3 ジェスチャとアクション内容を設定する

トリガーとなる操作を選択してアクションを割り当てていこう。ここでは、「3本指でスワイプダウン」に「command+W(閉じる)」の操作を割り当ててみた。

4 より高度な設定もできる

画面右上の歯車アイコンをクリックすると、高度な設定画面が表示される。ここからトラックパッドの速度やクリックに必要な圧力など細かい設定が可能だ。

ZIPやRAR、7-ZIP形式などに対応した圧縮ファイル展開アプリ

あらゆる圧縮ファイルを即座に展開できる

macOSは標準でZIP形式の圧縮ファイルを展開(解凍)することが可能だ。しかし、RARや7-ZIP、LZHなど、そのほかの圧縮ファイル形式を展開したい場合は、何らかのアプリが必要となる。そこでオススメなのが、シンプルで使いやすい「The Unarchiver」だ。使い方は簡単。アプリをインストールして初期設定を行ったら、あとは圧縮ファイルをダブルクリックするだけ。自動的にファイルが展開され、中身が取り出せるようになる。標準では、圧縮ファイルと同じ場所に展開されるが、毎回場所を指定する、常に同じ場所へ展開する、などの設定も可能だ。ZIP形式以外の圧縮ファイルを扱う人はインストールしておこう。

The Unarchiver
作者／MacPaw Inc.
価格／無料
入手先／App Store

1 アプリを起動して初期設定を行う

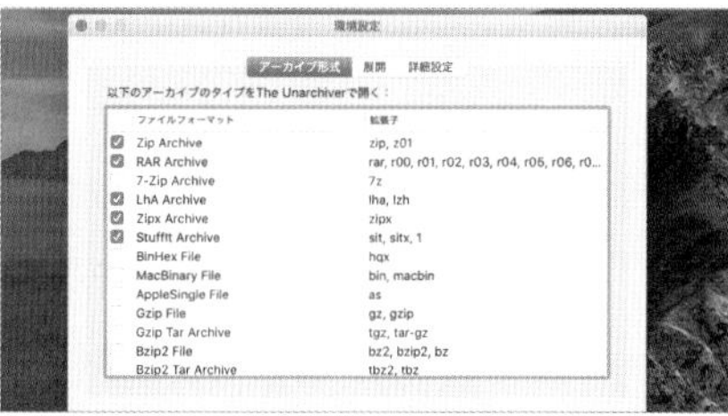

アプリを起動したら、まずは関連付けたいファイル形式にチェックを入れておこう。7-ZIPやISOファイルなども開きたい場合は、ここで設定しておくこと。

2 圧縮ファイルをダブルクリックして展開

ファイルを展開したい場合は、圧縮ファイルをダブルクリックするだけ。初回は、展開したファイルを保存する場所を指定して「展開」をクリックしよう。

3 展開する場所を指定するには?

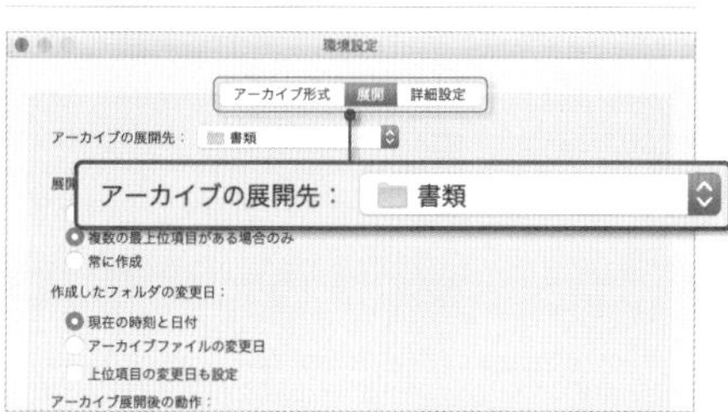

展開する場所を毎回指定する、または常に同じ場所に展開したい場合は、アプリを起動して「展開」画面を表示。「アーカイブの展開先」項目で設定しよう。

気になるポイント

ファイル名の文字化けも自動で回避してくれる

Windowsで圧縮されたファイルをMacで解凍したとき、文字エンコードの違いでファイル名が文字化けすることがある。しかし、The Unarchiverであれば、エンコードを自動判別して最適な状態で展開してくれるので、文字化けは起きない。

面倒なパスワード管理を安全に一元管理したい人に

WindowsやAndroidとも同期できる

アプリやWebサービスを使うたびに増えていくアカウント情報。セキュリティを高めるためには、パスワードは使い回さず、アカウントごとに別々のパスワードを用意する必要がある。とはいえ、すべてのパスワードを記憶しておくのは不可能だ。そこで活用したいのが「1Password 7」というパスワード管理アプリ。何らかのアカウントを作った際に必要なユーザー名やパスワードを1Passwordに登録しておけば、いちいちパスワードを思い出す必要もなくなる。「iCloudキーチェーン」と似たような機能だが、macOSやiOS端末だけでなく、WindowsやAndroid端末とも同期できるのが最大のメリットだ。

1Password 7
作者／AgileBits Inc.
価格／月額2.99ドル～(30日間無料試用可)
入手先／App Store

1 公式サイトでプランを選んでおこう

1Password
https://1password.com/jp/

1Passwordは有料サービスのため、まずは公式サイトでアカウント作成してプランを選択しておこう。個人用であれば月額2.99ドル(年間プランの場合)で使える。

2 アプリをインストールしたらパスワードを登録する

App Storeからアプリをダウンロードしたら起動してサインインする。画面中央上部の「+」ボタンで、新規項目を作成してパスワード情報を保存しておこう。

3 iPadやiPhoneなどでも同期できる

1PasswordはiPadやiPhone用のアプリもあるので、パスワード情報を簡単に同期することが可能だ。そのほかにもAndroid端末やWindowsでも利用できる。

使いこなしヒント

登録したパスワードはブラウザで自動入力できる

1Passwordでは、ブラウザ用の拡張機能を導入することで、登録したサイトのアカウント情報を自動入力する機能もある。なお、iCloudキーチェーンにも似たような機能があり、1Passwordと併用することが可能だ。

アプリのアンインストールを行うなら必須のアンインストーラー

アプリに関連するファイルを根こそぎ削除できる

macOSでアプリをアンインストールする場合、Launchpadから削除するか、アプリケーションフォルダ内のAppファイルをそのまま削除してしまえばいい。ただ、そのアプリに関連するファイルや設定がシステムに残ることがあり、場合によっては何らかの不具合が発生することも。そんなときは、「App Cleaner」を利用しよう。アンインストールしたいアプリのAppファイルをドラッグ&ドロップするだけで、そのアプリに関連するファイルを自動で検索。Appファイル本体だけでなく、関連する不要なファイルを一気に削除することが可能だ。MacBookで多種多様なアプリを試したいのであれば、必須のアプリと言える。

App Cleaner
作者／FreeMacSoft　価格／無料
入手先／https://freemacsoft.net/appcleaner/

1 公式サイトからアプリをダウンロードする

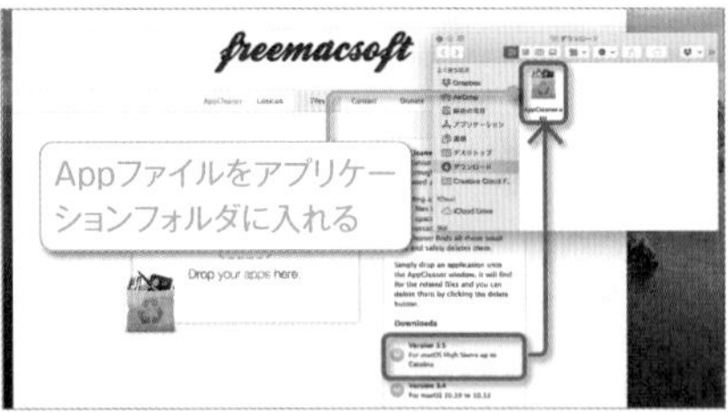

App Cleanerは、公式サイトから入手できる。アプリをダウンロードしたら、Appファイルを「アプリケーション」フォルダに入れておこう。

2 アンインストールしたいアプリをドラッグ&ドロップする

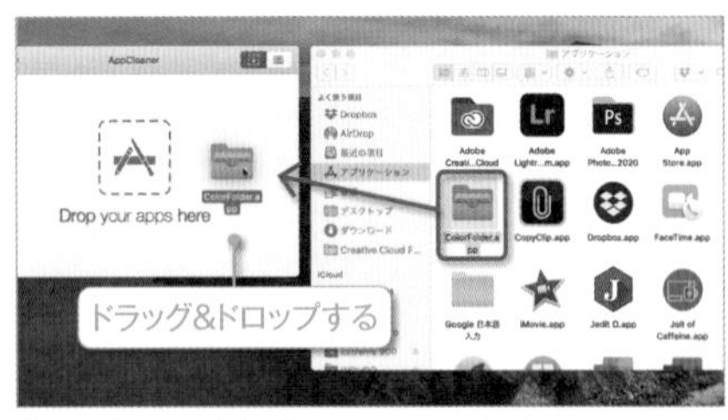

App Cleanerを起動したら、アンインストールしたいアプリのAppファイルをドラッグし、App Cleanerのウインドウ内にドロップしよう。

3 関連するファイル一覧が表示される

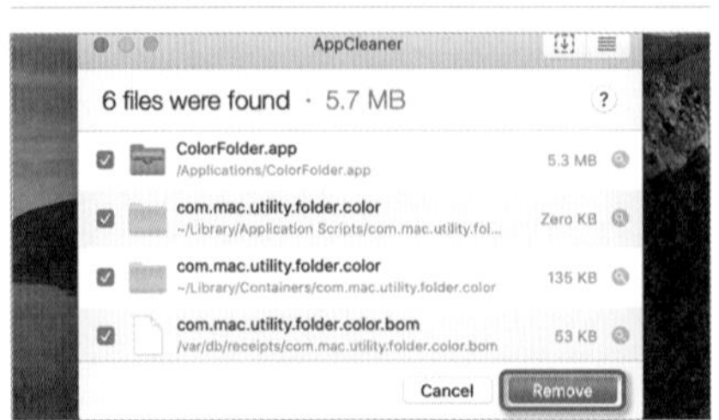

そのアプリに関連しそうなファイルが一覧表示される。削除したいものにチェックを入れて「Remove」をクリックすれば、即座にアンインストールが行われる。

4 リスト表示でアプリ一覧から削除できる

画面右上にあるリスト表示ボタンをクリックすると、インストールされているアプリ一覧が表示される。そこから各種アプリをアンインストールすることも可能だ。

チームや個人の「やるべきこと」を明確にするカード式タスク管理ツール

タスクをカードに書いて視覚的に管理できる

「Trello」は、カード式のタスク管理ツールだ。ホワイトボードに付箋を貼るようなイメージで、視覚的にわかりやすくタスクを管理できる。まずは、ボードを新規作成してリストをいくつか作っておこう。このリストの作り方がタスク管理のキモ。たとえば、個人のタスク管理を行うなら「未着手」「着手中」「完了」という3つのリストを作ってみよう。次に、「未着手」リスト内にやるべきことをカードとして追加する。各タスクに着手したら、そのカードを「着手中」リストにドラッグ&ドロップで移動。完了したら「完了」リストに移動する。これだけでタスクの進捗状況が一目瞭然となるのだ。ほかにも応用次第でいろいろな使い方できるので試してみよう。

Trello
作者／Trello, Inc.
価格／無料
入手先／App Store

1 Trelloで新規ボードを作成する

Trelloを起動してサインインしたら、まずは新規ボードを作ろう。画面右上の「+」→「ボードを作成」を選択し、ボード名などを決めて「ボードを作成」をクリック。

2 Trelloの基本的な扱い方を覚えておこう

ボードは、複数のリストを作り、リストごとにカードを追加して管理していく。リストやカードはドラッグ&ドロップで自由に入れ替えることが可能だ。

3 個人のタスク管理を行うパターン

個人のタスク管理を行うなら「未着手」「着手中」「完了」の3つのリストを作ろう。「未着手」にやるべきタスクをカードとして追加しておき、進行状況によって「着手中」や「完了」に振り分けていくのだ。

4 チームのタスク管理を行うパターン

チームのタスク管理を行うなら、個人のタスク管理パターンを応用し、「着手中」のリストを担当者ごとに分けておくのがオススメ。未着手のタスクを担当者ごとに割り振っていこう。

Photoshop並に高性能で使いやすい本格的な画像編集アプリ

機械学習アルゴリズムで写真を最適に自動補正

「Pixelmator」は、強力な画像編集機能を備えた画像編集アプリだ。比較的購入しやすい価格ながら、プロ用画像編集アプリの定番である「Photoshop」並の機能が揃っているのが特徴。そのほかにも、何百万ものプロの写真で訓練された機械学習アルゴリズムで写真を自動補正できる「ML Enhance」や、不要なゴミなどをキレイに削除できる「修復」ツール、被写体の背景を簡単に消せる「スマート消去」ツールなどを搭載している。また、Sidecarで接続したiPad+Apple Pencilやペンタブレットでのペン入力にも対応。ベクター&ドローに両対応したイラスト作成ツールとしても使うことができる。

Pixelmator Pro
作者／Pixelmator Team(公式サイトで15日間試用できるトライアル版を入手可)
価格／4,900円
入手先／App Store

1 「ML Enhance」で最適な色補正を誰でも手軽に行える

手っ取り早く写真の色補正をしたい場合は、「カラーを調整」を選び、「ML Enhance」をクリックしよう。機械学習アルゴリズムで最適な状態に補正してくれる。

2 修復ツールで不要なオブジェクトを自然に削除できる

「修復」ツールでは、写真内のゴミや不要なオブジェクトを自然に消すことが可能だ。適用したい場所をブラシで塗りつぶすだけで、自動的に修復が行われる。

3 複雑な切り抜きも自動で行える「スマート消去」ツール

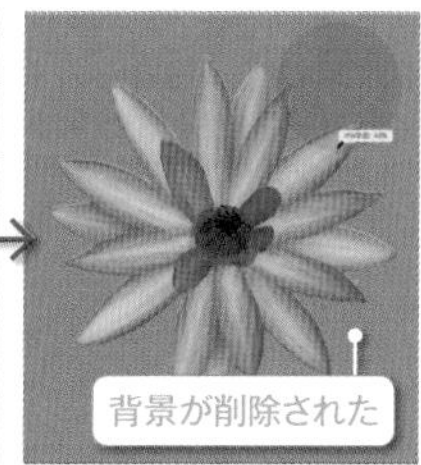

「スマート消去」ツールは、被写体の背景などを自動的に消去してくれるツールだ。背景部分をドラッグするだけで、複雑な形の被写体でも切り抜き処理してくれる。

4 SidecarによるApple Pencilでの描画にも最適

Sidecarで接続したiPad+Apple Pencilやペンタブレットでのペン入力にも対応。ペンの傾きや筆圧に応じてブラシの描画を変化させることが可能だ。

スケジュールとタスクを1本のアプリで管理できる

「Fantastical」は、使い勝手に優れたカレンダー&タスク管理アプリだ。iCloudやGoogle、Outlookなどの主要なカレンダーやタスク管理サービスと同期することができ、仕事やプライベートの予定を効率的に管理することができる。まずは「Famtastical」→「環境設定」→「アカウント」からアプリで同期したいカレンダーまたはタスク管理サービスを追加しておこう。

Fantastical
作者／Flexibits Inc.
価格／無料(Premium版は月額550円～)
入手先／App Store

アプリ自体は無料で使えるが、ほとんどの機能はPremium版のサブスクリプション契約が必要になる。試してみて気に入ったらApp内課金をしよう。

フォルダごとに色分けして管理しよう

「Color Folder Master」は、フォルダの色を自由に変更できるアプリだ。アプリを起動したら、表示された画面にフォルダをドラッグ&ドロップ。好きな色を選択してチェックマークをクリックしよう。これでフォルダの色が変更される。フォルダの色自体が変化するので、Finder標準のタグ機能での色分けよりもわかりやすい。フォルダを色分けで管理したい人は使ってみよう。

Color Folder Master
作者／ChengHao Wu
価格／610円
入手先／App Store

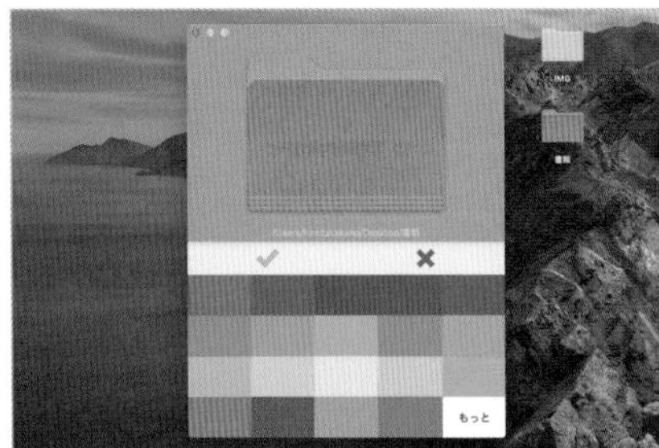

フォルダをウインドウ内にドラッグ&ドロップして、カラーチップから色を選ぼう。画面右下の「もっと」から自分の好きな色を作成することも可能だ。

クリップボードにコピーしたテキストの履歴を残せる

「CopyClip」は、シンプルなクリップボードマネージャーだ。コピーまたは切り取ったテキストを履歴として蓄積しておき、メニューバーからいつでもクリップボードに呼び戻すことができる。テキストを呼び戻したら、あとはペーストすればOK。メニューバーの「Prefernces」を選んで設定画面を表示すれば、保存する履歴の最大数や除外するアプリなどを設定することが可能だ。

CopyClip
作者／FIPLAB Ltd
価格／無料
入手先／App Store

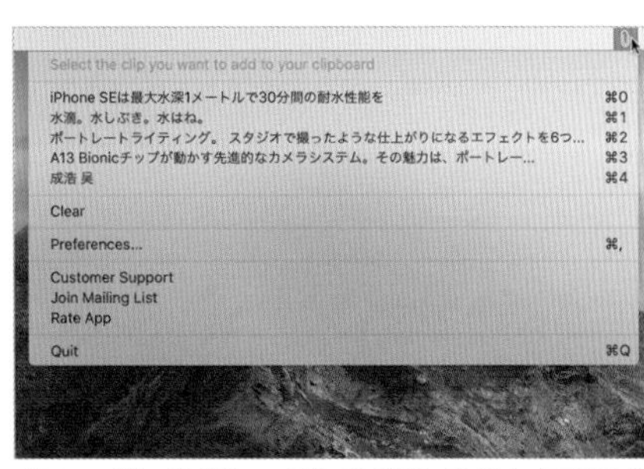

メニューバーからCopyClipのボタンをクリックすれば、過去にコピーしたテキスト履歴が表示される。なお、テキスト以外のデータは履歴に保存されない。

ファイルを自動同期できる定番のクラウドストレージ

「Dropbox」は、MacBookにあるファイルをクラウドストレージに自動同期し、WindowsやiPhoneなどの他端末からもアクセスできるようにするアプリだ。無料プランの場合、ストレージ容量は2GB、自動同期できる端末は3台までと制限がある。本格的に使うなら有料プラン(月額1,500円から)を契約して使ってみよう。

Dropbox
作者／Dropbox
価格／無料
入手先／https://www.dropbox.com/

macOS起動時にDropboxが自動起動し、「Dropbox」フォルダにある内容が自動的に同期される。複数端末で同じファイルにアクセスしたいときなどに便利。

クラウドサービスやFTPに対応したファイル転送アプリ

「Transmit 5」は、高性能で使いやすいファイル転送アプリだ。GoogleドライブやDropbox、OneDriveなどの主要クラウドストーレジサービスのほか、FTPやSFTP、WebDAVなどのファイルサーバーにも標準対応。各サーバーに手軽に接続しファイルを即座にアップロード／ダウンロードできる。なお、継続利用には年額2,800円のアプリ内課金が必要だ。

Transmit 5
作者／Panic, Inc.
価格／年額2,800円(7日間無料試用可)
入手先／App Store

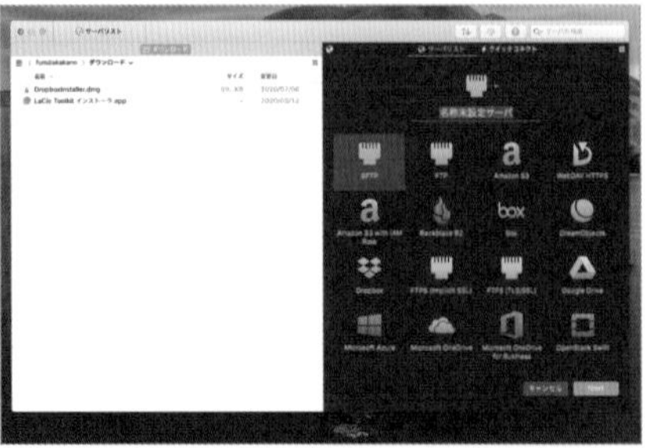

主要なサービスやプロトコルに対応。ドラッグ&ドロップで必要なファイルをダウンロード／アップロードできる。特定のフォルダをサーバーと同期する機能も搭載。

ファイルのコピーや移動を右クリックから素早く実行

「クイックムーブファイル」は、Finderの右クリックメニュー(コンテキストメニュー)を拡張するアプリだ。たとえば、ファイルを選択して右クリック→「ファイルをコピーする」を実行すれば、コピー先のフォルダを指定して即座にコピーが可能になる。コピー先のフォルダがストレージの奥深くにある場合などに便利だ。また、ファイルの移動や新規作成、パスの取得なども行える。

クイックムーブファイル
作者／Shihua Luo
価格／250円
入手先／App Store

「システム環境設定」→「機能拡張」→「Finder機能拡張」で本アプリの機能を有効にしよう。Finderを再起動すれば、右クリックメニューに項目が追加される。

複数のウインドウを画面分割状態で整列する

「Magnet」は、ウインドウを自動で整列させて表示できるアプリだ。たとえば、画面を縦に2分割して2つのウインドウを並べたり、任意のウインドウを画面1/4サイズで左上に配置したりなどが可能。ウインドウを整列させるには、ウインドウのタイトルバーをドラッグして画面の端に移動すればいい。画面端のどこにドラッグするかによって分割方法を選ぶことが可能だ。

Magnet
作者／CrowdCafé
価格／400円
入手先／App Store

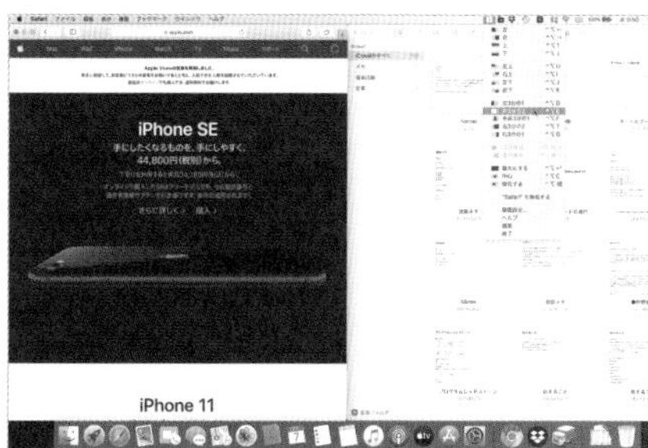

2つのウインドウを画面2分割状態で表示した図。複数のウインドウをきちっと並べて操作したいときに便利。メニューバーから分割方法を選ぶことも可能だ。

高性能で使い勝手のいい定番テキストエディタ

「Jedit Ω」は、プレーンテキストおよびリッチテキストに対応した定番のテキストエディタだ。シンプルな使い勝手でスラスラと文字を書いていけるので、ブログ記事や社内報などの長文を書きたいときにオススメ。また、ワープロ並みの編集機能や強力な検索置換機能、プログラム作成支援機能なども搭載。単なるテキストエディタの枠に収まらない使い方ができる。

Jedit Ω
作者／Artman21 Inc.
価格／無料(Pro版は1,200円)
入手先／http://www.artman21.com/jp/jeditOmega/

Macユーザーに長年愛されている定番テキストエディタ。無料版でも十分使えるが、有料のPro版にするとより便利な機能が利用できるようになる。

本格的な2Dグラフィックを制作できる無料アプリ

「Vectornator Pro」は、無料で使えるベクターベースのグラフィックエディタだ。プロ用アプリ並の機能を備えており、ちょっとしたロゴデザインやイラスト制作、本格的なWebサイトやアプリのインターフェイスデザインなどが行える。各種ブラシやレイヤー、グループ化、整列機能など、グラフィックエディタとして必要な機能はほぼ網羅されているので、ストレスなく作業が可能だ。

Vectornator Pro
作者／Linearity GmbH
価格／無料
入手先／App Store

無料とは思えないほど高機能で、本格的なデザイン作業にも十分使える。なお、iPhoneやiPad用のアプリもあるので、気に入ったらそちらも利用してみよう。

写真をより美しくレタッチしたいときに

「Polarr 写真編集者(Polarr Photo Editor)」は、写真を手軽にレタッチできるアプリだ。トリミングや回転、フィルター、テキスト挿入といったフォトレタッチの基本機能が網羅され、スムーズに写真編集を行える。また、一部分だけを修正するブラシマスクや写真内のオブジェクトを自動選択するAI検出など高度な機能も搭載。シンプルなインターフェイスで使い勝手もよい。

Polarr 写真編集者
作者／Polarr, Inc.
価格／無料
入手先／App Store

左右に並んだボタンで各種機能を呼び出してレタッチを進めよう。一部機能に関しては、Pro版へのアップグレード(月額400円／年額2,100円)が必要だ。

一定時間スリープ禁止にして映画鑑賞を快適に

「Jolt of Caffeine」は、MacBookがスリープ状態に移行するのを一定時間禁止にしてくれるアプリだ。たとえば、Netflixで映画を長時間鑑賞しているときに、スリープ状態になって画面が暗くなってしまうのを防ぐことができる。また、スリープ状態でHDDやSSDがオフになってしまい、大容量ファイルのコピーが途中で止まってしまうといったトラブルも防ぐことが可能だ。

Jolt of Caffeine
作者／Pocket Bits LLC
価格／無料
入手先／App Store

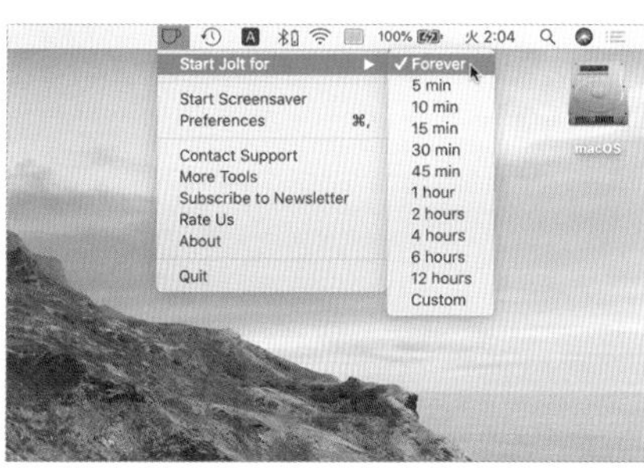

アプリを起動したら、メニューバーの「Start Jolt for」からスリープを禁止する時間を設定しよう。メニューバーのアイコンが変化し、スリープ禁止状態になる。

Touch Barを使いやすくカスタマイズしてみよう

「Pock」は、MacBook Proに搭載されているTouch Barをカスタマイズできるアプリだ。Touch BarにDockを表示したり、ミュージックアプリなどの再生コントロールを表示したりなどが行える。アプリを起動したら、メニューバーから「Customize」を選択しよう。ここからTouch Barに表示する内容を選ぶことができる。あまりTouch Barを使いこなせていない人にもオススメ。

Pock
作者／Pierlulgi Galdi
価格／無料
入手先／https://pock.dev/

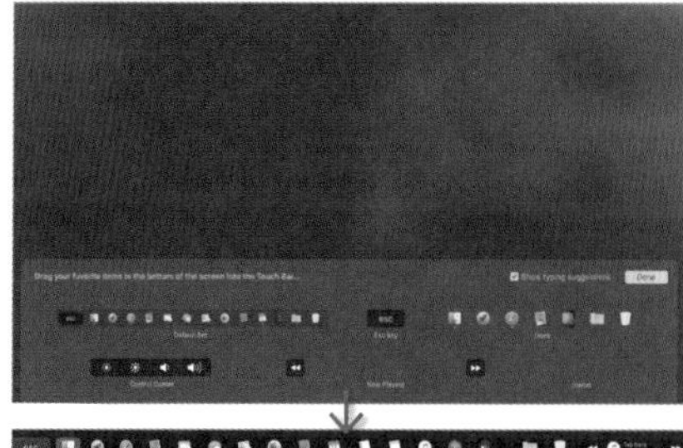

カスタマイズ画面でTouch Barに追加するものを選んでおこう。Touch BarでDockや再生コントロールを操作することができるようになる。

015

周辺機器

MacBookをもっと便利&快適にするアイテムを厳選紹介

MacBookにおすすめのアクセサリ&周辺機器

本誌オススメの製品を全20点ピックアップ

ここでは、MacBookを購入したときにあわせて買っておきたいアクセサリや周辺機器をいくつか紹介しておこう。本体を保護するケースやプロテクター、接続デバイスを増やすUSBハブといった必須アイテムから、外付けドライブやストレージ、リモートワーク向けのヘッドセットなど、さまざまなカテゴリごとに製品を紹介していく。

スリーブケース

持ち運びの際に収納できる革製ケース

MacBookを鞄に入れて持ち運ぶときは、専用ケースに入れたほうが安心だ。ケースの質感にこだわりたいなら、Apple製のレザースリーブがオススメ。裏地には柔らかなマイクロファイバーが使われており、MacBook AirやMacBook Proをしっかりと保護してくれる。

3色の中から好みのカラーを選ぼう

カラーは、サドルブラウン、ミッドナイトブルー、ブラックの3種類。写真は13インチ用のものだが、各MacBookのインチ数に合わせた最適なサイズが個別に用意されている。

BEST アイテム

ヨーロピンレザーで手触りも高品質

13インチMacBook AirとMacBook Pro用レザースリーブ
メーカー／Apple　実勢価格／20,800円(税別)

ラップトップスリーブケース 13インチ用
メーカー／Inateck
実勢価格／2,880円(税込)

こちらもCHECK

小型ケースも別途付属しているシンプルな薄型スリーブケース

シンプルなデザインで使い勝手のよい薄型のケース。表面は撥水加工されたポリエステル製、裏面は柔らかいソフトフランネル製の生地を使用している。2つのポケットが付いており、ケーブル類をしまっておけるのも便利だ。また、アダプタやマウスなどを入れるのにちょうどいい小型ケースも付属している。

プロテクター／液晶保護フィルム

MacBookを傷から守ってくれるハードケース

13インチ Hardshell Case for MacBook Pro with Thunderbolt 3 (USB-C)
メーカー／Incase
実勢価格／5,800円(税別)

BEST アイテム

MacBookの外側を完全に保護するケース

MacBookを傷から守りたいなら、外観全体をすっぽりと覆うハードシェルタイプのケースを利用したい。Incaseの「Hardshell Case」は、硬質プラスチック製のハードケースで、MacBookの形にぴったりとフィット。使用中や持ち運び中に付いてしまう擦り傷などを防いでくれる。

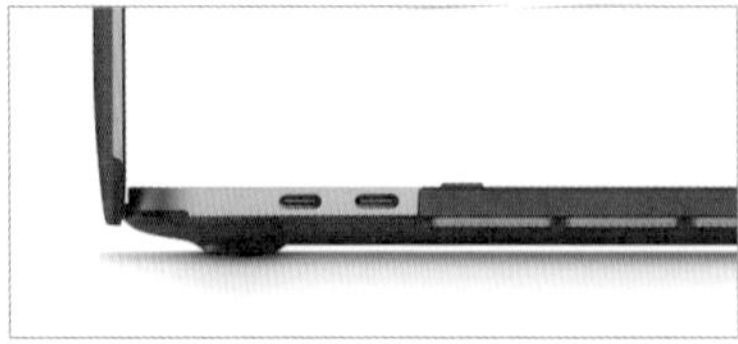

ポートやボタン類にアクセスしやすい

ボタンやポート類へのアクセスを妨げない構造なので使いやすい。また、下面にはゴム足が付いており、ケースを付けた状態でも滑ることはない。

Apple MacBook Air/Pro 13インチ 2020年モデル用 液晶保護フィルムマット(反射低減)タイプ
メーカー／ClearView
実勢価格／1,980円(税込)

こちらもCHECK

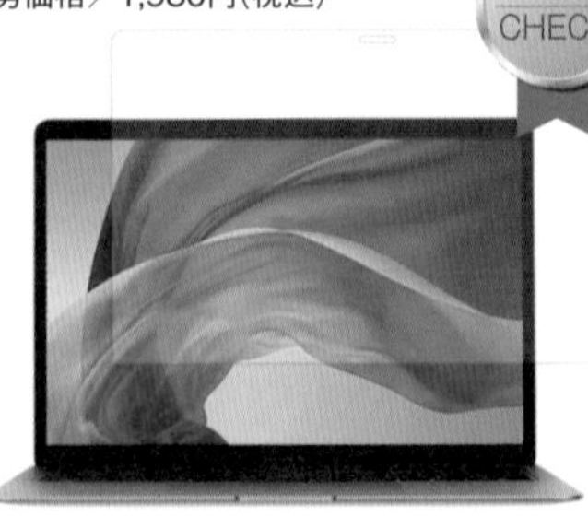

ディスプレイの傷を保護したいなら専用のフィルムを使おう

ディスプレイに傷が付くのが心配な人は、保護フィルムを貼っておくといい。保護フィルムは、しっかりと自分のMacBookに対応したものを選ぶこと。また、製品によっては光沢／非光沢などの種類もあるので、好きな方を選んでおこう。

USBハブ

BEST アイテム

各種デバイスをスマートに接続!

PowerExpand Direct 7-in-2 USB-C PD メディア ハブ
メーカー/Anker
実勢価格/5,999円(税込)

Thunderbolt 3端子を搭載したUSBハブ

最近のMacBookは接続用ポートがUSB-Cのみになっているため、さまざまな外部デバイスを接続するにはUSBハブが必須だ。Ankerの「PowerExpand Direct 7-in-2」を使えば、USB-AやSDカードスロット、HDMI端子を用いるデバイスをスマートに接続できるようになる。

よく使う7つのポートがすべて揃う

Thunderbolt 3 USB-Cポート×1、USB-Cポート×1、USB-Aポート×2、microSDカードスロット×1、SDカードスロット×1、4K対応HDMIポートを搭載している。これさえあれば、ほとんどの機器は接続可能だ。

Thunderbolt 3 USB-Cポート搭載

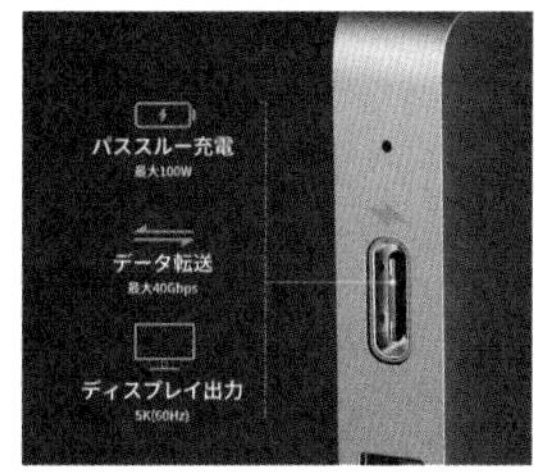

USBハブにしては珍しく、Thunderbolt 3 USB-Cポートを搭載。充電だけでなく、高速なデータ転送やディスプレイ出力が行える。

スタイリッシュで邪魔にならない

MacBook搭載のUSB-Cポート2つに直接接続するので、MacBookとハブとの間のケーブルがなく、邪魔にならない。

USB-C Digital AV Multiport アダプタ
メーカー/Apple
実勢価格/6,800円(税別)

こちらも CHECK

Apple公式のマルチポートアダプタ

ポート数をそれほど必要としないのであれば、シンプルなApple製のアダプタを使うのもアリだ。上の製品は、HDMI、USB-A、USB-C端子を搭載したApple製のアダプタ。USB-A端子のデバイスと外部ディスプレイを同時に接続したいときに便利だ。

USB Type C to USB 3.0 変換アダプタ
メーカー/Rampow
実勢価格/849円(税込)

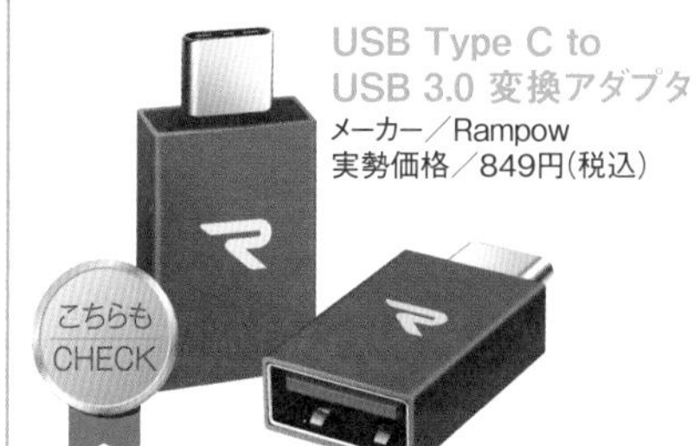

こちらも CHECK

USB-CポートをUSB-Aポートに変換

USB-A接続のマウスをMacBookのUSB-Cポートに接続したいだけなら、変換アダプタを購入すればいい。USBハブを購入するよりも安価で済む。なお、上の商品は2個セットになっているのでオトク。

モバイルバッテリー/充電器

MacBookにも充電できる大容量モバイルバッテリー

USB-Cポートを搭載しているMacBookは、モバイルバッテリーからの給電も行える。Ankerの「PowerCore+ 26800 PD 45W」であれば、26800mAhの超大容量かつ最大45W出力のUSB-Cポートを備えているので、MacBookの外部バッテリーとして使うことが可能だ。

BEST アイテム

高速充電用のアダプタも付属したモバイルバッテリー

PowerCore+ 26800 PD 45W [USB-C急速充電器付属]
メーカー/Anker
実勢価格/9,999円(税込)

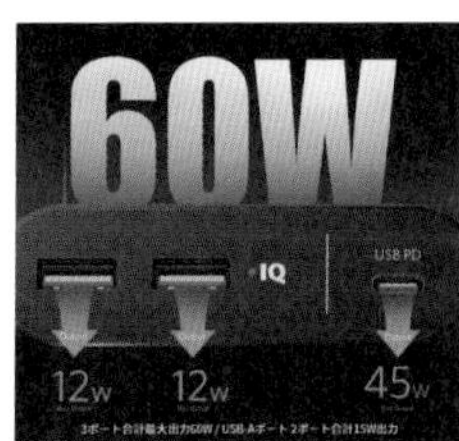

45Wでフルスピード充電が可能

USB-A×2とUSB-C×1の3ポートを搭載。USB-Cポートは最大45W出力による高速充電が可能だ。スマホやタブレットなどのデバイスも同時に充電できるのも便利。

PowerPort Atom III 45W Slim
メーカー/Anker
実勢価格/2,799円(税別)

こちらも CHECK

どこにもで持ち運べるスリムタイプの急速充電器

約2cmの薄型急速充電器(モバイルバッテリーではない)。MacBook付属の大きな電源アダプタを持ち運ぶのが面倒であれば、こういったUSB-C接続の充電器を電源アダプタ代わりに使うのもアリだ。45W出力の急速充電が可能で、15インチのMacBook Proであれば約2.5時間でフル充電できる。

光学ドライブ

Macユーザーのためのポータブルブルーレイドライブ

MacBook用の外付けドライブを探しているなら、ロジテックの「LBD-PVC6UCMSV」がオススメだ。CDやDVD、Blu-rayの読み書きにすべて対応。USB-Cポートを製品側に標準搭載しているので、MacBookとの接続も簡単だ。Mac用のBDXL対応書き込みソフトなども付属する。

外付けBlu-rayドライブ LBD-PVC6UCMSV
メーカー／ロジテック
実勢価格／18,550円(税込)

MacBookと調和するシルバー塗装デザイン

USB-Cで直接接続できる

標準でUSB-Cポートが搭載されており、変換アダプタなしでMacBookと直接接続できる。バスパワーで駆動するので電源も不要だ。

BEST アイテム

ポータブルDVDドライブ DVRP-UT8C2W
メーカー／I-O DATA
実勢価格／4,600円(税込)

こちらもCHECK

CDとDVDだけでいいならシンプルな光学ドライブで十分

Blu-rayの対応が不要なら、CDとDVDだけに対応したシンプルな光学ドライブを選ぼう。I-O DATAの「DVRP-UT8C2W」であれば、USB-C用のケーブルも付属するので、Macユーザーに最適だ。9.5mm厚の薄型なので、持ち運びもしやすい。

外付けSSD

高速転送

MacBookの容量が足りなくなってきたら、外付けドライブを利用しよう。中でもLaCieのストレージは、MacBookにマッチするアルミニウム製の筐体デザインでオススメだ。

最大540MBpsでファイルを高速転送!

MacBookと一緒に持ち歩きたいSSD

デザイン性に優れたモバイルSSD。最大540MBpsの速さでファイルの高速転送および編集を処理できる。USB-Cポートを搭載し、MacBookとの接続もスムーズだ。

1TB Mobile SSD High-Performance External SSD USB-C USB 3.0
メーカー／LaCie
実勢価格／27,800円(税別)

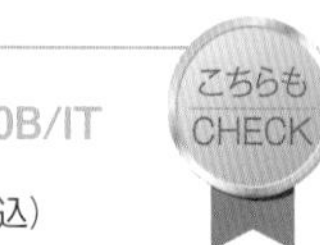

T5 1TB MU-PA1T0B/IT
メーカー／Samsung
実勢価格／22,700円(税込)

こちらもCHECK

名刺サイズで軽量なモバイルSSD

奥行57.3mm×幅74mm×厚さ10.5mmのコンパクトなSSD。衝撃に強いため、持ち運びにも最適だ。

外付けハードディスク

バックアップ用途に最適なストレージ

Time Machineなどのバックアップで利用する外付けドライブは、SSDではなくハードディスクで十分だ。デザイン性で選ぶなら、SSDでも紹介しているLaCieのハードディスクがイチオシ。

Time Machineでのバックアップに最適!

スタイリッシュなモバイルハードディスク

アルミニウムで作られた筐体が美しいモバイルハードディスク。Time Machineで使う際は、「Mac OS拡張(ジャーナリング)」でフォーマットする必要があるので注意しよう。

2TB Mobile Drive External Hard Drive USB-C USB 3.0
メーカー／LaCie
実勢価格／12,800円(税込)

BUFFALO HD-GD8.0U3D
メーカー／BUFFALO
実勢価格／40,980円(税込)

8TBの据え置き型ハードディスク

大量のデータをバックアップしたい場合は、据え置きモデルのHDDがオススメ。HD-GD8.0U3Dであれば、Time Machineの履歴をたくさん残しておける。

ワイヤレスイヤホン／ヘッドフォン

ノイズキャンセリング機能で音楽に集中できる

「AirPods Pro」は、Apple製のワイヤレスイヤホンだ。ノイズキャンセリング機能で、周囲の環境音を遮断するだけでなく、逆に周囲の音を取り込むことも可能。イヤホンをしながらでも周囲の人と話すことができる。音の遅延も少なく、映像と音声のズレも気にならないレベルだ。

外部音を取り込める次世代のワイヤレスイヤホン

AirPods Pro
メーカー／Apple
実勢価格／27,800円(税別)

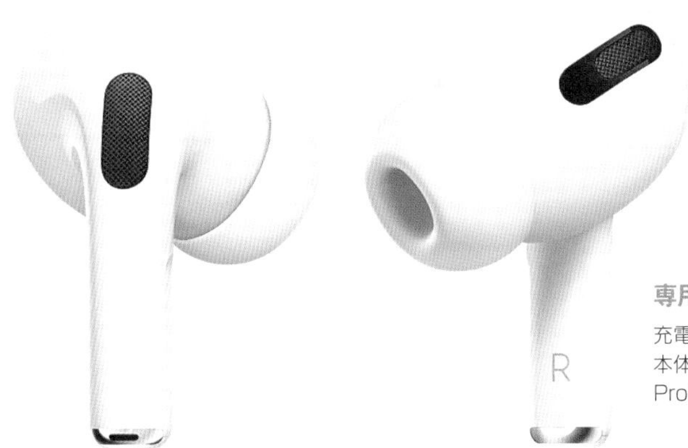

専用ケースに入れてすばやく充電できる

充電は専用ケースに入れて行う。なお、イヤホン本体にはマイクも内蔵されているので、AirPods Proを装着したままで通話が可能だ。

ワイヤレスヘッドホン
K371-BT
メーカー／AKG
実勢価格／
19,580円(税込)

こちらもCHECK

スタジオクオリティの高品位なサウンドをワイヤレスでも

音楽再生などをより高音質で楽しみたいなら、プロクオリティのヘッドフォンを使おう。AKGの「K371-BT」は、ワイヤレスと有線接続のどちらにも対応した密閉型ヘッドフォンだ。5～40,000Hzの広い再生周波数帯をカバーし、原音に忠実なサウンドが楽しめる。

リモートワーク／配信向けデバイス

オンライン会議で活躍するワイヤレスヘッドセット

オンライン会議で意外とストレスになるのが音声の聞き取りずらさだ。相手の会話がよく聞き取れない、自分の会話が相手に伝わっていない、といった問題を解消したいなら、ロジクールのワイヤレスヘッドセット「H800r」を使ってみよう。

BEST
アイテム

H800r
ワイヤレスヘッドセット
メーカー／ロジクール
実勢価格／
9,438円(税込)

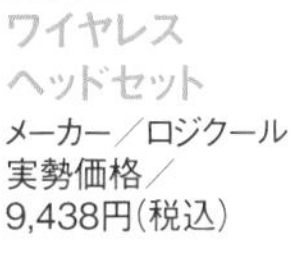

ワイヤレスなので作業しながらでも会話しやすい

BluetoothとUSBレシーバーの2つの方式で接続可能

無線方式はBluetoothだけでなく、専用のUSBレシーバーを介した通信も可能だ。USBレシーバーはUSB-Aタイプなので、MacBookと接続するには別途USBハブなどが必要となる。

AG03
メーカー／YAMAHA
実勢価格／
17,721円(税込)

こちらもCHECK

YouTubeなどの配信向けオーディオミキサー

USB接続でオーディオインターフェース機能を備えた3チャンネルミキサー。60mmフェーダーにより、配信中のマイクボリューム操作をスムーズに行える。インターネット配信時に便利なループバック機能も搭載。現在需要が高まり、超品薄になっている人気機種だ。

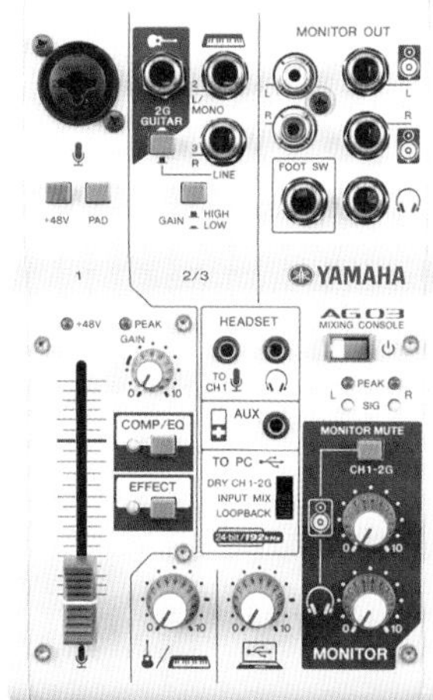

こちらもCHECK

Q8
メーカー／ZOOM
実勢価格／34,980円(税込)

Webカメラとしても使える高音質なビデオレコーダー

高品質なXYステレオマイクを搭載したビデオレコーダー。USBケーブルでMacBookと接続すればWebカメラとしても使えるので、高音質なライブ配信を手軽に実現できる。撮影モードは、フルHDや3M HDモード(2.3K画質)などを含む5種類に対応。

SECTION

04

iPhone&iPad との連携操作法

MacBookとiPhone&iPadの相性は抜群だ。macOSは、アップデートと共にiOSやiPadOSとの親和性を高めている。iCloudを使ったデータの同期はもちろん、iPhone&iPadをそばに置くことでMacBookの機能を拡張できるさまざまな仕組みを活用できる。まずは、どのように接続、連携できるのか、その概要を右ページで把握しよう。

接続する前に

MacBookとiPhoneやiPadを連携する仕組みを理解する

MacBookとiPhone／iPadを連携する3つの方法

1 iCloudで同期

iCloudに保存されたデータをそれぞれのデバイスで同期する使い方。MacBookの標準アプリの多くはiCloudで同期して、iPhoneやiPadでも同じデータを利用できる。

2 接続して同期

MacBookとiPhoneやiPadをUSBケーブル(またはWi-Fi)で直接接続すると、FinderでiPhoneやiPadを管理できる。iPhoneやiPadのアプリ内にファイルを転送するといった操作も可能。

3 その他の連携方法

それぞれのデバイスで同じApple IDを使ってサインインし、Bluetooth、Wi-Fi、Handoffをオンにしておくと、他のデバイスで途中の作業を引き継いだりディスプレイを共有できる。

iPhoneやiPadと直接接続する方法と画面の見方

MacBookとiPhoneやiPadを連携させる方法としては、上記の3パターンがある。iCloudでの同期方法は、P054やP063でも解説しているのでご確認いただきたい。この章では、3つの連携方法を使ったさまざまな機能や使い方を紹介。まず最初に、MacBookとiPhoneやiPadを直接ケーブル(やWi-Fi)で接続する操作と、管理画面の見方を確認しておこう。MacBookとiPhoneやiPadをケーブルで接続すると、Finderのサイドバーの「場所」欄に、iPhoneやiPadの名前が追加される。これをクリックすると管理画面が表示され、上部のメニューで「ミュージック」「映画」「Podcast」「ブック」「写真」など、アプリやコンテンツごとに同期する項目を設定できる。また「一般」ではバックアップや復元の操作も可能だ。なお、iCloudで「ミュージック」や「写真」の同期機能を有効にしていると、Finderの画面では「ミュージック」や「写真」の項目を操作できない点に注意しよう。

MacBookとiPhoneやiPadを直接接続する

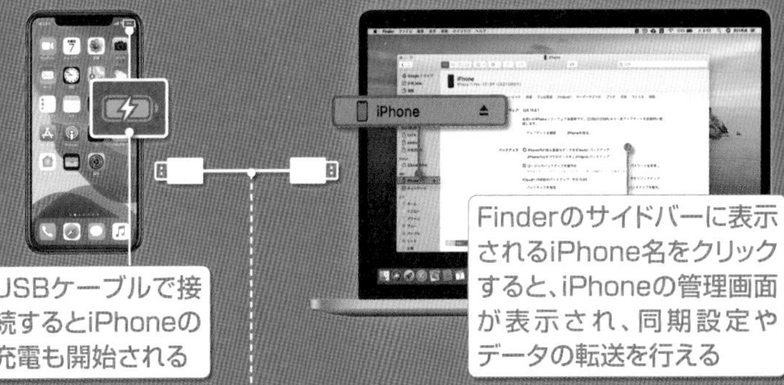

USBケーブルで接続するとiPhoneの充電も開始される

Finderのサイドバーに表示されるiPhone名をクリックすると、iPhoneの管理画面が表示され、同期設定やデータの転送を行える

USB-C - Lightningケーブルで接続

近年のMacBookにはUSB-Cポートしか搭載されていないため、iPhone 11 ProやiPad Proなど一部の機種を除くiPhoneやiPadに付属するケーブルでは接続できない。USB-CとUSB-Aの変換アダプタを使ってもよいが、Apple純正の「USB-C - Lightningケーブル」(1mで1,800円)を購入した方が手っ取り早い。

初めて接続した時は「信頼」をクリック

MacBookとiPhoneやiPadを初めて接続すると、それぞれの画面で接続したデバイスを信頼するか、確認画面が表示される。双方で「信頼」をクリックすれば、FinderでiPhoneやiPadの同期を設定できるようになる。

iPhoneやiPadをWi-Fiで接続する

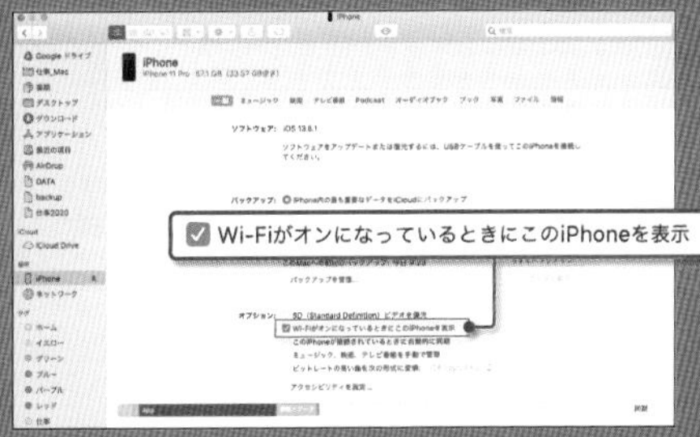

初回接続時にはUSBケーブルが必要だが、「一般」タブの「Wi-FiがオンになっているときにこのiPhone(iPad)を表示」にチェックしておけば、ケーブルで接続しなくてもWi-Fiで無線接続できるようになる。

iPhoneとiPadの同時接続も可能

iPhoneやiPadを個別に接続しなくても、ケーブルやWi-Fiで複数のデバイスを接続しておけば、「場所」欄にそれぞれのデバイス名が表示され、クリックして管理画面を切り替えて操作できる。

iCloudではできない完全なバックアップを実行

iPhoneやiPadのデータをMacBookにバックアップする

iPhoneやiPadでは、「iCloudバックアップ」さえ有効にしておけば自動でバックアップが作成されるが、すべてのデータがiCloud上に保存されるわけではない。完全なバックアップを保存しておきたいなら、MacBookで暗号化バックアップを作成しておこう。

MacBookへのバックアップと復元の手順

暗号化にチェックすれば IDやパスワードも保存可能

iPhoneやiPadは通常、「iCloudバックアップ」でバックアップが自動的に作成される。ただiCloudバックアップでは、アプリデータやデバイスの設定など重要な情報は保存されるものの、アプリ内のアカウント情報などは保存されない。これらもすべて含めた完全なバックアップデータを作成しておきたいなら、暗号化バックアップを有効にした上で、MacBook上にバックアップを作成しておくのがおすすめだ。

1 このMacに バックアップを選択

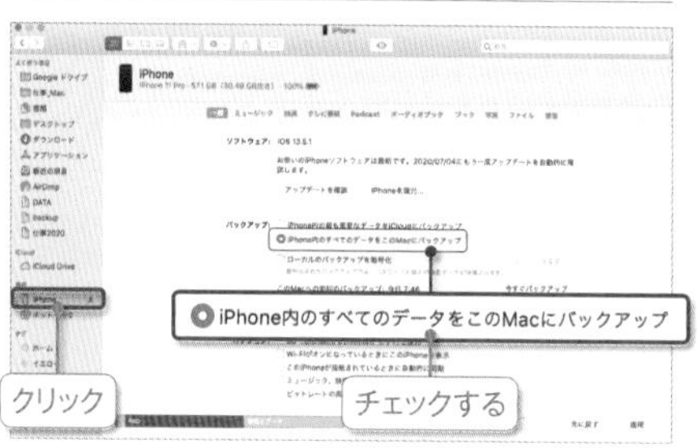

iPhoneをMacBookに接続したら、Finderのサイドバーで「iPhone」をクリック。「一般」タブで「iPhone内のすべてのデータをこのMacにバックアップ」にチェックしよう。

2 暗号化にチェックし パスワードを設定

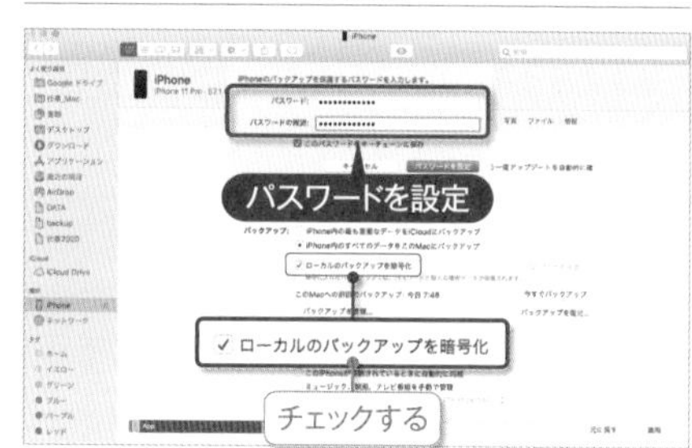

パスワードやIDも含めた完全なバックアップを作成するには、「ローカルのバックアップを暗号化」にチェック。表示された画面でパスワードを設定しよう。このパスワードは復元時に必要なので忘れないように。

3 バックアップが 開始される

自動的にバックアップが開始される。開始されない時は「今すぐバックアップ」をクリックしよう。進捗状況は、サイドバーの「iPhone」横のアイコンで確認できる。

4 バックアップから 復元する

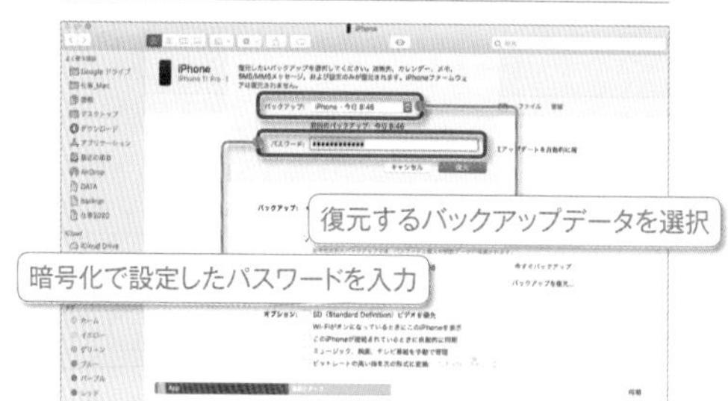

復元する時は、「バックアップを復元」ボタンをクリック。最新日時のバックアップを選択し、暗号化バックアップで設定したパスワードを入力したら「復元」ボタンをクリックしよう。

5 「探す」がオンだと 復元できない

iPhoneの「探す」がオンのままだと復元できない。iPhoneで「探す」機能をオフにするか初期化しておこう。iPhoneで操作できない時は、iCloud.comなどで遠隔操作で初期化することもできる。

POINT

「iCloudにバックアップ」で保存されるデータ

「iPhone内の最も重要なデータをiCloudにバックアップ」の方を選んで「今すぐバックアップ」すると、iPhoneやiPadで作成するiCloudバックアップと同じく、アプリデータやデバイスの設定、ホーム画面とアプリの配置など重要なデータのみ保存される。この時「バックアップを管理」をクリックすると、バックアップデータがiCloudバックアップの作成日時に更新されるので、以前作成した暗号化バックアップのデータが消えたように見える。しかしバックアップデータはそのままのサイズで残っており、暗号化バックアップにiCloudバックアップの最新の更新データが適用されているだけのようだ。復元時も問題なく暗号化バックアップのデータを選択して復元できる。

途中の作業を別のデバイスで再開する

MacBookとiPhoneやiPadでアプリの作業を引き継ぐ

MacBookやiPhone、iPadでは、「Handoff」機能によって、対応アプリでやりかけの作業を他のデバイスに引き継ぐことができる。例えば、移動中にiPhoneで書いていたメールを、帰宅してからMacBookで開いて続きを書くといったことが可能だ。

iPhoneで作成中のメールをMacBookへ引き継ぐ

1 iPhoneでメールの作成を開始する

iPhone側では、同じApple IDを使ってサインインし、BluetoothとWi-Fiの両方をオンにし、「設定」→「一般」→「AirPlayとHandoff」→「Handoff」をオンにしていれば機能が有効になる。この状態でメールなどを作成してみよう。

2 MacBookでメールの作成を引き継げる

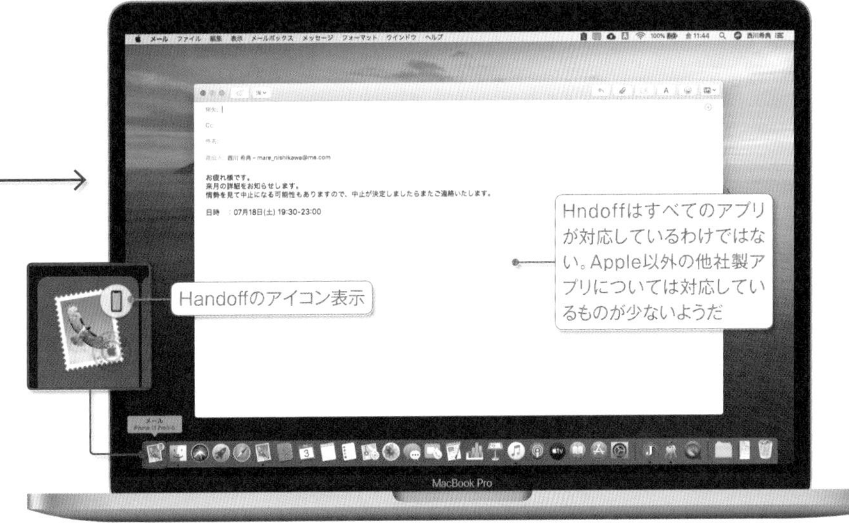

MacBook側でも、同じApple IDを使ってBluetoothやWi-Fiを有効にし、Appleメニューの「システム環境設定」→「一般」→「このMacとiCloudデバイス間でのHandoffを許可」にチェックしておく。すると、iPhoneで作業中のメールアプリがDockの左端に表示されるようになる。これをクリックすると、iPhoneで作成途中のメール画面が開く。

MacBookの作業をiPhoneで引き継ぐ場合

MacBookの作業をiPhoneで引き継ぎたい場合は、iPhone側でAppスイッチャー画面を表示しよう。画面の下の方にMacBookで作業中のアプリ名のバナーが表示されるので、これをタップすればよい。

MacBookの作業をiPadで引き継ぐ場合

MacBookの作業をiPadで引き継ぎたい場合は、iPadのDockの右端に、Handoffのマークが付いたアイコンが表示されるのでこれをタップ。すぐにMacBookで作業中のアプリが起動して引き継ぎできる。

POINT

Handoff機能でうまく連携できない時は

Handoffは、メール、Safari、Pages、Numbers、Keynote、マップ、メッセージ、リマインダー、カレンダー、連絡先などのアプリが対応しているが、機能が有効でもうまく連携しないことがある。特にMacBookとiPhoneとiPadなど複数のデバイスを同時に使っていると、うまく動作しないことが多い。連携させたいデバイス以外はHandoffの機能を切っておこう。それでも連携しない時は、それぞれのデバイスを一度再起動するか、Apple IDをサインアウトしてからもう一度サインインし直そう。

MacBook内の曲をiPhoneやiPadでも楽しもう

MacBookとiPhoneやiPadで音楽ライブラリを同期する

MacBookのライブラリ内にある曲をiPhoneやiPadで聴けるように同期するには、Finderを使って直接転送するほかに、「iCloudミュージックライブラリ」を使う方法がある。こちらの方が便利なので、Apple Musicなどに登録済みなら活用しよう。

iCloudミュージックライブラリを理解する

手持ちの曲をすべてアップロードしておける

Apple Music（P080で解説）を登録すると利用できるのが、「iCloudミュージックライブラリ」だ。これはiCloudの容量とは別に、最大10万曲まで保存できる音楽専用のクラウドスペースで、MacBook内にある音楽ファイルもすべてアップロードできるのが最大のメリット。つまり、MacBookにしかない音楽CDから取り込んだ曲も、iCloudミュージックライブラリに保存しておくことで、iPhoneなどで同期して再生できるようになるのだ。ただしApple Musicを解約すると使えなくなるため、クラウド上にあるからといってMacBookにある元の曲ファイルを消さないようにしよう。

iCloudミュージックライブラリを有効にする

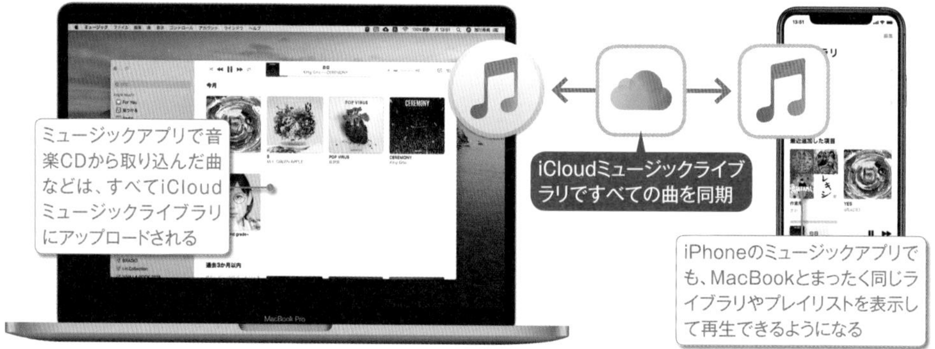

iCloudミュージックライブラリの利用条件

「iCloudミュージックライブラリ」による同期を有効にするには、Apple Musicか、iTunes Matchの契約が必要となる。Apple Musicの登録方法はP080で詳しく解説している。iTunes Matchの登録方法は次ページを参照。

1 MacBook側で機能を有効にする

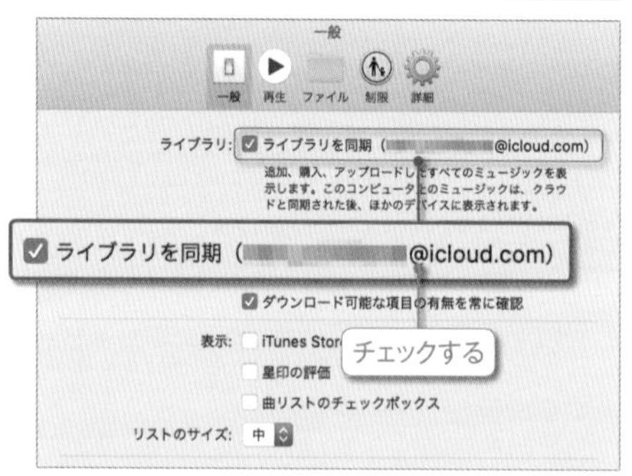

MacBookでは、ミュージックアプリのメニューバーから「ミュージック」→「環境設定」→「一般」で「ライブラリを同期」にチェック。MacBookのすべての曲がiCloudミュージックライブラリにアップロードされる。

2 iPhone側で機能を有効にする

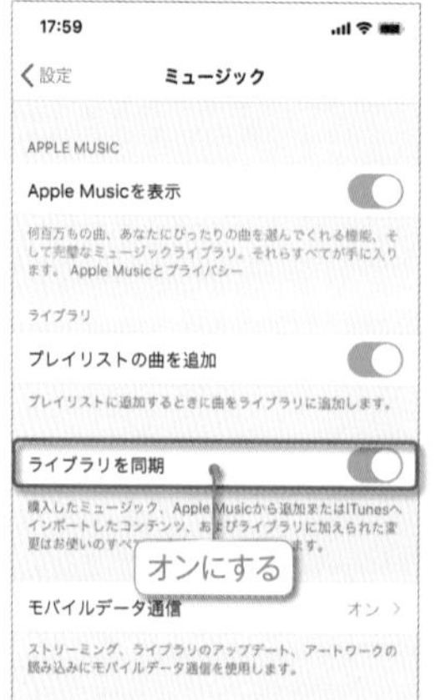

iPhoneでは、「設定」→「ミュージック」→「ライブラリを同期」をオンにしよう。MacBookとまったく同じライブラリやプレイリストがiPhone側にも表示され、ストリーミング再生したりダウンロードできる。

POINT

MacBook内の曲をiPhoneで削除した時

MacBook内の曲をiPhoneの操作でライブラリから削除しても、MacBook内の曲は削除されない。「×」が表示されたクラウドボタンをクリックし、「クラウドミュージックライブラリに追加」でクラウド上のライブラリに再アップできる。

POINT

ライブラリへの追加やダウンロードにも必要

「iCloudミュージックライブラリ」は、MacBook内の曲をアップロードする以外に、Apple Musicの曲をライブラリに追加して管理するのにも必要な機能となる。iPhoneなどでApple Musicの曲を検索し、直接ストリーミング再生することは可能だが、ライブラリに追加しないとプレイリストなども作成できないし、ダウンロード保存もできない。特に理由がない限りオンにしておこう。

MacBookとiPhoneやiPadを直接接続してFinderで同期

直接接続した場合はFinderで同期を管理する

Apple Musicを利用していないなら、MacBookとiPhoneやiPadをUSBケーブルなどで直接接続して、Finderで曲を同期しよう。選択したアーティストやアルバムの曲のみを同期することもできる。なお、Apple Musicに加入中でも、iPhoneの「ライブラリを同期」をオフにすればFinderを使って手動で曲を転送できるが、「ライブラリを同期」を有効にして、iCloud上にある全ての曲から必要な曲だけダウンロードした方が早い。

1 iPhoneを接続してFinderで開く

iPhoneをMacBookに接続したら、Finderのサイドバーでiphone名をクリック。上部のメニューで「ミュージック」タブを開こう。この画面でミュージックの同期を設定できる。

2 ライブラリ全体を同期する

「ミュージックを"○○"と同期」にチェックし、その下の「ミュージックライブラリ全体」を選択すると、MacBookのミュージックライブラリ全体をiPhoneと同期することができる。

3 プレイリストを同期する

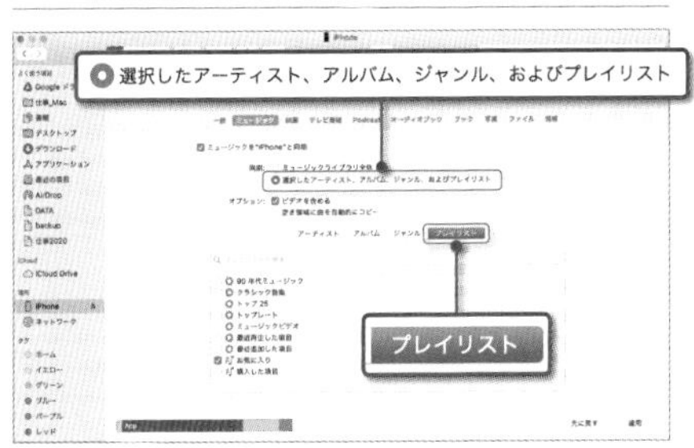

一部の曲やアルバムだけ同期したい時は、専用のプレイリストを作成しておくと便利。「選択した」〜にチェックして「プレイリスト」画面を開き、同期用のプレイリストにチェックしよう。

4 ドラッグ&ドロップで曲を転送する

iPhoneの「一般」タブで「ミュージック、映画、テレビ番組を手動で管理」にチェックしておくと、ミュージックアプリを使って、iPhoneにドラッグ&ドロップで曲を転送できる。

iTunes Matchを利用する

ライブラリの同期機能のみ利用できるサービス

手持ちの曲をクラウドに保存して同期できる「iCloudミュージックライブラリ」の機能が必要なだけで、Apple Musicの定額聴き放題のサービスは不要なら、「iTunes Match」というサービスも用意されている。年額3,980円で利用できる。Apple Musicと違って、クラウド上で管理する曲がDRM（デジタル著作権管理）で保護されないので、サービスを解約したあとでもダウンロード済みの曲はそのまま残り再生できる点がメリットだ。

1 ミュージックでiTuensストアを開く

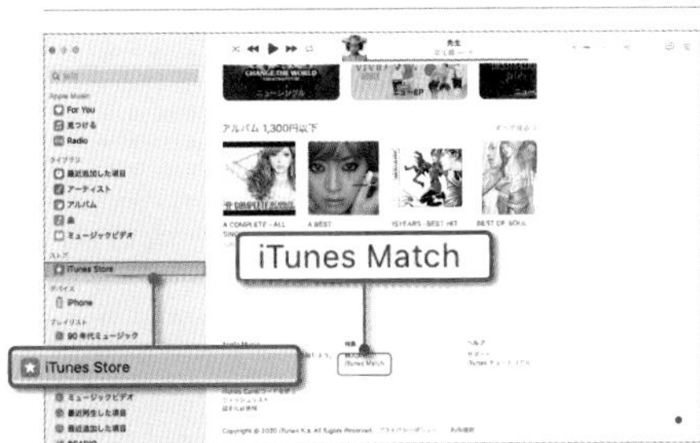

iTunes Matchに登録するには、ミュージックアプリを起動して、サイドバーの「iTunes Store」をクリック。一番下の「特集」メニューにある「iTunes Match」をクリックしよう。

2 このコンピュータを追加する

「年間サブスクリプション料¥3,980」をクリックして購入処理を済ませる。購入が済んだらもう一度同じ画面を開いて「このコンピュータを追加」をクリックし、ライブラリをアップロードしておこう。

POINT

各種音楽ファイルを同期するには

昔保存していたMP3ファイルや、Bandcampなどで購入した曲ファイルをミュージックアプリに読み込むには、Finderからミュージックアプリの「ライブラリ」欄に曲ファイルをドロップすればよい。「ミュージック」フォルダにコピーが保存されて、ミュージックアプリのライブラリに登録される。元のファイルは現在の場所に残ったままになる。

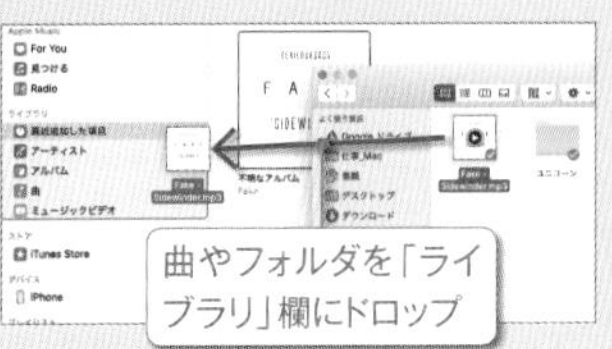

どのデバイスからも同じ写真やビデオを楽しめる

MacBookとiPhoneやiPadで写真を同期する

「iCloud写真」を有効にすることで、iPhoneやiPadで撮影した写真はすべてiCloud上に保存され、MacBookからもすぐに表示して楽しめるようになる。iCloud写真を使わずに、写真を同期したり転送する方法もあわせて紹介する。

iCloud写真を有効にして写真を同期する

iPhoneやiPadの写真と同期するもっとも手軽な方法

iPhoneやiPadで撮影した写真やビデオをMacBookと同期しておけば、MacBookの写真アプリでも同じ写真を楽しめる。逆にMacBook上で写真アプリに取り込んだ写真をiPhoneやiPadで見ることもできる。この写真の同期を最も手軽に実現できる機能が「iCloud写真」だ。それぞれのデバイスで機能を有効にしておけば、撮影した写真や取り込んだ写真はすべてiCloud上に自動アップロードされるようになり、各デバイスはいつでもiCloud上のすべての写真を表示できるようになる。どのデバイスから見ても常に同じ状態で表示されるように「同期」する機能なので、iPhoneで写真を削除するとMacBookのライブラリからも写真が消えるし、MacBookで編集を加えた写真はiPadでも編集された状態で表示される。なお、写真やビデオを保存するのにiCloudの容量を消費するので、頻繁に写真やビデオを撮影するユーザーにとっては、iCloud容量の追加購入が前提となるサービスという点には注意しよう。iPhoneやiPadの写真を手動で同期したり、MacBookへ写真を転送したい場合の方法も、次ページで解説する。

iCloud経由で写真アプリのライブラリが同じ状態になる。撮影したり保存した写真をiCloudに自動保存する機能なので、MacBookでiPhoneの写真を見ないなら、iPhoneだけ機能を有効にしてiCloud上へのバックアップとして使うこともできる

iCloud写真を有効にする

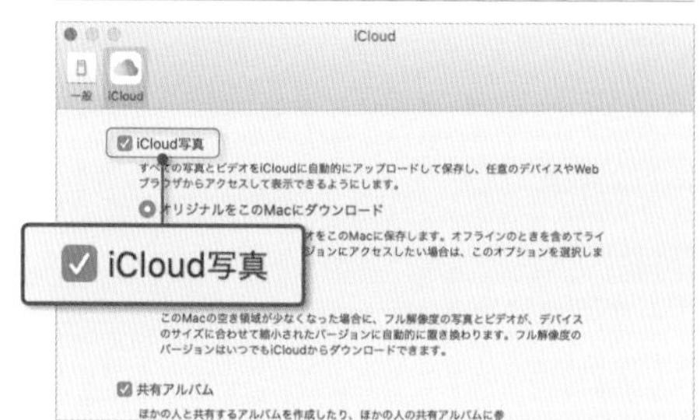

MacBookは写真アプリのメニューバーから「写真」→「環境設定」で「iCloud」タブを開き、「iCloud写真」にチェック。iPhoneやiPadは「設定」→「写真」→「iCloud写真」をオンにすると機能が有効になる。

iCloud容量の追加購入が前提

月額130円で50GB追加などのプランから選択できる

iCloud写真を有効にすると、無料で使える5GBでは容量が足りない場合が多い。Appleメニューの「システム環境設定」→「Apple ID」→「iCloud」で右下の「管理」をクリックし、「さらにストレージを購入」をクリックして容量を追加しておこう。

POINT

iCloudの容量が足りないならマイフォトストリーム

iCloudの容量が足りないがiPhoneの写真をMacBookと同期したい時は、iCloudの容量を使わずに写真を同期できる「マイフォトストリーム」を利用しよう。ただし保存期間は30日まで、最大1,000枚まで、ビデオのアップロードもされないといった制限がある。マイフォトストリームに写真が残っているうちにMacBook側でコピーして保存していこう。

MacBookではメニューバーの「写真」→「環境設定」→「iCloud」タブで「マイフォトストリーム」にチェック。iPhoneやiPadでは「設定」→「写真」→「マイフォトストリーム」をオン。iPhoneやiPadではiCloud写真とマイフォトストリームの同時利用が可能だが、MacBookではできない

iCloud写真の動作を確認する

1 iPhoneで撮影した写真はすぐにMacBookに表示される

2 MacBookのストレージ容量を節約する

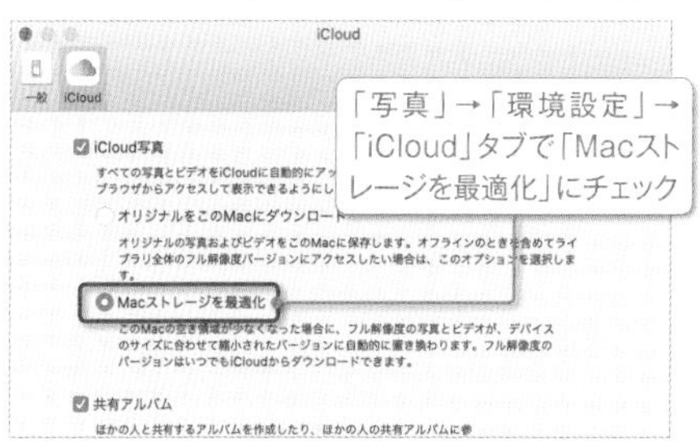

MacBookの空き容量が足りない時は、設定で「Macのストレージを最適化」に変更しよう。空き容量が少なくなると、MacBook内の写真が縮小版に置き換わり、フル解像度のオリジナル写真はiCloud上に残るようになる。

2 それぞれのデバイスで写真を削除した時の動作

iCloud写真を有効にしたデバイスで写真を削除すると、すべてのデバイスから写真が削除されるので要注意。誤って消しても、30日以内なら「最近削除した項目」から探して復元できる。

3 それぞれのデバイスで写真を編集した時の動作

MacBookやiPhoneで写真に編集を加えると、同期しているすべてのデバイスで編集結果が反映される。なお、オリジナル写真はiCloudに残っているので、いつでも元の状態に戻すことが可能だ。

4 写真アプリ外にコピーしてバックアップ

iCloudの容量がどうにも足りない時は、古い写真をMacBookへコピーし、iCloud上から削除してしまおう。iPhoneなど他のデバイスから古い写真が見えなくなるが、MacBook内には残しておける。

iCloudを使わず写真を同期する

1 MacBookとiPhoneやiPadを接続する

iCloud写真がオフの時は、Finderを使って写真を手動で同期できる。まずMacBookとiPhoneやiPadをUSBケーブルまたはWi-Fiで接続し、Finderのサイドバーからデバイス名をクリックしよう。

2 デバイスとの写真の共有元で写真を選択

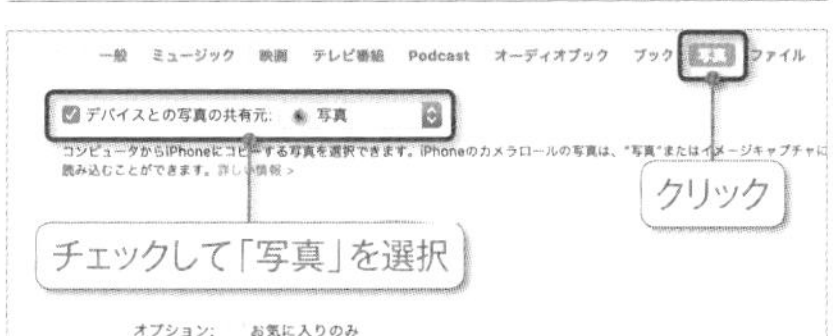

iPhone(iPad)の管理画面が開くので、上部メニューの「写真」を開く。iCloud写真が有効だとこの画面は操作できない。続けて「デバイスとの写真の共有元」にチェックし、「写真」を選択。

3 すべての写真または指定したアルバムを同期する

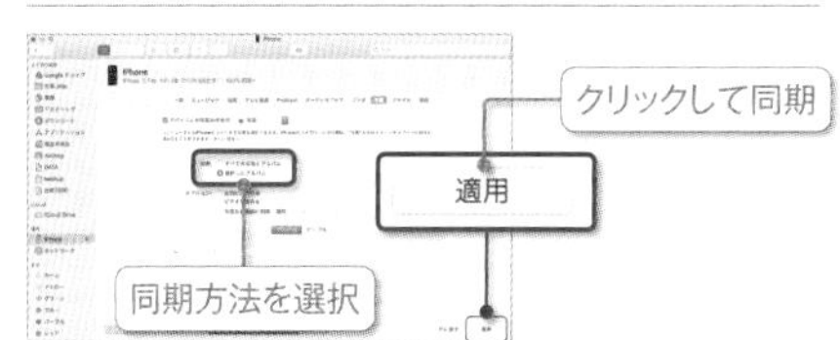

すべて同期するなら「すべての写真とアルバム」を選択。「選択したアルバム」を選ぶと、下部のリストで選択したアルバムや人の写真のみ同期することも可能だ。あとは「適用」をクリックで同期できる。

POINT

同期せずにiPhoneやiPadを接続して写真を取り込む

同期するのではなく、接続したiPhoneやiPadから、必要な写真だけ選んで取り込むことも可能だ。USBケーブルで接続すると、写真アプリのサイドバーにデバイス名が表示されるので、これをクリック。「新しい項目」欄にMacBookにない写真やビデオが一覧表示されるので、必要なものにチェックして、右上の「選択項目を読み込む」をクリックしよう。

iPadを2台目のディスプレイとして使える

SidecarでiPadをサブディスプレイやペンタブレットとして利用する

iPadを持っているなら、ぜひ利用したい機能が「Sidecar」だ。iPadの画面をMacBookの2台目のディスプレイとして使えるので、単純に作業スペースが広がるし、MacBookのアプリをiPadのApple Pencilで操作できるようにもなる。

MacBookの画面とiPadの画面を連携させよう

デュアルディスプレイ環境を簡単に構築できる

iPadを、MacBookcの2台目のディスプレイと活用できる便利な機能が「Sidecar」だ。この機能を利用するにはいくつか条件があって、まずMacBookとiPadの両方が、Sidecarに対応した機種であることが必要だ。また双方のデバイスを連携するのに、USBケーブルを使わずワイヤレスで接続する場合は、同じApple IDでサインインしており、Bluetooth、Wi-Fi、Handoffが有効になっている必要がある。これらの条件さえ整っていれば、MacBookの画面の延長先にiPadの画面があるように使うこともできるし、MacBookと同じ画面をiPadに表示させることもできる。Sidecarで接続中はiPadの画面をタッチ操作できないが、Apple Pencilの操作には対応しているので、特にイラストを描く時などはiPadをペンタブレットとして使えて便利だ。なお、有線接続する場合は、USBケーブルで接続し、iPadで「このコンピュータを信頼しますか?」と表示されたら「信頼」をタップすればよい。

個別のディスプレイとして使用

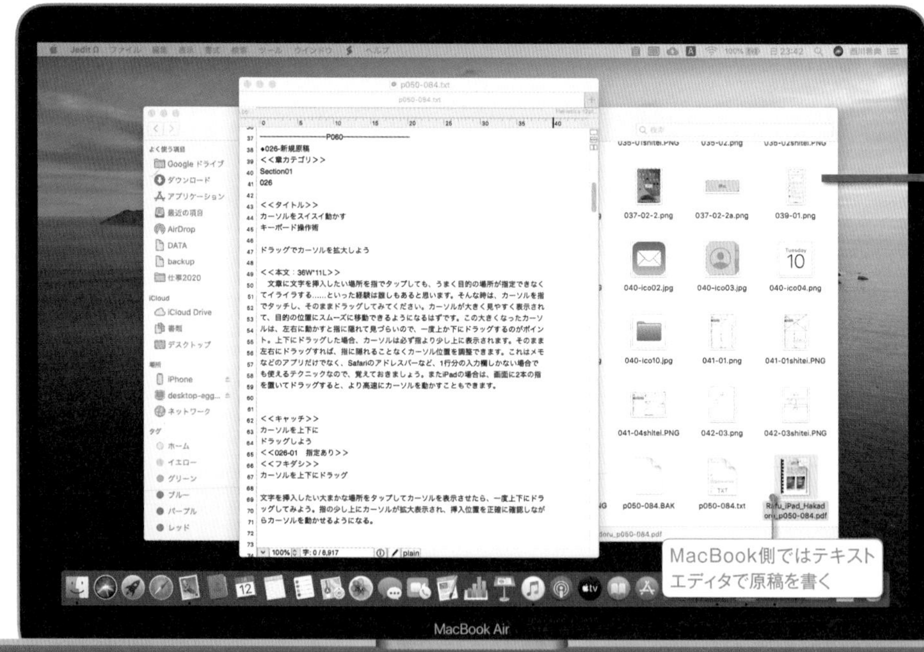

MacBook側ではテキストエディタで原稿を書く

2つのディスプレイの表示方法の違い

個別のディスプレイ……別々の内容を表示

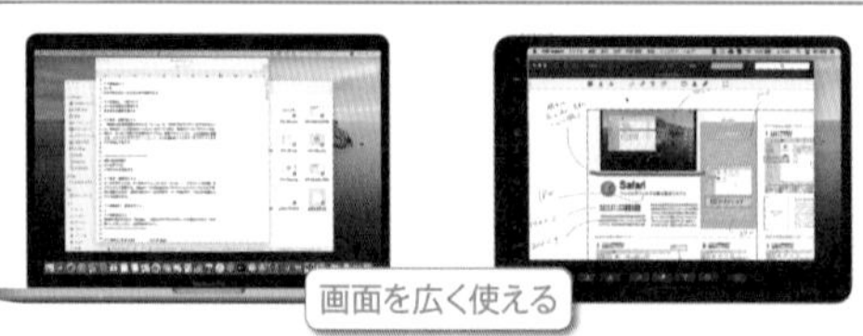

画面を広く使える

iPadの画面をMacBookの画面の延長として使うモード。余分なウインドウをiPad側に置いて画面を広く使えるほか、MacBookにはアプリのメイン画面だけ配置してツールやパレットをiPad側に配置したり、ファイルを2つ開いて見比べながら作業したい時にも便利。

ミラーリング……同じ内容を表示

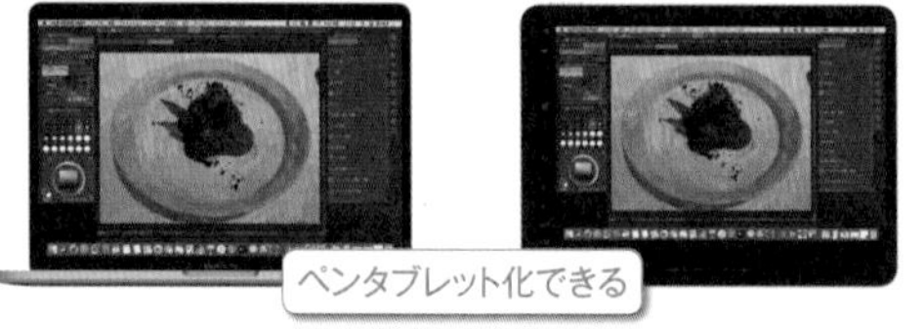

ペンタブレット化できる

MacBookと同じ画面をiPadにも表示するモード。プレゼンなどで相手に同じ画面を見せたい時などに役立つほか、iPadをペンタブレット化できる点も便利。MacBookでイラストアプリを起動し、iPad側ではApple Pencilを使ってイラストを描ける。

Sidecarの利用条件

- mac OS CatalinaをインストールしたMacBook
- iPadOS 13およびApple Pencil(第1世代、第2世代どちらも対応)に対応したiPad
- 両方のデバイスで同じApple IDでサインイン
- ワイヤレスで接続する場合は、10メートル以内に近づけ、両デバイスでBluetooth、Wi-Fi、Handoffを有効にする。また、iPadはインターネット共有を無効にする
- 有線で使う場合は、両デバイスともBluetooth、Wi-Fi、Handoffがオフでもよい。iPadでインターネット共有中でも利用できるが、その場合iPadのWi-FiとBluetoothはオンにする必要がある

個別のディスプレイとして接続する操作手順

1 AirPlayアイコンからiPadに接続する

MacBookのメニューバーに表示されているAirPlayボタンをクリックすると、「接続先:」欄に接続可能なiPad名が表示される。これをクリックするとSidecarで接続できる。

2 個別のディスプレイを選択する

iPadをMacBookのサブディスプレイとして使う場合は、「個別のディスプレイとして使用」を選択。するとiPadの画面にMacBookの壁紙が表示され、拡張ディスプレイとして利用可能になる。

3 Sidecarの接続を解除する

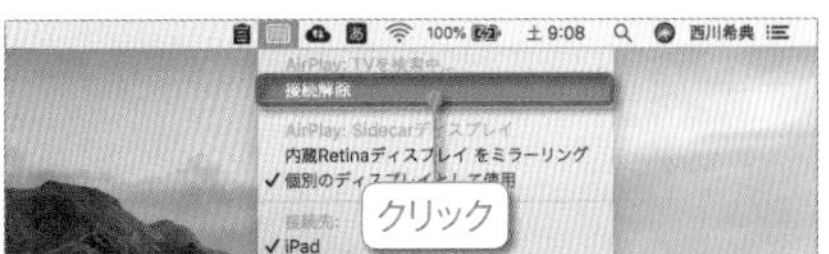

MacBook側のAirPlayボタンのメニューから「接続解除」をクリックするか、iPad側のサイドバーにある接続解除ボタンをタップすると、Sidecarの接続を解除できる。

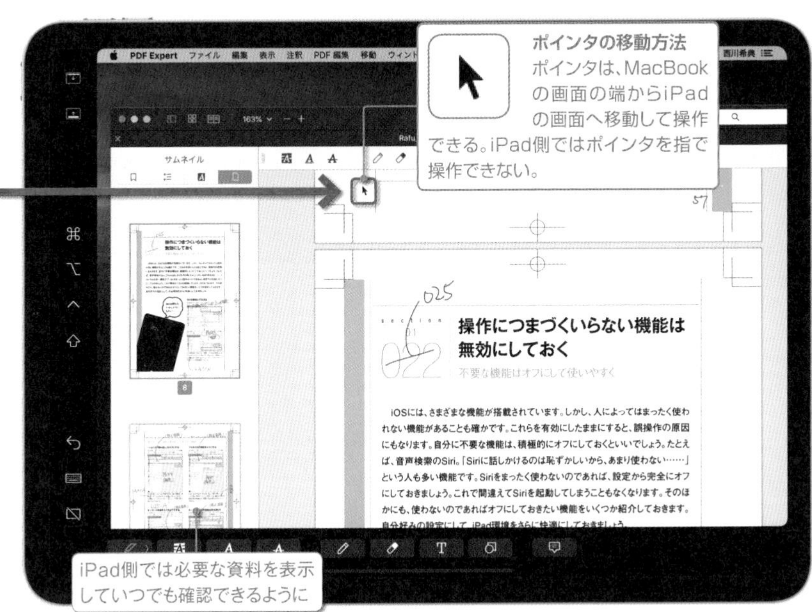

ディスプレイの位置関係を変更する

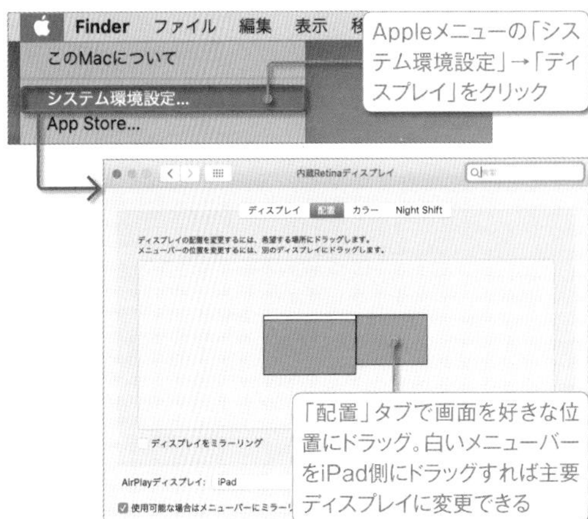

初期配置ではMacBookの画面の右端がiPadの画面の左端とつながるが、この位置関係は変更できる。主要ディスプレイをMacBookとiPadのどちらにするかも変更可能だ。

ウインドウを移動させる方法

1 ウインドウをドラッグして移動する

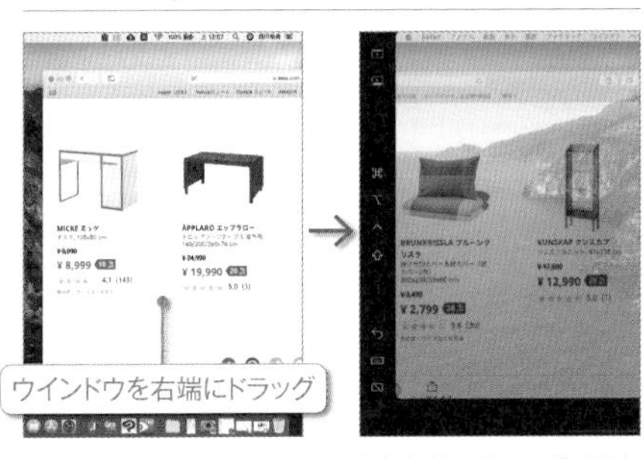

MacBookの画面でウインドウを右端にドラッグすると、iPadの画面の左端にウインドウが表示される。ポインタがiPad側に移動した時点でウインドウも移動する。

2 フルスクリーンボタンで移動する

ウインドウのフルスクリーンボタンの上にポインタを置くとメニューが表示され、「iPadに移動」で素早くiPad側に移動できる。iPad側では「ウインドウをMacに戻す」でMacBook側に戻せる。

3 iPad側の画面で新しいウインドウを開く

iPad側の画面にもメニューバーやDockは表示できる。MacBook側でウインドウを開いて移動しなくても、iPad側の操作で新しいウインドウを開くことが可能だ。

Sidecarのさまざまな機能を利用する

1 iPadの画面に メニューバーを表示

iPadでウインドウをフルスクリーン表示している時は、サイドバー(iPad画面左側のメニュー)の左上ボタンでメニューバーの表示／非表示を切り替えできる。サイドバーのボタンは指でタップできる。

2 iPadの画面に Dockを表示する

メニューバー表示ボタンの下のボタンをタップすると、iPadの画面にDockが表示され、MacBookの画面からはDockの表示が消える。もう一度タップでMacBook側にDockの表示が戻る。

3 iPadで装飾キー を利用する

サイドバーには「command」や「option」などの装飾キーも用意されている。これらのキーはロングタップして利用できるほか、ダブルタップするとキーがロックされる。

4 サイドバーの その他のボタン

サイドバーの左下にある3つのボタンで、直前の操作を取り消す、キーボードの表示／非表示を切り替える、Sidecarの接続を解除する操作を行える。

5 iPadでTouch Bar を使う

Sidecarで接続すると、MacBookにTouch Barが搭載されていなくても、iPadの画面にTouch Barが表示される。MacBookのTouch Barと同じように機能し、アプリごとにさまざまなメニューを操作できる。

6 サイドバーや Touch Barを隠す

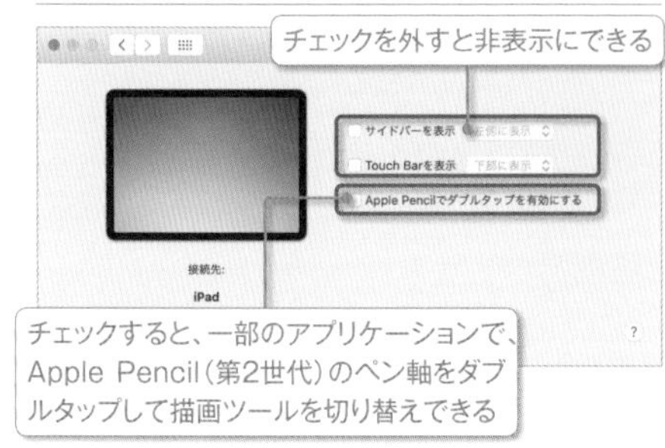

サイドバーやTouch BarがあるとiPadの作業領域が少し狭くなる。使わないなら非表示にしておこう。AirPlayボタンのメニューから「Sidecar環境設定を開く」で、表示／非表示や表示場所の変更が可能だ。

7 Apple Pencilで タッチ操作する

Sidecarを利用中はiPadの画面を指でタッチ操作できないが、Apple Pencilを使えばポインタの移動やクリックなどをタッチ操作で行える。またイラストを描いたり手書き文字を入力することも可能だ。

8 Sidecar利用中に iPadアプリを使う

Sidecarを利用中でも、ホーム画面に戻ればiPadのアプリを利用することが可能だ。Dockに表示されるSidecarのアイコンをタップすると、Sidecarの画面に戻る。

iPadの画面で使える ジェスチャー

iPad画面ではサイドバーやTouchバー以外の画面を指でタッチ操作できないが、iPadのジェスチャーは利用できる。利用可能なジェスチャーは下記の通り。

スクロール	2本指でスワイプ
コピー	3本指でピンチイン
カット	3本指で2回ピンチイン
ペースト	3本指でピンチアウト
取り消す	3本指で左にスワイプするか、3本指でダブルタップ
やり直す	3本指で右にスワイプ

POINT

iPadスタンドの 利用がおすすめ

iPadをサブディスプレイとして使う場合、iPadの画面と見比べながらMacBookで作業をすることになるので、iPadの画面が自立していないと使いづらい。iPadのサイズに対応したタブレットスタンドを別途用意して、iPadの画面を見やすい環境を整えておこう。

Lomicall
折り畳み式
タブレットスタンド
価格／1,799円

内蔵Retinaディスプレイをミラーリング

MacBookとiPadをミラーリングする手順

1 AirPlayボタンからiPadに接続する

MacBookのメニューバーに表示されているAirPlayボタンをクリックすると、「接続先:」欄に接続可能なiPad名が表示される。これをクリックするとSidecarで接続できる。

2 個別のディスプレイを選択する

MacBookとiPadの画面をミラーリングして使う場合は、「内蔵Retinaディスプレイをミラーリング」を選択。MacBookとiPadで同じ画面が表示されるようになり、ポインタの操作も連動する。

3 Sidecarの接続を解除する

MacBook側のAirPlayボタンのメニューから「接続解除」をクリックするか、iPad側のサイドバーにある接続解除ボタンをタップすると、Sidecarの接続を解除できる。

Sidecarを利用する際の注意点

1 MacBook側の解像度が下がる場合は

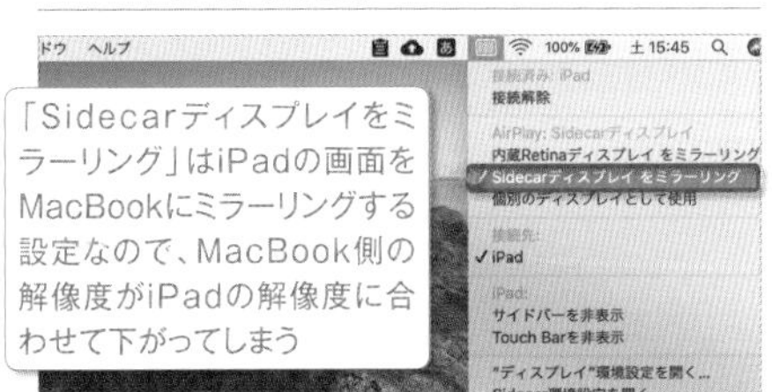

Sidecarでミラーリングした際にMacBook側の解像度が下がるなら、iPadの画面をミラーリングする設定になっている。AirPlayボタンで「内蔵Retinaディスプレイをミラーリング」を選択しよう。

2 Apple Pencilのペアリングが解除される

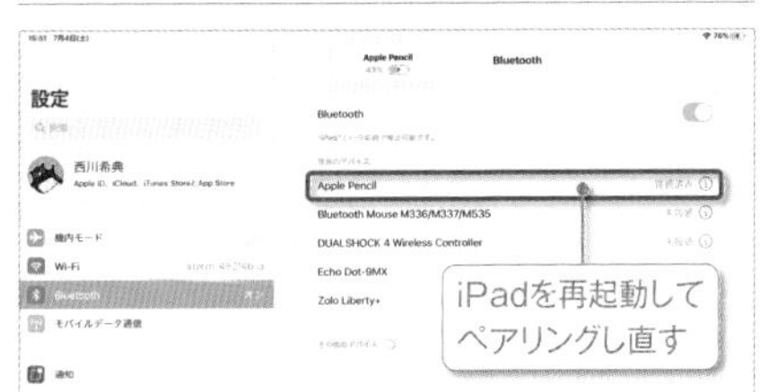

Sidecarで接続した際に、Apple Pencilのペアリングがすぐ解除されるようなら、一度iPadを再起動してみよう。Apple Pencilを再度ペアリングし直せば、解消することが多い。

3 Sidecarを使わずPDFに手書きする方法

PDFに手書きしたいだけなら、いちいちSidecarで接続する必要はない。P133で解説している「連携マークアップ機能」を使えば、クイックルック画面から素早くiPadと連携してApple Pencilで編集できる。

POINT

個別ディスプレイで手書きするのも便利

Sidecarをミラーリングで利用すると、メニューの選択やテキスト入力といった操作をMacBook側で行い、イラストの描画やPDFの書き込みといった手書き操作はApple Pencilが使えるiPad側で行うなど、MacBookとiPadで同じ画面を見ながら操作の使い分けができる点が便利だ。ただ、P128の「個別のディスプレイとして使用」に切り替えたほうが使いやすい場合もある。例えばMacBookで起動したイラストアプリを全部iPad側に移動して、MacBook側に表示した資料を見ながら、iPad&Apple Pencilでイラストを描くといった使い方だ。利用シーンに合わせて、Sidecarの接続方法も切り替えよう。

まだまだある!

便利すぎるMacBook × iPhone／iPad連携技

はじめにチェック

MacBookとiPhoneやiPadを連携させる機能の多くは、事前に設定が必要だ。それぞれのデバイスで同じApple IDを使ってサインインし、Bluetooth、Wi-Fi、Handoffをオンにしておこう(P123で解説)。

MacBookとiPhoneやiPadの組み合わせでより便利に使えるようになる連携技は、まだまだある。ここでは、その他の連携技をまとめて紹介していこう。

MacBookとiPhoneやiPadをまたいでコピペを行う

ユニバーサルクリップボードを利用しよう

Appleデバイス同士では、「ユニバーサルクリップボード」機能でクリップボードを共有できる事を知っておくと、さまざまな作業がはかどる。例えばMacBookで長文を仕上げてコピーすれば、iPhone側でメールやLINEなどに貼り付けてすぐに送信できる。テキストだけでなく、画像やビデオのコピーも可能だ(ファイルを選択してcommandキー+Cでコピー)。

1 MacBookで作成したテキストをコピー

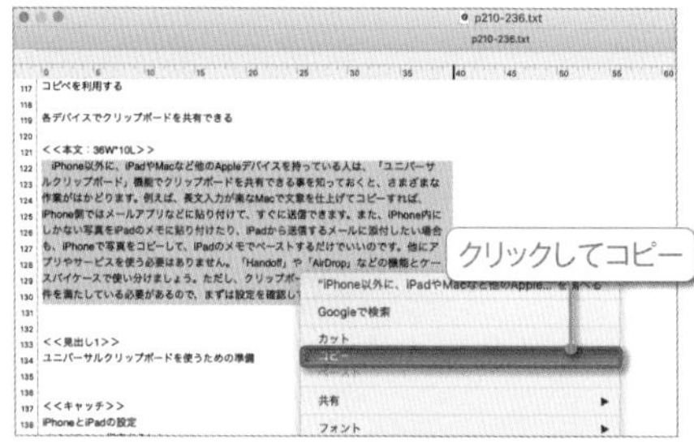

iPhoneで送りたいメールが長文ならMacBookで入力した方が早い。作成したテキストをコピーしよう。

2 iPhoneのメール画面でペースト

iPhoneやiPadのカメラを利用して写真を取り込む

連携カメラで写真を瞬時に転送する

macOSには、iPhoneやiPadで撮影した写真をすぐに取り込める、「連携カメラ」機能が搭載されている。AirDropやiCloud写真などの機能を使って転送するより早いので覚えておこう。対応アプリは、Finder、メモ、メール、メッセージ、テキストエディット、Pages、Numbers、Keynote。これらのアプリの右クリックメニューから、「iPhoneまたはiPadから読み込む」を選択し、写真を撮影するデバイスを選んで「写真を撮る」か「書類をスキャンする」をクリックすると、iPhoneやiPad側でカメラアプリが起動する。あとはカメラアプリで写真を撮影すれば、すぐにMacBookに転送されて、フォルダに保存したりメールに添付できる仕組みだ。なお「書類をスキャンする」で撮影した場合は、必要な範囲だけを指定してトリミングでき、PDF形式で保存される。

撮影した写真をFinderに保存する

FinderでiPhoneやiPadで撮影した写真を取り込むには、右クリックメニューから「iPhoneまたはiPadから読み込む」→「写真を撮る」を選択する。

書類をスキャンしてメールに添付

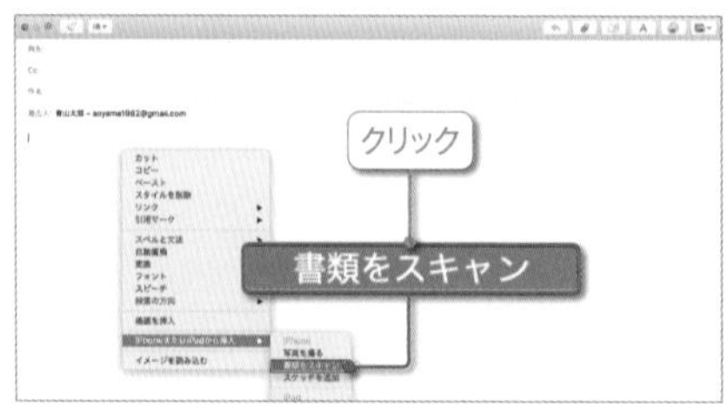

書類をスキャンしてメールに添付するには、メールアプリの右クリックメニューから「iPhoneまたはiPadから読み込む」→「書類をスキャン」を選択。

iPhoneではカメラが起動する

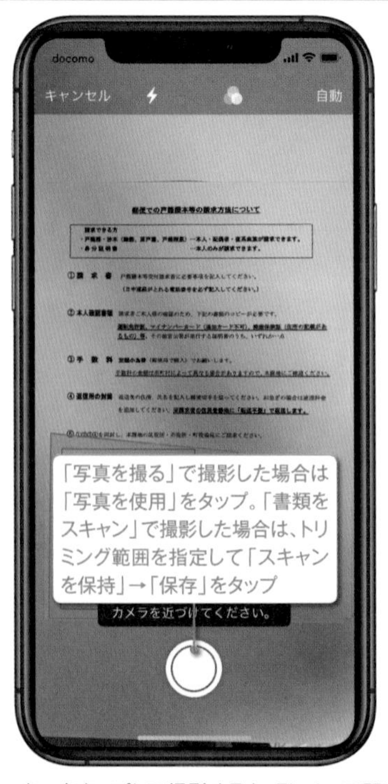

シャッターをタップして撮影すると、Finderで開いたフォルダやメールの作成画面に写真が挿入される。

iPadを使ってすぐにPDFに指示を書き込む

連携マークアップで注釈を反映させる

PDFを選択してスペースキーを押すと、クイックルックでPDFの内容が表示される。この画面で上部のマークアップボタンをクリックすると、すぐにiPadの画面にもPDFの内容が表示され、Apple Pencilで細かい注釈を書き込める。iPadに表示されない時は、マークアップ画面のツールバーで四角に鉛筆マークが付いたボタンをクリックし、iPad名を選択しよう。

1 クイックルックでPDFを表示する

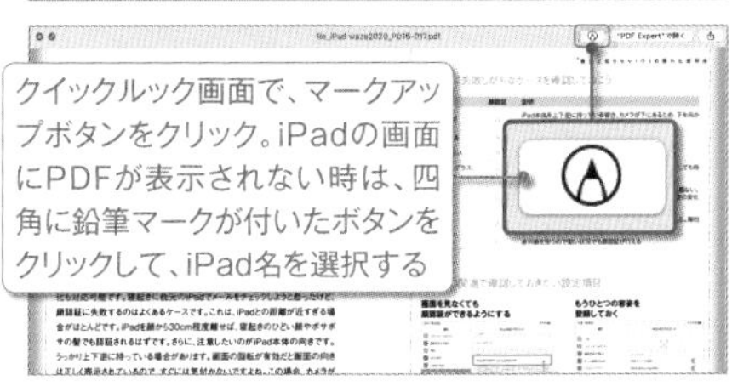

PDFを選択してスペースキーを押し、クイックルックで表示。続けてマークアップボタンをクリック。

2 iPadでPDFに指示を書き込む

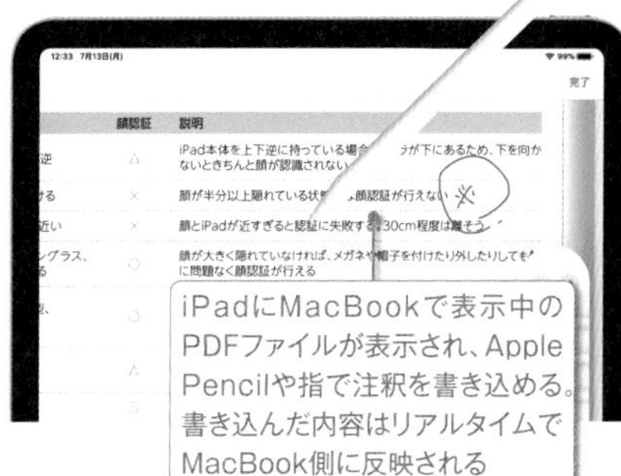

iPadで手書きメモを作成してMacBookに取り込む

連携スケッチでイラストを挿入

作成中のメモやメールにiPadで描いた手書きのイラストを追加したい、という時に便利なのが「連携スケッチ」機能だ。手順は「連携カメラ」と同じで、アプリの右クリックメニューから「iPhoneまたはiPadから読み込む」を選択し、iPadの「スケッチを追加」を選択。するとiPad側でスケッチ画面が開く。

1 メモアプリにスケッチを追加

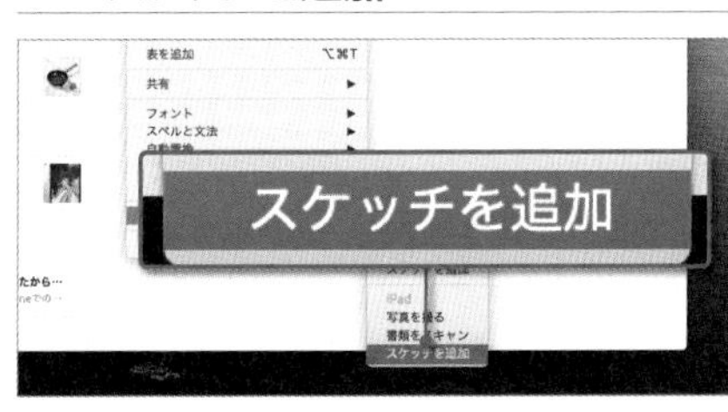

メモアプリの右クリックメニューから「iPhoneまたはiPadから読み込む」→「スケッチを追加」を選択。

2 iPadでスケッチを描いて挿入

iPhone経由で電話を発着信

iPhoneの回線を通して電話の発着信が可能

MacBookでの作業中にiPhoneに電話がかかってきたら、iPhoneをカバンから取り出して手に取る必要はない。MacBookの画面にも着信通知が表示され、そのまま応答して通話ができるのだ。また、MacBookからiPhoneを経由して電話を発信することもできる。これはiPhoneの回線を通しての通話なので、FaceTime通話と違って、相手がAndroidスマートフォンや固定電話でも問題なく発着信が可能だ。通話中にキーパッドを操作したり、ミュートにすることもできる。ただしこの機能を使っていると、iPhoneに電話がかかってくる度に、MacBookでも毎回着信音が鳴ってしまう。機能が不要であれば、MacBookとiPhoneのどちらかの設定をオフにしておこう。片方の機能がオフになっていれば、MacBookでiPhoneの電話が着信しなくなる。

1 MacBook側で必要な設定

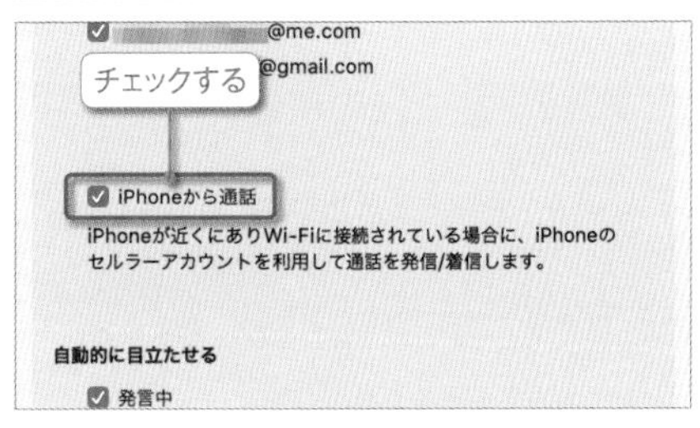

MacBookでは「FaceTime」アプリを起動。メニューバーの「FaceTime」→「環境設定」→「設定」タブを開いたら、「iPhoneから通話」にチェックしておく。

2 iPhone側で必要な設定

iPhoneでは「設定」→「電話」→「ほかのデバイスでの通話」をオンにし、iPhoneを経由して電話を発着信したいMacBook名のスイッチをオンにしておく。

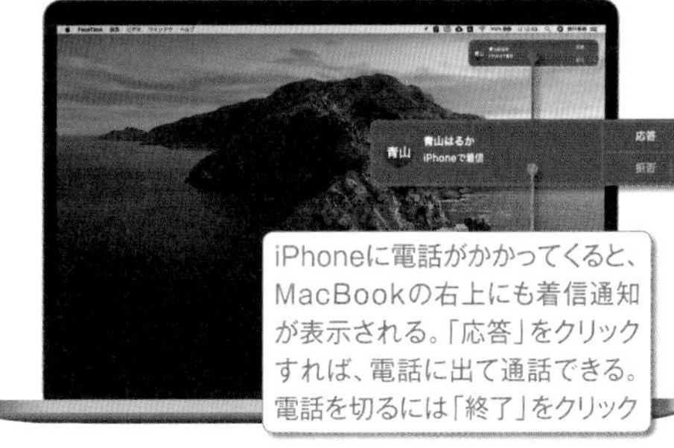

MacBookから電話をかける

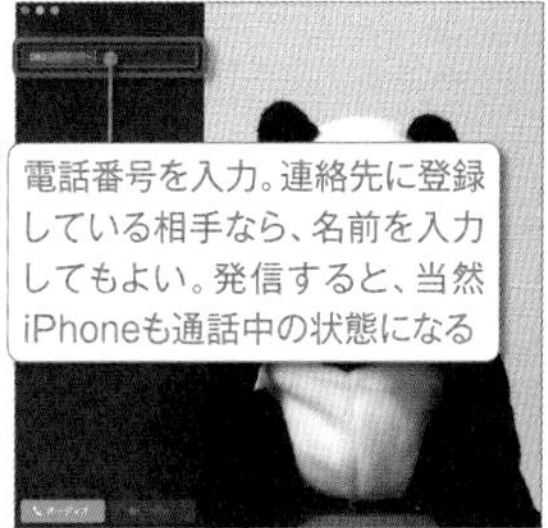

MacBookでは、FaceTimeアプリを使って電話をかける。宛先欄に電話番号を入力し、下の「オーディオ」ボタンをクリックするとiPhone経由で発信できる。

iPhoneのSMSをMacBookで送受信

Androidスマートフォンとも SMSでやり取りできる

MacBookのメッセージは、基本的にiMessageを利用するためのアプリで、やり取りできる相手はiMessageを有効にしたiPhoneやiPad、Macに限られる。ただしiPhoneを持っており連携を有効にしていれば、iPhoneを経由して、AndroidスマートフォンにSMSやMMSでメッセージを送ることもできる。iPhoneの「設定」→「メッセージ」で「SMS/MMS転送」をタップし、MacBookのスイッチをオンにしておこう。MacBookでメッセージを起動して認証コードが表示される場合は、iPhone側でコードを入力して認証を済ませれば、MacBookでもiPhoneを通してSMSやMMSの送受信が可能になる。なお、メッセージのやり取りをMacBookとiPhoneで同期させるには、iPhoneのiCloud設定で「メッセージ」をオンにし、MacBookのメッセージの環境設定で「"iCloudにメッセージを保管"を有効にする」にチェックしておく必要がある。

1 iPhoneでSMSやMMSの転送を許可

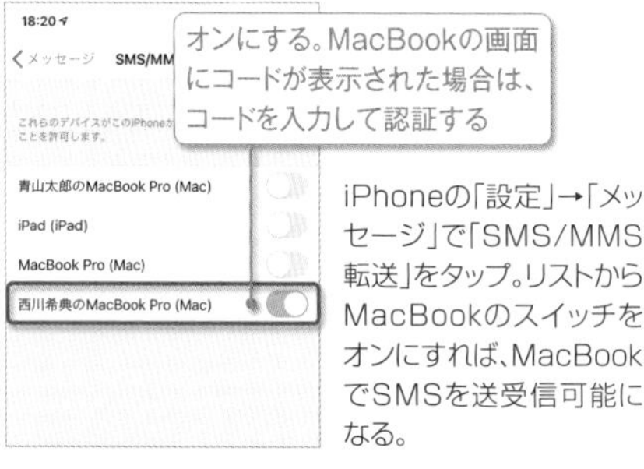

iPhoneの「設定」→「メッセージ」で「SMS/MMS転送」をタップ。リストからMacBookのスイッチをオンにすれば、MacBookでSMSを送受信可能になる。

2 MacBookでメッセージを同期

MacBookでは、メッセージの「環境設定」→「iMessage」タブで「"iCloudにメッセージを保管"を有効にする」にチェックしておくと、メッセージが同期される。

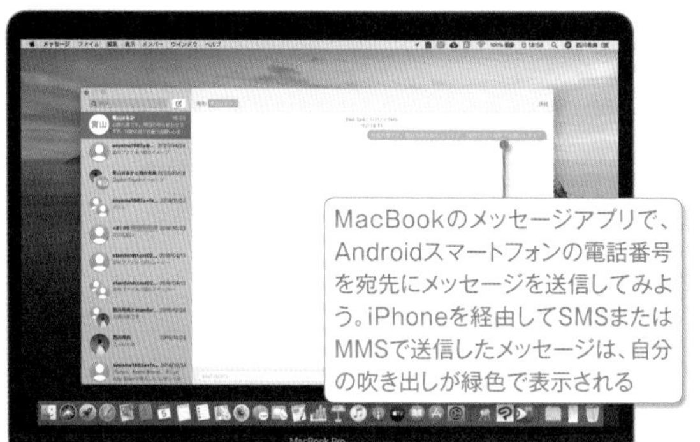

AndroidからのSMSもMacBookで確認できる

AndroidスマートフォンからSMSで届くメッセージも、このようにMacBookのメッセージアプリで受信して表示される。

AirDropでファイルや情報を素早く共有する

共有ボタンやFinderから手軽に送受信できる

「AirDrop」機能を使えば、近くのiPhoneやiPadと手軽に写真や連絡先などのデータを送受信できる。MacBookからAirDropで情報を相手に送る方法としては、アプリの共有ボタンやFinderの右クリックメニューで「共有」を選んで送る方法と、Finderのサイドバーにある「AirDrop」画面から送る方法の、2通りがある。今見ているWebサイトの記事を伝えたいときや、連絡先情報を送りたい時などは、それぞれのアプリの共有ボタンで操作しよう。複数の写真や書類をまとめて送りたい時は、ドラッグ&ドロップで手軽に送信できる、Finderの「AirDrop」画面を使うのが便利だ。ファイルを選択して右クリック→「共有」→「AirDrop」を選択してもよい。なお、相手からAirDropでデータをもらうには、自分の方でも受け入れ体制が整っている必要がある。Finderの「AirDrop」画面の下部に「このMacを検出可能な相手」という項目があるのでクリックしよう。連絡先に登録していない人から貰うには「全員」を選択する必要がある。

1 共有ボタンからAirDropを使う

今見ているWebサイトを送りたい時などは、Safariの共有ボタンから「AirDrop」を選択。送り先の相手の名前をクリックすれば送信される。

2 Finderのサイドメニューから AirDropを使う

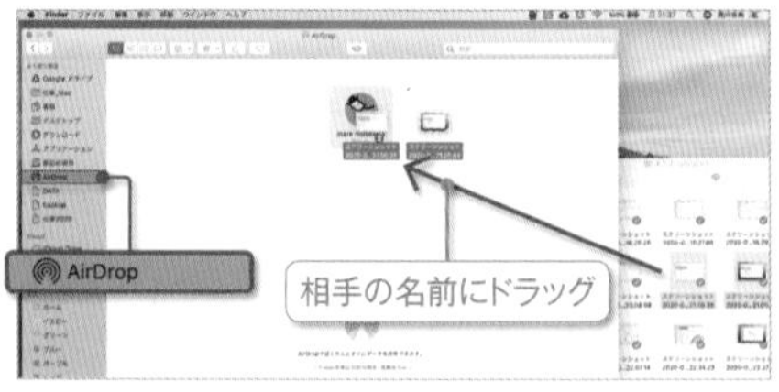

ファイルを送りたい時は、Finderのサイドメニューの「AirDrop」画面を利用しよう。送り先の相手の名前にファイルをドラッグすれば送信される。

3 AirDropで送られたファイルを受け取る

iPhoneやiPadからAirDropで送信されたファイルがあると、AirDrop画面で通知される。「受け付ける」をクリックすると、「ダウンロード」フォルダに保存される。

4 相手のAirDropに表示されない場合の設定

相手からAirDropでデータを貰う際に、自分のMacBookの名前が相手に表示されない時は、「このMacを検出可能な相手」を「全員」に変更しよう。

iPhoneと同じIDでLINEを利用する

Mac版LINEをiPhoneと同時に使う

通常、LINEは一つのアカウントにつき一つのデバイスでしか使えないが、Mac版のLINEでは、iPhoneと同じLINEアカウントでログインして、同時に利用することができる。iPhoneのLINEが使えなくなった場合の非常用としても便利なので、ぜひ利用しよう。初回起動時は認証コードの入力が必要となる。

1 Mac版LINEでログインする

「自動ログイン」にチェックしておき、LINEのメールアドレスとパスワードを入力してログイン。

2 表示されたコードをiPhoneのLINEで入力

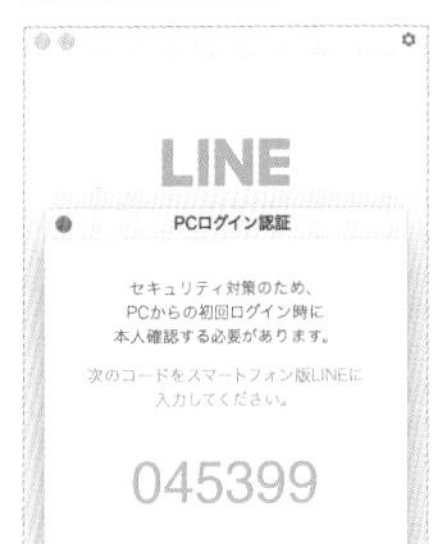

初回ログイン時は本人確認が必要となる。表示された認証コードをiPhoneのLINEで入力しよう。

iPhoneやiPadのアプリへファイルを転送する

ドラッグ&ドロップでコピーできる

iPhoneやiPadをMacBookと接続し、Finderのサイドバーでデバイス名を選択した際に表示される「ファイル」項目には、ファイル共有に対応したアプリが一覧表示される。アプリ名の横にある三角ボタンでアプリ内のファイルを確認できるほか、ファイルをドロップすればこのアプリに転送できる。

1 iPhoneやiPadを接続しファイル項目を開く

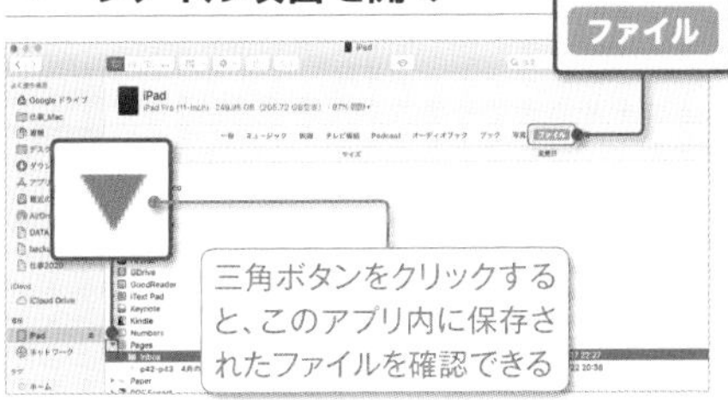

iPhoneやiPadを接続してFinderで表示し「ファイル」タブを開くと、共有に対応したアプリが表示される。

2 ファイルをドラッグして転送

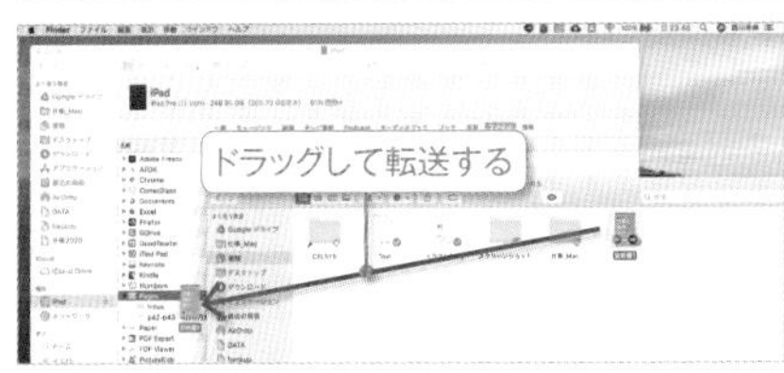

Finderに表示されたアプリ名にファイルをドラッグ&ドロップすると、iPhoneやiPadへコピーできる。逆にiPhoneやiPadからMacBookへコピーすることも可能。

iPhoneを使ってMacBookをロックする

MacBookから離れると自動でロックされる

ペアリングしたiPhoneとMacBookが一定以上の距離で離れるとMacBookを自動でロックし、近づくと自動でロックを解除してくれるアプリが「Near Lock」だ。まずはMacBookとiPhoneそれぞれでアプリのインストールを済ませ、画面の手順に従ってペアリングを設定しよう。あとはNear Lockのスイッチをオンにして機能を有効にしておけば、iPhoneを持ってMacBookのそばを離れると自動でロックされるし、近づくとパスワード入力やTouch ID認証の必要もなく自動でロックを解除してくれる。自動ロックまでの距離も任意で設定できる。なお、バックグラウンドでも動作させるには、490円のPro版の購入が必要だ。

Near Lock
作者／Filip Duvnjak
価格／無料
入手先／https://nearlock.me/

1 MacBook側のアプリで各種設定を行う

MacBookにNear Lockをインストールし、画面の指示に従って各種設定を済ませたら、「新しいデバイスを追加」をクリックしてiPhoneアプリの接続を待とう。

2 iPhone側のアプリとペアリングを済ませる

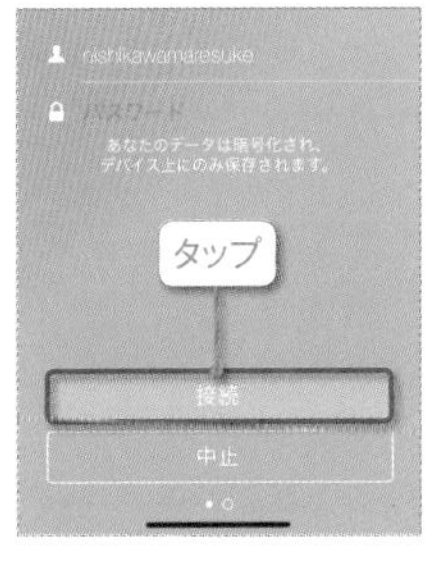

iPhoneにもNear Lockをインストールして起動すると、MacBookのパスワード入力を求められるので、入力して「接続」をタップしよう。これでペアリングが完了する。

3 Near Lockの機能を有効にする

MacBookのメニューバーにNear Lockのアイコンが常駐し、クリックするとメニューが表示される。「Near Lock」をオンにすると機能が有効になる。

4 MacBookから離れると自動ロックされる

iPhoneを持ってMacBookから少し離れてみよう。自動で画面がロックされるはずだ。iPhoneを持ってMacBookに近づくと、自動でロックが解除される

SECTION

05

トラブル解決総まとめ

macOSの進化によって、一昔前よりはMacBookのトラブルは減少しており、その解決方法もわかりやすくなっている。とはいえ、やはりパソコンなのでフリーズや起動、終了のトラブルはゼロではなく、解決法を知っておかなければお手上げだ。本記事にあらかじめ目を通して、不測の事態に備えておこう。

修理を受ける前に保証期間が残っていないかチェック

Appleの保証期間と保証内容を確認しておこう

本体のシリアル番号で保証状況を確認できる

MacBookを含むすべてのApple製品には、購入後1年間のハードウェア保証と、90日間の無償電話サポートが付いている。また、購入後30日以内に「AppleCare+ for Mac」に加入すると、保証とサポートの期間が3年間に延長され、過失や事故による修理サービスを格安で受けられるようになる。この保証の残り期間は、「保証状況の確認」ページなどで調べることが可能だ。本体のシリアル番号が必要なので、シリアル番号を確認する方法も覚えておこう。

保証期間と保証内容を確認する方法

https://checkcoverage.apple.com/jp/ja/

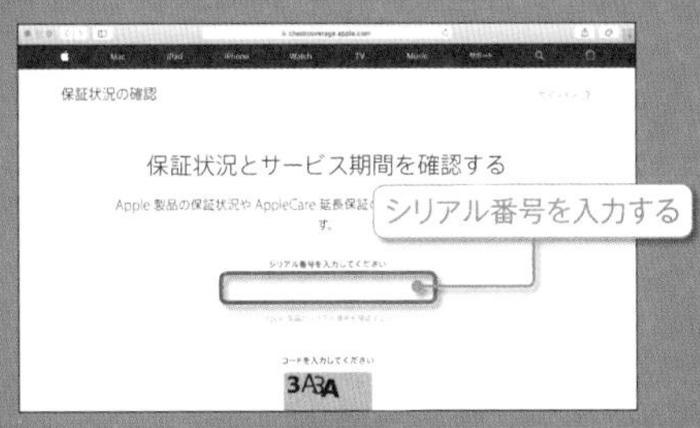

下記の手順でMacBookのシリアル番号を調べてコピーし、上記URLの「保証状況の確認」ページにアクセス。「シリアル番号を入力してください」欄にシリアル番号を貼り付け、その下の画像内のコードを入力し、「続ける」をクリックしよう。

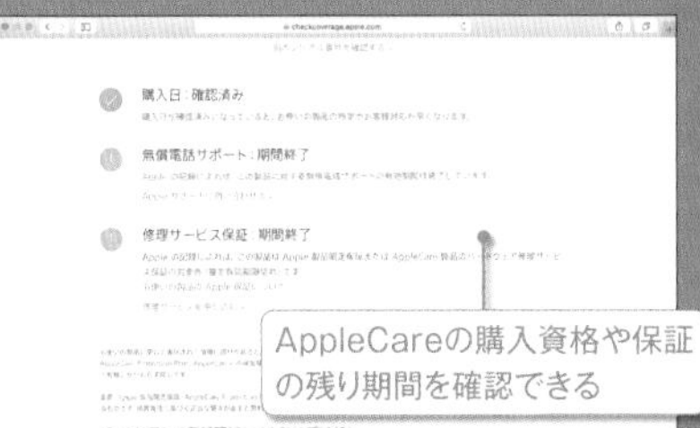

AppleCare+ for Macの購入資格、購入日、電話サポートの有効期限、修理サービス保証の状況を確認できる。まだ保証期間が残っていれば「有効」と表示され、有効期限も表示される。すでに保証が切れているなら、「期間終了」と表示される。

MacBookのシリアル番号を確認する方法

MacBookのシリアル番号を調べる方法はいくつかあるが、最も簡単なのは、Appleメニューから「このMacについて」を開く方法だ。「概要」画面にシリアル番号が表示されているので、これを選択してコピーすればよい。

MacBookが起動しない場合などは、Webブラウザでappleid.apple.com/にアクセスしてサインイン。「デバイス」欄にあるMacBookをクリックするとシリアル番号を確認できる。他に、MacBook本体の裏面や、製品の梱包パッケージ、領収書、請求書などにもシリアル番号が記載されている。

iPhoneやiPadで「Appleサポート」アプリを使う

iPhoneやiPadを持っているなら、「Appleサポート」アプリをインストールして使ってみよう。「マイデバイス」からMacBookを選択すれば、「デバイスの詳細」で保証期間を確認できるほか、主なトラブルの解決方法も確認できる。チャットや電話で相談したり、持ち込み修理を予約することも可能だ。

Appleサポート
作者／Apple
価格／無料

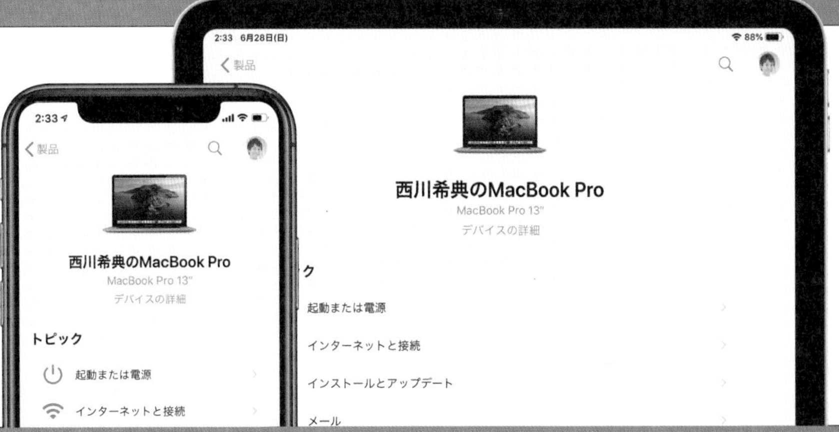

MacBookが起動しなくなった

解決策 SMCとNVRAMのリセット方法を覚えておこう

電源が入らない、正常に起動しない時の確認手順

MacBookの電源ボタンを押しても起動できないときは、内部のファンやディスクが動作しているか、バックライトや「caps lock」キーなどのランプが点灯するかを確認しよう。電源が完全に切れて動かないなら、まず疑うのはバッテリーの充電状況だ。一度バッテリーが空になると、サードパーティー製の電源アダプタやケーブルではうまく充電できないトラブルが多いので、必ず純正のケーブルと電源アダプタを使って充電しよう。通常動作に必要充分なバッテリー残量が確保されるまで、5分程度はつないだままにしておく。正常に充電できるようなら、電源が切れた状態でSMCリセットを試す。これで電源やバッテリー、ファン周りの管理機能がリセットされる。さらに、電源が入っても正常に起動しない時は、NVRAM(PRAM)のリセットを試す。これで、起動時に読み込む最初の設定情報をリセットできる。デスクトップが表示されたあとの動作がおかしい時は、「セーフモード」で起動してみよう。起動時に読み込まれたアプリなどが不調の原因になっている可能性があるので、セーフモード上で直前にインストールしたアプリを削除し、再起動してみる。以上の手順を試しても駄目なら、最終手段として、macOSの再インストールを行おう(P143で解説)。

使いこなしヒント

セーフモードでMacBookを起動する

起動後も不調な時は、セーフモードを試そう。電源を入れた直後に「shift」キーを押し続けると、最小限の構成で起動するセーフモードになる。この状態で、最近インストールしたアプリなどを削除し、もう一度再起動すれば問題が解決する場合がある。

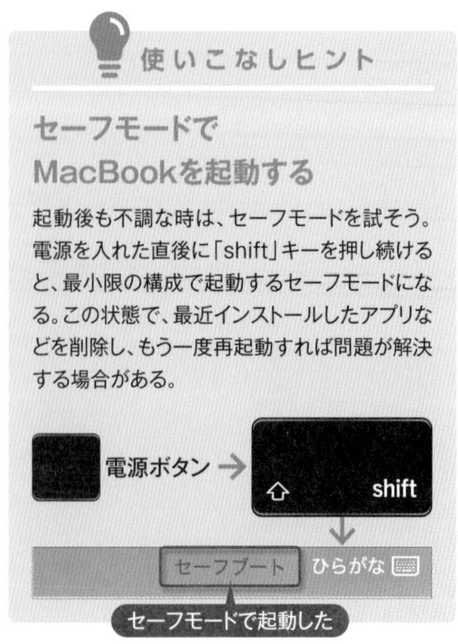

1 純正のケーブルと電源アダプタを正しい組み合わせで使う

例えば16インチMacBook Pro(2019)では、Apple 96W USB-C電源アダプタと、USB-C充電ケーブルの組み合わせで充電する必要がある

MacBookの電源が入らない時は、まずバッテリー切れを確認する。しばらく充電しているのに電源が入らない時は、使用しているケーブルと電源アダプタを疑おう。特に、一度バッテリーが完全に空になったMacBookを充電するには、純正ケーブルと電源アダプタを正しい組み合わせで接続しないと、うまく充電を開始できないことが多い。MacBookの電源アダプタには29W〜96Wのものがあるが、付属のアダプタよりもワット数が小さい電源アダプタでは、十分な電力が供給されないので注意しよう。

2 SMC(システム管理コントローラ)をリセットしてみる

続けて、電源やバッテリー、ファン周りを管理する機能、SMC(システム管理コントローラ)をリセットしておこう。電源が入らなかったり充電できないトラブルに効果がある。MacBookの電源が切れた状態で、「control」+「option」+「shift」(キーボード右側)キーを7秒間押し続け、続けて電源ボタンも加えて4つのキーすべてを7秒押し続けてから指を離す。その後数秒待ってから電源を入れよう。なおT2チップを搭載していない2017年以前のMacBookでは、キーボード左側の「shift」キーを使う。

3 NVRAM(またはPRAM)をリセットしてみる

電源が入っても起動ディスクを読み込めない場合などは、NVRAMまたはPRAMをリセットしてみよう。どちらも、MacBookが素早く起動できるように決まった情報を記憶している小容量のメモリのことで、リセット方法も同じ。MacBookの電源を入れ直し、Appleのロゴが表示される前に「option」+「command」+「P」+「R」の4つのキーを同時に20秒ほど押し続けてからキーを離す。起動後は、音量、画面解像度、起動ディスクの選択、時間帯などがリセットされているので、必要に応じてシステム環境設定で修正しておこう。

MacBookの電源を切ることができない

解決策 | 電源ボタンの長押しで強制終了できる

作業途中のデータは消えてしまうので注意

MacBookの電源を切るには、通常はAppleメニューから「システム終了」を選択する。この方法だと、開いているアプリがすべて自動的に閉じ、ユーザーアカウントがログアウトされ、正しいプロセスで電源が切られる。ただ、本体がフリーズするなどして、「システム終了」を実行できないことがある。そんな時は、電源ボタンを長押することで、強制的に電源を切ることができるので覚えておこう。Touch IDセンサーを非搭載の古いMacBookであれば、「control」+「command」+電源ボタンで、強制再起動することもできる。なお、強制的に電源を切ると、作業途中のデータなどはすべて消えてしまう。アプリの操作が可能であれば、あらかじめ作業中のファイルの保存を済ませてから、電源ボタンを長押しするようにしよう。

1 MacBookの電源を切る正しい手順

Appleメニューから「システム終了」を選択すると、終了プロセスが進められて正常に電源を切ることができる。通常はこの方法を選ぼう。

2 作業中のファイルは保存しておく

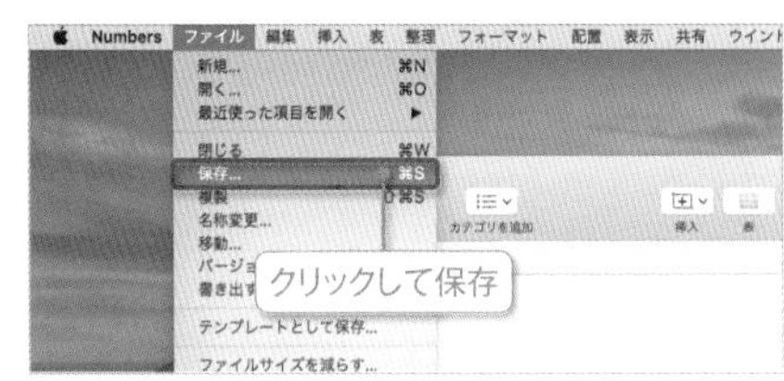

電源を強制的に切ると、作業途中のデータはすべて消える。アプリ自体は操作できるなら、ファイルの保存を済ませておこう。

3 電源ボタンの長押しで強制終了する

「システム終了」で電源を切ることができないなら、電源ボタンを押し続けよう。強制的に電源を切ることができる。

4 強制終了したあとの警告メッセージ

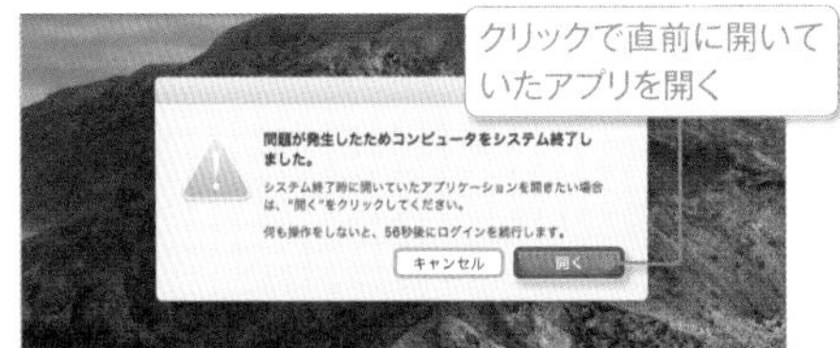

強制終了したあとに再起動すると警告メッセージが表示される。「開く」で直前に開いていたアプリを開く。1分間何も操作しないとそのまま起動する。

アプリがフリーズして終了もできない

解決策 | 「アプリケーションの強制終了」で終了させよう

強制終了画面でアプリを選択して終了させよう

アプリが反応しなくなったり、「command」+「Q」キーで終了できない時は、強制終了を試そう。「option」+「command」+「esc」キーを同時に押すと、「アプリケーションの強制終了」画面が表示される。または、Appleメニューから「強制終了」を選択してもよい。この画面では起動中のアプリが一覧表示されるので、フリーズして終了できないアプリを選択して、「強制終了」をクリック。表示される警告画面でさらに「強制終了」をクリックすれば、アプリが強制的に終了する。アプリを強制終了すると、作業途中で保存していないデータは消えてしまうので注意しよう。なお、Finderがフリーズした場合も強制終了が可能だ。「アプリケーションの強制終了」画面で「Finder」を選択し、「再度開く」をクリックすればよい。

1 ショートカットかAppleメニューで「アプリケーションの強制終了」を開く

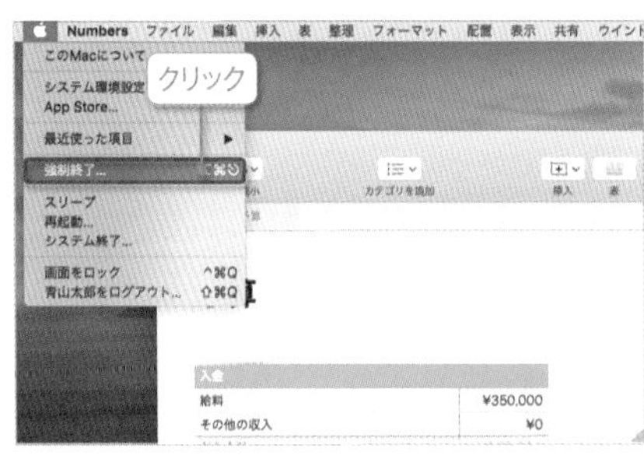

「option」+「command」+「esc」の3つのキーを同時に押すか、またはAppleメニューから「強制終了」を選択すると、「アプリケーションの強制終了」画面が開く。

2 「強制終了」をクリックして強制終了する

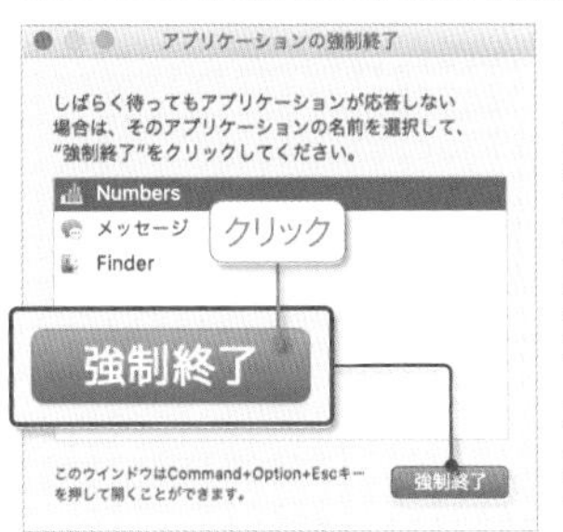

フリーズしたアプリを選択して「強制終了」をクリック。警告画面で「強制終了」をクリックすると、このアプリを強制的に終了できる。

3 Finderも「再度開く」で強制終了できる

Finderがフリーズした場合は、「Finder」を選択して「再度開く」をクリックしよう。これでFinderを強制終了して再起動できる。

レインボーカーソルが頻繁に表示されて困る

トラブル

解決策　アクティビティモニタで原因を特定しよう

CPUやメモリの使用率が高いプロセスを終了する

MacBookを使っていると、一度はレインボーカーソル（虹色でくるくる回った状態のカーソル）が出て、アプリの操作が何もできなくなった経験があるだろう。急に負荷のかかる操作を行った際に出ることが多いが、あまり頻繁に出現するようなら、他に原因が考えられる。まず「アクティビティモニタ」を起動して、CPUやメモリの使用率が極端に高いプロセスを確認しよう。操作中のアプリではなく、バックグラウンドで動作中の他のプロセスがCPUやメモリを専有していることもある。これを強制終了すれば、CPUやメモリが開放されて、動作が戻るはずだ。特定のアプリやサービスを使うたびにレインボーカーソルが出るなら、何か機能が競合している可能性もある。設定を見直すか、いっそ使わないというのも一つの手だ。

1 アクティビティモニタを起動する

まずはDockのLaunchpadでアプリ一覧を開き、「その他」内にある「アクティビティモニタ」を起動する。

2 CPUやメモリの使用状況を確認する

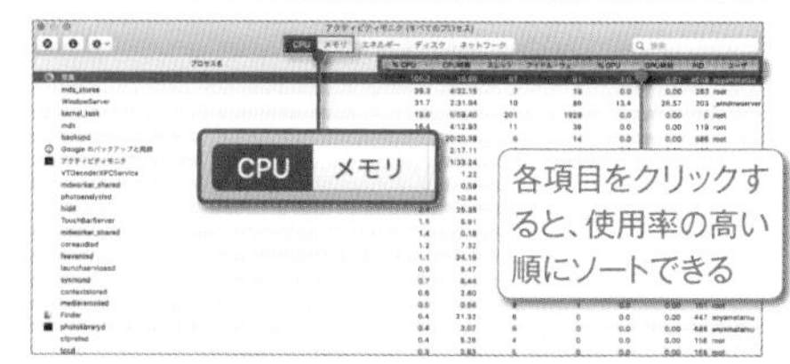

「CPU」や「メモリ」をクリックすると、実行中のプロセスの使用状況が表示される。極端に使用率が高いアプリやプロセスを確認しよう。

3 原因と思われるプロセスを選択

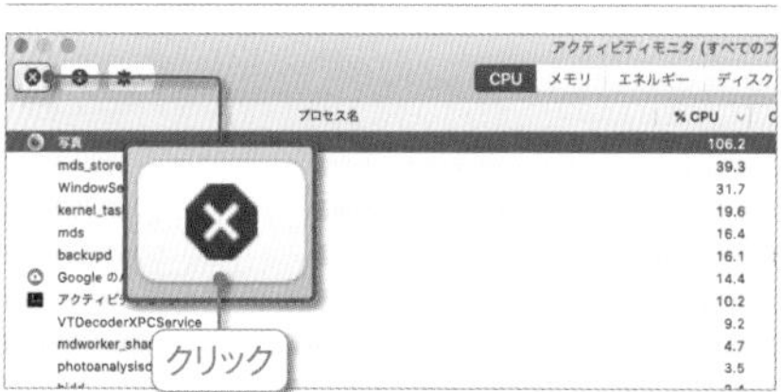

レインボーカーソルが頻出する原因となっていそうなアプリやプロセスを見つけたら、選択して左上の「×」ボタンをクリックする。

4 強制終了してCPUとメモリを開放

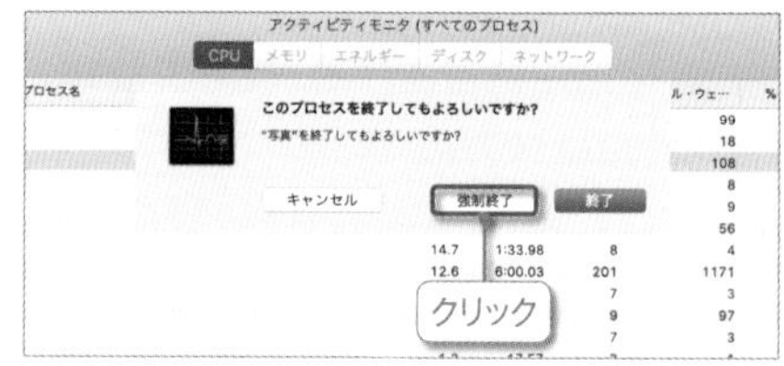

「強制終了」で強制的に終了させてみる。このプロセスが実行されるたびにレインボーカーソルが出るなら、設定の見直しや再インストールを試そう。

誤って上書き保存したファイルを元に戻す

トラブル

解決策　バージョン機能で保存前の状態に復元できる

対応アプリなら指定した時点に戻すことができる

書類を作成している時に、保存せずに誤って閉じてしまったり、うっかり上書き保存してしまうのはよくあることだ。そんな時でも、バージョン機能に対応しているアプリなら安心。作業中のファイルは定期的に自動保存されており、いつでも好きな時点の書類に戻すことができるのだ。バージョンが自動保存されるタイミングは、基本的に1時間おきとなっている。それ以外でも、「ファイル」→「保存」で上書き保存したら、その時点のバージョンを保存する。以前の状態に戻すには、メニューバーの「ファイル」→「バージョンを戻す」→「すべてのバージョンをブラウズ」をクリック。左側に現在の内容が表示され、右側には過去のバージョンが一覧表示されるので、戻したい時点を選んで「復元」ボタンをクリックすればよい。

1 バージョンを自分のタイミングで保存する

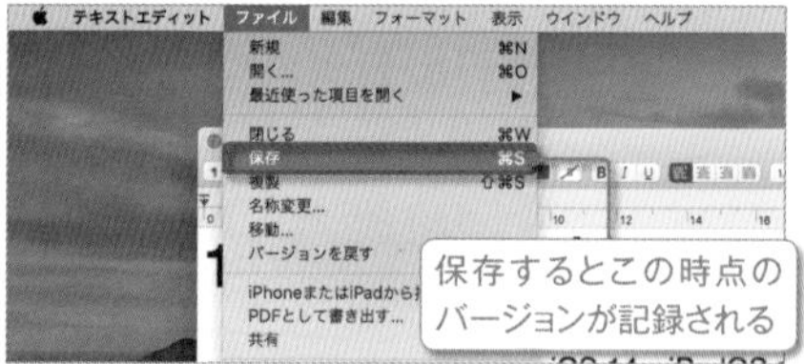

書類の編集中は1時間ごとにバージョンが作成されるが、自分のタイミングで作成したい時は、「ファイル」→「保存」で保存すればよい。

2 バージョンを表示する

保存されたバージョンを表示するには、「ファイル」→「バージョンを戻す」→「すべてのバージョンをブラウズ」をクリックしよう。

3 バージョンを選んで復元する

左に現在の内容、右にバージョン一覧が表示される。右側の矢印ボタンやタイムラインで戻したいバージョンを選択し、「復元」をクリックで戻せる。

使いこなしヒント

バージョン機能に対応するアプリ

バージョン機能に対応しているおもなアプリは、「テキストエディット」「プレビュー」「Pages」など。Apple以外のアプリでもバージョン機能対応のものはある。メニューバーの「ファイル」をクリックして「バージョンを戻す」の項目があるか確認してみよう。

ゴミ箱を空にできない

解決策 基本的な対処で駄目なら「First Aid」を試す

まずは再起動から試してみよう

ゴミ箱を空にしたり、ファイルをゴミ箱に移動できない時は、そのファイルが何か他のプログラムに使われている可能性がある。まずは、一度MacBookを再起動してから削除を試そう。それでも消えない場合は、起動時にファイルが使われている可能性がある。再起動してすぐにshiftキーを押し続けて、セーフモードで起動したら、ゴミ箱を空にして通常通り再起動する。それでも消えないファイルは、ディスクの修復を試そう。まず再起動してすぐに「command」+「R」を押し続けると、「macOSユーティリティ」画面が表示されるので、「ディスクユーティリティ」を選択。削除したいファイルが入っているディスクを選択し、「First Aid」をクリックしてディスクを修復しよう。あとは再起動してゴミ箱を空にすればよい。

1 一度再起動してから削除する

単に何かのプログラムが使用中で消せない場合は、一度MacBookを再起動してやれば消せるようになる。

2 セーフモードで起動して削除する

起動してすぐに「shift」キーを押し続けると、セーフモードで起動する。この状態でゴミ箱を空にできないか試そう。

3 ディスクユーティリティを開く

それでも駄目ならディスクを修復してみよう。起動してすぐに「command」+「R」を押し続け、この画面で「ディスクユーティリティ」を開く。

4 「First Aid」で修復してから削除

左欄でディスクを選択して、上部の「First Aid」をクリック。「実行」でディスクを修復できる。あとは通常通り再起動して、ゴミ箱を空にしてみよう。

ユーザ名やパスワードを変更したい

解決策 「ユーザとグループ」画面で変更しよう

いつでも好きなものに変更できる

MacBookのログイン画面で表示されるユーザ名と入力するパスワードは、あとからでも自由に変更できる。まずAppleメニューの「システム環境設定」→「ユーザとグループ」をクリックして開こう。開いた直後はロックされており項目を変更できないので、左下にある鍵ボタンをクリック。ログインパスワードを入力すれば、各種項目を変更可能な状態になる。続けて、左欄でユーザを選択し、「パスワードを変更」をクリックしよう。古いパスワードと新しいパスワードを入力して、「パスワードを変更」をクリックすればパスワードを変更できる。またユーザ名を変更するには、左欄のユーザ名を右クリックして「詳細オプション」をクリック。「フルネーム」欄を好きな名前に変更して「OK」をクリックすればよい。

1 鍵ボタンをクリックしてロックを解除

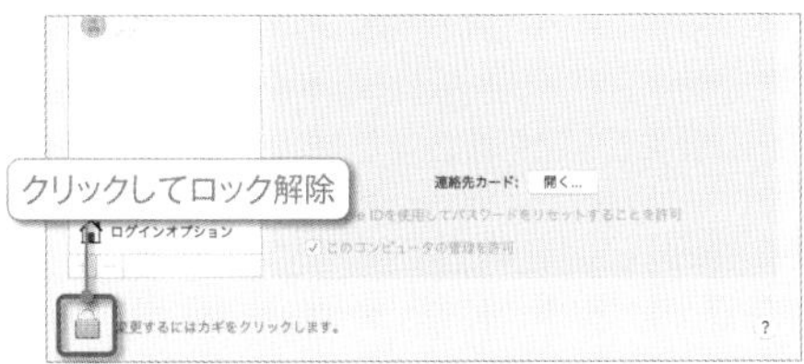

Appleメニューの「システム環境設定」→「ユーザとグループ」を開き、左下の鍵ボタンをクリック。ログインパスワードを入力してロックを解除する。

2 パスワードを変更をクリック

ログインパスワードを変更するには、まず左欄で変更したいユーザを選択し、「パスワードを変更」ボタンをクリックしよう。

3 新しいパスワードを入力する

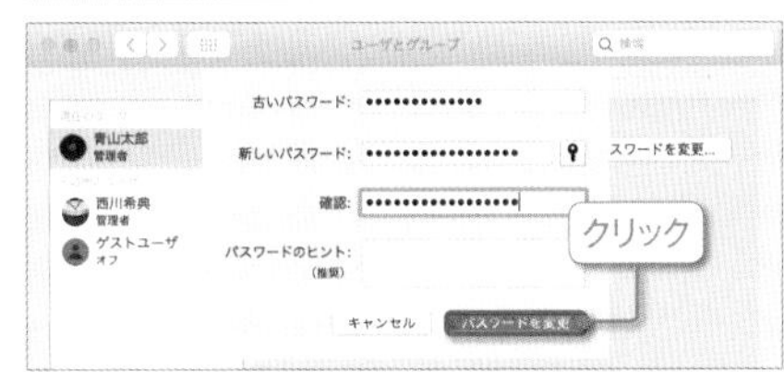

古いパスワード、新しいパスワード、確認用の新しいパスワードを入力し、「パスワードを変更」をクリックすれば変更できる。

4 フルネーム欄でユーザ名を変更する

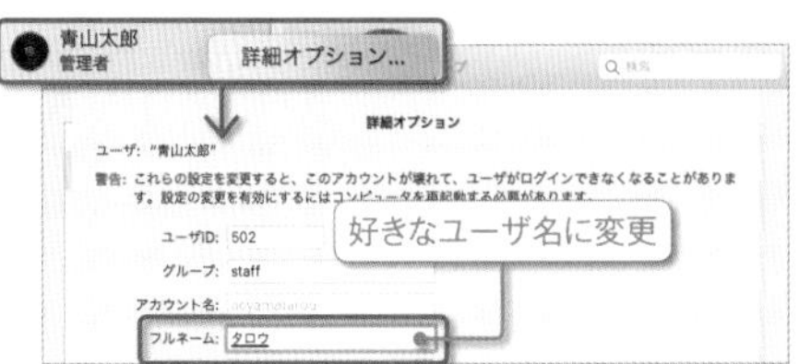

ユーザ名を変更するには、まず左欄のユーザ名を右クリックして「詳細オプション」をクリック。「フルネーム」欄を別の名前に書き換えればよい。

紛失したMacBookを見つけ出す

解決策 「探す」アプリなどを使って探そう

あらかじめ機能が有効になっているかチェック

MacBookの紛失に備えて、iCloudの「探す」機能をあらかじめ有効にしておこう。まずは位置情報が有効になっているかを確認し、iCloudの設定で「Macを探す」「オフラインのデバイスを探す」が両方ともチェックされていることを確認しておく。これらの機能が有効になっていれば、他のMacBookやiPhone、iPadで「探す」アプリを使って、紛失したMacBookの現在地を確認することが可能だ。「オフラインのデバイスを探す」がオンだと、紛失したMacBookがWi-Fiに接続されていなくても、Bluetoothの信号を利用して現在地を把握できる。地図上のポイントを探しても見つからない場合は、「サウンドを再生」で徐々に大きくなる音を鳴らしてみよう。また、「紛失としてマーク」を利用すれば、即座にMacBookをロックしたり、画面に拾ってくれた人へのメッセージを表示して、連絡してもらえるようにお願いできる。発見が絶望的で情報漏洩阻止を優先したい場合は、「このデバイスを消去」ですべてのコンテンツや設定を削除することも可能だ。これらの機能は「探す」アプリで操作する他に、WebブラウザでiCloud.comにアクセスし、「iPhoneを探す」画面を開いても操作できる。

1 位置情報サービスをオンにする

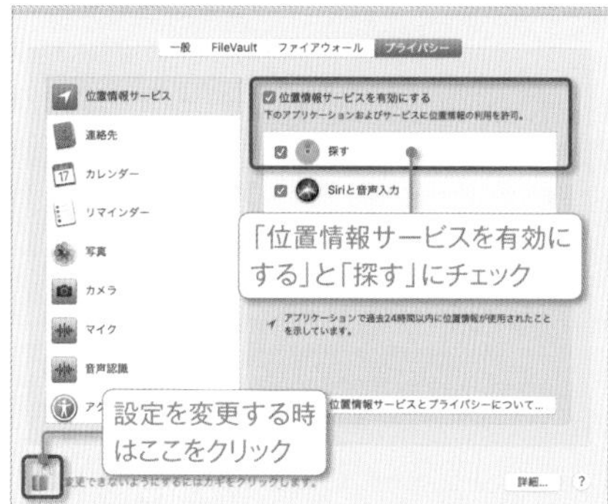

Appleメニューから「システム環境設定」→「セキュリティとプライバシー」をクリックし、左側の「位置情報サービス」を選択。「位置情報サービスを有効にする」と「探す」にチェックが入っていることを確認する。

2 「Macを探す」を設定する

Appleメニューから「システム環境設定」→「Apple ID」をクリックし、サイドバーで「iCloud」を選択。iCloudを使用するアプリの一覧から「Macを探す」を探し、チェックしておこう。続けて「オプション」をクリックする。

3 「探す」オプションをオンにする

「Macを探す」の「オプション」をクリックするとこのような画面が表示されるので、「Macを探す」と「オフラインのデバイスを探す」の両方がオンになっていることを確認しよう。これで、紛失したMacBookがオフラインの状態でも探せるようになる。

4 「探す」アプリで紛失したMacBookを探す

MacBookを紛失した際は、他のMacBookやiPhone、iPadで「探す」アプリを起動しよう。「デバイスを探す」タブで紛失したMacBookを選択すれば、現在地がマップ上に表示される。また、マップ上の「i」ボタンをクリックすることで、さまざまな遠隔操作が可能だ。

5 サウンドを鳴らして位置を特定

マップ上に表示されたデバイスの「i」ボタンをクリックすると、メニューが表示される。「サウンドを再生」をクリックすれば、紛失したMacBookでサウンドが鳴って位置を特定できる。サウンドの音量は徐々に上がり、約2分再生される。

6 デバイスを紛失としてマークする

メニューから「紛失としてマーク」の「有効にする」をクリックすると、個人情報にアクセスできないようにMacBookをロックできる。画面上には連絡を促すメッセージなどを表示できるほか、Apple Pay用に登録されたクレジットカードなども削除される。

7 デバイスを消去して初期化する

MacBookのデータを消去しても、アカウントからデバイスを削除しなければ、持ち主の許可なしにデバイスを再アクティベートできないので、紛失したMacBookを勝手に使ったり売ったりすることはできない

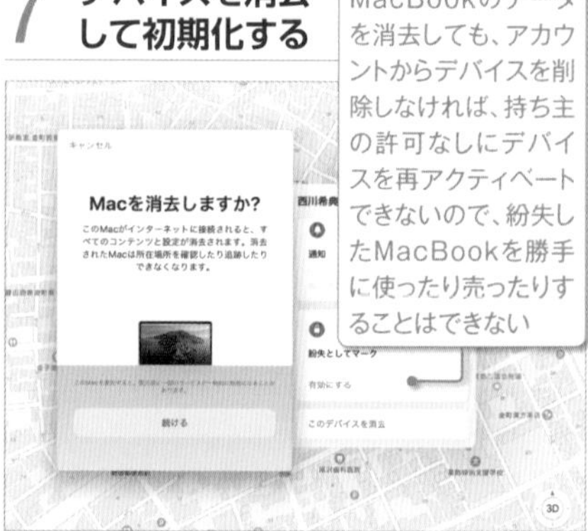

「このデバイスを消去」をクリックすると、MacBookを遠隔で初期化できる。消去したMacBookは現在地を追跡できなくなるので注意しよう。アクティベーションはロックされたまま初期化するので、再度初期設定を行う際はApple IDとパスワードが必要になる。

どうしても不調が直らない時は

解決策 | macOSの再インストールを行う

すべてのデータが消えるので注意

P138で紹介したトラブル対処を一通り試しても動作の改善が見られないなら、MacBookの起動ディスクを初期化して、新しくmacOSをインストールし直すのが、最も確実なトラブル解決方法だ。ただし、macOSのインストールは復旧サーバに接続して行うので、Wi-Fi接続環境が必要となる。また初期化すると工場出荷時の状態に戻るので、起動ディスク内のデータはすべて消えてしまう点に注意しよう。可能であれば、「Time Machine」(P102で詳しく解説)でバックアップを作成しておくか、必要な書類は手動で別の場所にコピーしておくのがおすすめだ。なお、「写真」「メール」「連絡先」「カレンダー」といった標準アプリの多くは、基本的にバックアップの必要はない。「システム環境設定」→「Apple ID」→「iCloud」で同期が有効になっていれば、常に最新のデータがiCloud上に保存されるので、実質的にバックアップ済みの状態となる。同じApple IDでサインインすることで、すぐに元の状態に戻すことが可能だ。macOSの再インストールもできないような深刻なトラブルであれば、Appleストアで修理をお願いしよう。iPhoneやiPadの「Appleサポートアプリ」(P137で解説)やApple公式サイトから、MacBookの持ち込み修理を予約できる。

1 ディスクユーティリティを起動する

まず起動ディスクを初期化し、全データを削除する必要がある。MacBookを再起動したら、すぐに「command」+「R」を押し続けて、「macOSユーティリティ」を起動させよう。続けて「ディスクユーティリティ」を選択し、「続ける」をクリック。

2 ディスク一覧から起動ディスクを選択

左上の「表示」ボタンをクリックして「すべてのデバイスを表示」を選択。MacBookの起動元ディスクがリストの一番上に表示されるので、これを選択しよう。ここでは「APPLE SSD」が起動ディスクとなる。

3 「消去」をクリックして消去を実行

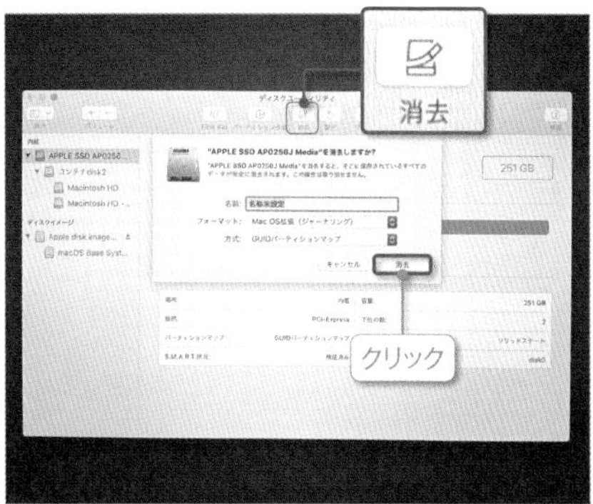

起動ディスクを選択した状態で、上部の「消去」ボタンをクリック。「消去しますか?」と確認画面が表示されるので、「消去」をクリックしよう。フォーマットなどは、デフォルトのまま変更する必要はない。

4 ディスクユーティリティを終了する

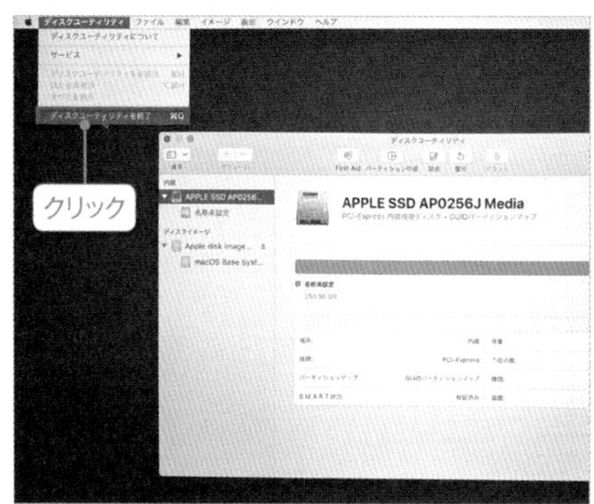

消去が完了するまでしばらく待とう。完了したらメッセージが表示されるので、「完了」をクリック。続けて、メニューバーの「ディスクユーティリティ」→「ディスクユーティリティを終了」をクリックする。

5 macOSを再インストールを選択

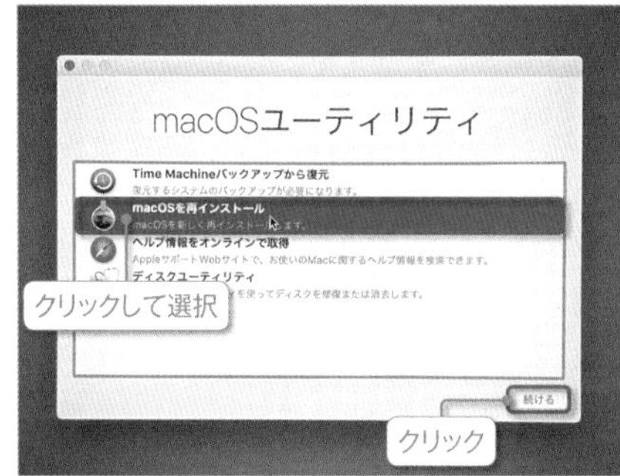

「macOSユーティリティ」画面戻ったら、「macOSを再インストール」を選択して「続ける」をクリック。macOSのインストールが開始されるので、画面の指示に従い使用許諾の同意などを進めよう。OSをダウンロードするのに、ネットワーク接続も必要だ。

6 ディスクを選択してインストールを進める

「macOSをインストールするディスクを選択してください。」と表示されたら、先ほど初期化したディスクを選択し、「インストール」をクリック。あとはディスプレイを閉じたりせずに、インストールが終わるまでしばらく待とう。

7 インストール後は初期設定を行う

macOSのインストールが完了したら、続けて初期設定を行う必要がある。P008を参考に、初期設定を進めていこう。初期設定中に、Time Machineバックアップなどからデータを復元することもできる。

MacBook
完全マニュアル

2020年7月31日発行

編集人 清水義博
発行人 佐藤孔建

発行・発売所 スタンダーズ株式会社
〒160-0008
東京都新宿区四谷三栄町
12-4 竹田ビル3F
TEL 03-6380-6132
FAX 03-6380-6136

印刷所 株式会社廣済堂

M a c B o o k e　P e r f e c t　M a n u a l

Staff

Editor
清水義博(standards)

Writer
狩野文孝
西川希典

Cover Designer
高橋コウイチ(WF)

Designer
高橋コウイチ(WF)
越智健夫

本書の記事内容に関するお電話でのご質問は一切受け付けておりません。編集部へのご質問は、書名および何ページのどの記事に関する内容かを詳しくお書き添えの上、下記アドレスまでEメールでお問い合わせください。内容によってはお答えできないものや、お返事に時間がかかってしまう場合もあります。
info@standards.co.jp